26.95

TROIS PÈRES POUR UNE VIE

PIERRE DesJARDINS

TROIS PÈRES POUR UNE VIE

CARTE BLANCHE

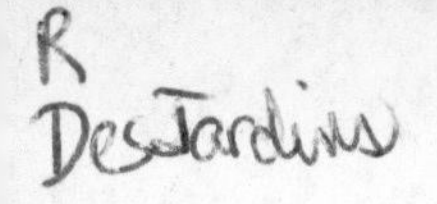

NOTE AUX LECTEURS

Vous êtes sur le point de faire l'expérience un nouveau style d'écriture que j'ai baptisé le *roman cinématographique*, pour sa capacité à transmettre quantité d'images au lecteur occasionnel.

Pour offrir cette innovation à un lectorat férocement courtisé par tous les écrans, j'ai dû transgresser quantité de règles littéraires établies bien avant cette menace. Les lecteurs fidèles à ces balises littéraires pourraient être contrariés, voire choqués par mon style rebelle, dont la seule règle est de colorer votre tête et votre cœur.

Oubliez les règles ! Oubliez mes mots ! Laissez-vous seulement transporter par les images. Résistez au confort de vos habitudes et osez lire autrement !

Illustrations de la couverture : Pierre DesJardins

Les Éditions Carte blanche
Téléphone : 514 276-1298
carteblanche@vl.videotron.ca
www.carteblanche.qc.ca

Distribution au Canada : Édipresse

Dépôt légal : 3e trimestre 2015
Bibliothèque et Archives nationales du Québec

Bibliothèque et Archives Canada

ISBN 978-2-89590-267-6

Conquiers la terre de ton ennemi et tu auras un TERRITOIRE.

Conquiers son cœur et tu auras une NATION !

PROLOGUE

Assoyons-nous confortablement au salon et prenons un bon verre de vin. Laissez-moi vous raconter la naissance de la formidable épopée de trois mâles ennemis, façonnée dans les évènements historiques réels de la bataille des Plaines d'Abraham.

Ne vous surprenez pas si, pour bien imager mes paroles, je laisse la plume tantôt à Henderson, tantôt à Francis, pour qu'ils vous transmettent de vive voix l'aventure fabuleuse qu'ils ont vécue !

Afin de permettre aussi à vos oreilles de voyager, j'ai imaginé une parlure françoise *simplifiée, que j'ai limitée aux dialogues entre colons afin d'alléger votre lecture.*

Le moment est venu de revivre les épreuves qui ont asservi une nation et forgé trois pères adoptifs. Sans plus attendre, je vous présente à tour de rôle cet Anglais, ce Français et ce cheval Canadien à la fois ordinaires et exceptionnels.

PREMIÈRE

PARTIE

LES PÈRES

Septembre 1762

Trois années après la bataille historique des plaines d'Abraham

Sentier forestier de Nouvelle-France
À six interminables kilomètres de Baie-Saint-Paul

Dans un silence et un ralenti surréalistes...

Bordé par une forêt de feuillus majestueux, le paisible sentier montagneux se perd dans le lointain détour.

Tout près, à la tête d'un érable bicentenaire, la première feuille brunâtre de septembre abandonne son perchoir estival pour virevolter vers le sol. Avec grâce, cette messagère de l'hiver se pose sur le sentier inondé par les pluies torrentielles des derniers jours.

Alors que s'évanouissent les minuscules ondulations de son atterrissage à la surface de l'eau, le sabot avant de Harry – un énorme cheval de trait Canadien – l'enfonce violemment dans trente centimètres de boue visqueuse!

La patte du cheval est blessée. La peau de l'articulation est pelée et pendouille affreusement. Soixante centimètres plus haut, les muscles convulsés de sa gigantesque épaule brune sont transpercés d'un pieu de bois éclaté. Malgré le sang à ses narines, le cheval de trait enragé s'acharne à défoncer le collier de son attelage. Sa gueule, sans mors pour le commander, atteste sa rébellion contre le maître, mais aussi son mystérieux sacrifice volontaire. Heureusement, la dizaine de pansements de tissu bleu effiloché témoigne que quelqu'un veille sur lui.

À la gauche d'Harry, de l'autre côté du timon central, l'autre bacul de l'attelage double est vide, sans le deuxième cheval-vapeur pour l'aider à sortir le chariot emprisonné par la boue.

Le gros mâle n'est pas seul. À l'arrière de l'étalon, deux autres mâles lui prêtent main-forte : un seigneur anglais, Michael Henderson, et un colon français, Francis Gaulthier. Les habits d'aristocrate du colosse anglais détonnent avec les haillons déchirés du Français. Malgré la paix signé deux ans auparavant et la boue qui les unit, les deux hommes sont toujours ennemis de langue, de foi et de roi !

Leurs yeux se détestent. Leurs lèvres s'engueulent. Malgré la haine, chacun torture sa roue avant du chariot, avalée jusqu'au moyeu par la terre liquide.

Dans le chariot, sa robe bleue du dimanche en lambeau et le sein effeuillé, Marie-Catherine aboie sa détermination maternelle aussi grande que sa pudeur ignorée ! Et pour cause !...

Dans les mains épuisées de la magnifique femme blanche, une Amérindienne angélique de cinq petits printemps repose dans un hamac de fortune suspendu entre les bancs avant et arrière.

Punie ou bénie par un mal inconnu, le petit ange autiste rayonne de sa pureté, malgré son inconscience. Sa robe de peau de cerf est magnifiquement ornée de deux coulées de billes multicolores qui naissent sur son cou et meurent à ses pieds. Mais, avant même qu'elles n'atteignent la taille, les perles se noient dans l'horreur et le sang !

Le ventre et l'avant-bras de Nahima sont transpercés par la fourche de l'homme blanc. L'outil – ou l'arme ? – pénètre dans son dos pour émerger de son abdomen !

Sous le chariot, dont l'essieu arrière a été arraché quatre heures plus tôt, un érable branchu tente – plus mal que bien – de redresser et d'amortir l'ambulance en ruine.

À quelques mètres dans leur sillage, sur le bas-côté, git Luna, le cheval-vapeur manquant ! La jument, pourtant loyale jusqu'à l'épuisement, tourne l'oreille affolée vers ses frères d'armes, qui l'abandonnent sur le champ d'honneur !

Derrière elle s'étirent à perte de vue les traces de leur long combat contre la haine, la boue et l'intraitable Nouvelle-France pour sauver l'orpheline mystérieuse.

Haut, très haut au-dessus du chariot – au-delà des nuages et du firmament – flotte l'esprit de son papa amérindien, qui s'est éteint sur les plaines d'Abraham. Malgré trois années de séparation, Anadabi prie pour que les ailes de sa fille empalée cessent de pousser...

Les larmes de la Nouvelle-France recommencent à pleuvoir sur le sentier pour soumettre les trois pères adoptifs aux épreuves qui les obligeront à choisir : la haine, ou le pardon pour eux... Le Ciel ou la Terre pour Nahima !

I. LE MÂLE ANGLAIS

En fondant la ville de Québec en 1608, Samuel de Champlain donna son cœur à la Nouvelle-France. Nichée au sommet de sa falaise de pierre, tel un diamant brut dans son écrin rocailleux, la ville de Québec fut le port principal d'échanges commerciaux et le berceau de la « pollinisation » du Nouveau Monde.

Comme toute jeune demoiselle d'une grande beauté naturelle, la Nouvelle-France aimait bien se laisser courtiser. En cent cinquante années de fréquentation, l'amour et l'asservissement de son amant français transformèrent Mademoiselle France en une magnifique colonie à l'image de Madame France, sa mère patrie. Insolente de sa jeunesse et de son beau manteau de flocons blancs, la fille possédait cependant des atouts subtilement plus généreux que ceux de sa mère. Mademoiselle France s'attirait d'ailleurs, depuis plusieurs années, le regard des vieux mâles britanniques et espagnols. Il faut admettre que la coquine savait les aguicher, parée de ses plus belles fourrures, de ses eaux nourricières et de ses épaisses forêts. Malheureusement, nul grand amour ni promesse de mariage ne purent assurer éternellement la fidélité de Mademoiselle France à son amour de Français et à sa belle langue...

Même s'il fut détroussé à quelques reprises, le rival anglais savait trop bien qu'il avait aussi beaucoup à offrir à la future grande dame canadienne. En bon polygame de l'époque, le roi anglais décréta que le temps était venu de prendre Mademoiselle France de force. C'est ainsi qu'au printemps 1759, le général James Wolfe et ses troupes débarquèrent sur les côtes de la future mariée.

Le matin du jeudi 13 septembre de la même année, profitant d'une stratégie brillante et rusée digne des grandes victoires, le général Wolfe et ses pions prirent discrètement position dans le blé mature des plaines d'Abraham Martin. L'armée d'invasion était alors à moins de mille cinq cents mètres au sud des fortifications de la ville de Québec, prête à conquérir le cœur de la demoiselle. Les jeux cruels des rois étaient faits et le temps était venu pour les pions de mourir sur l'échiquier des propriétaires du monde.

Pour cette historique partie d'échec et de triomphe, les pièces du lieutenant-général français Louis-Joseph de Montcalm s'entassèrent sur les Buttes-à-Neveu, qui surplombaient avantageusement les Plaines. Pour leur part, les pions de Wolfe étaient placés au centre des Plaines, parfaitement alignés sur deux rangées de près d'un kilomètre de largeur!

Tel le parfum d'une femme assouvie au réveil, les effluves matinaux de Mademoiselle France exhalaient la paix de septembre. Les magnifiques envolées migratoires des bernaches du Canada filaient entre les feuillus arc-en-ciel et les quelques nuages peints sur la superbe voûte bleue. Ignorant ce paysage féérique, l'horreur débuta à dix heures précises.

Trop impatient de jouer pour attendre les renforts ou pour profiter de son très avantageux surplomb militaire, Montcalm lança la partie. Excités comme des puceaux, les pions français et les colons indisciplinés déchargèrent leur mousquet dans leur descente effrénée vers les Anglais. Sans officier à leur côté, cette première salve désordonnée et imprécise n'impressionna guère les Britanniques encore hors de portée. Tout au plus, les plombs qui atteignirent les lignes anglaises rebondirent, pour la plupart, sur leur tunique immobile. Alimentés par les récits épouvantables de torture amérindienne, les Anglais préféraient de toute façon obéir et combattre jusqu'à la mort plutôt que de risquer d'être capturés ou scalpés. Trop convaincus de leur victoire et bien décidés à profiter de leur réputation sanguinaire, les pions français se ruèrent en hurlant vers leurs rivaux pour tout bonnement... s'immobiliser... à vingt-cinq minuscules petits mètres des tuniques rouges anglaises !

Et puis... rien ! Tout simplement rien ! Pas de son ! Pas d'image !

Étrangement, aucun nouveau coup de feu ne fut tiré dans un silence torturant de cent vingt fabuleuses secondes. Dans cette pause et cette proximité, les pions redevenus des hommes pouvaient lire la haine, la peur et parfois même le respect dans les yeux de leurs bourreaux respectifs.

C'est dans l'arôme matinal de sa chair souillée par la puanteur de la poudre noire et celle de son inséparable successeur... la mort, que Mademoiselle France perdit ses dernières illusions d'adolescence.

Son mousquet à la main, le sergent Henderson se tenait sur la ligne de front anglaise, immobile comme le temps, à quelques mètres seulement du tirage au sort mortel. À ses pieds, le blé doré d'Abraham s'était déjà couché dans la courte attente du millier de corps qui l'accompagneront pour toujours. L'adrénaline – la drogue du guerrier – aiguisait son esprit si violemment que les pensées du vieux sergent se bousculèrent à la vue des soldats français et des miliciens qui se positionnaient maladroitement face à eux.

Narrateur : Sergent Michael Henderson, 46 ans
Régiment : 43e régiment britannique
Position : Centre de la ligne de front

Le moment est irréel. Je pourrais toucher la ligne française en moins d'une trentaine d'enjambées. Ils sont complètement désorganisés. Rien à voir avec la grande armée française qui nous a botté le cul l'an passé à Saint-Cast.

Je dois donner l'exemple et regarder fixement les Français en silence. Sans tourner la tête, je m'efforce tout de même de surveiller du coin de l'œil mon jeune soldat Burton, situé à ma droite. J'aime bien ce gamin et je suis troublé par les rivières qui lui irriguent les tempes.

Pour le sergent usé, cette folle conquête des colonies lui avait déjà arraché trop de ses jeunes puceaux. Trop de viande à mousquet sacrifiée dans le seul but d'agrandir le harem de vieux rois européens déjà impuissants à assouvir leurs propres sujets.

La vue de tous ces gamins qui se préparent à mourir ronge la raison même de mon enrôlement volontaire. La contradiction expédie mes pensées directement en Angleterre. Plus précisément, il y a neuf années de cela, dans mon quartier d'Oxfordshire.

Je suis debout, face à la fenêtre. Je regarde des enfants qui jouent dans la rue. Je ressens le vide du berceau à ma droite. Derrière moi, Elizabeth est assise, abandonnée, sur une chaise berçante d'acajou blanc. Le prix exorbitant des meubles d'enfants, des boiseries, du tapis de laine, et que sais-je encore, n'a pas réussi à ouvrir la maudite boîte à musique blanche et or qu'elle tient sur ses cuisses.

Mes yeux abandonnent le bonheur des voisins pour regarder le gouffre ouvert sous mes pieds. Mes lèvres frémissent. Je les mords pour qu'elles m'obéissent enfin.

— Chérie... Je quitte l'entreprise de père...

Je manque de courage. Je marque une interminable pause. J'hésite à prononcer la sentence de cette femme que j'aime encore.

— Je me suis... Je me suis enrôlé dans l'armée. Je pars le mois prochain.

Les yeux résilients de la belle aristocrate restèrent rivés sur la boîte à musique aussi fermée et inutile que son utérus. Après quelques secondes, la mère morte s'adressa à l'homme sans lignage :

— Je te demande pardon, mon amour...

La boîte glissa de ses mains pour échoir sur le sol, rouler sur le côté et s'ouvrir. Sur les notes d'une berceuse torturante, un bébé de porcelaine entamait son chant du cygne.

Henderson se retourna et se réfugia de nouveau dans la fenêtre en hochant la tête. Le verre s'embrouilla et restitua le moment présent aux soldats français qui réapparurent sur l'immense ligne de front des plaines d'Abraham.

Le rang social et les neuf années de service militaire d'Henderson auraient pourtant dû lui assurer une promotion loin de cette ligne haute tension. Malheureusement pour sa vieille carcasse, ni Wolfe ni son armée n'avaient réussi à faire de cet homme sensible un officier de haut rang ambitieux et autoritaire. Privé d'arrogance et d'agressivité, cette armoire à glace préférait exercer son autorité en offrant plutôt des choix dirigés. Il savait que la soumission imposait l'obéissance, mais que le choix ouvrait subtilement l'esprit de ses jeunes soldats au sacrifice individuel.

Je regarde les Français, qui peinent toujours à former leurs rangs. Ils sont bizarrement regroupés en trois essaims de deux, trois cents pieds de large par six à neuf soldats de profondeur. De notre point de vue, leur masse est terrifiante, mais elle nous offre providentiellement trois immenses cibles, denses et impossibles à manquer, même pour le pire de mes francs-tireurs.

J'aimerais rassurer Burton pour sa première ligne de front. C'est plus fort que moi, je me penche discrètement vers lui et lui chuchote du coin de la bouche :

— Ne vous en faites surtout pas, Monsieur Burton, pour la précision !

En le disant, je repense à tous les efforts que mon bouffon de McLoud et moi avons dû déployer pour motiver et entraîner ces gamins au tir de précision, sous la pression. Cette pensée m'arrache à nouveau des Plaines pour me ramener trois mois en arrière sur notre camp de base de l'île d'Orléans, tout près. Je revois Burton au champ de tir, les yeux au sol, face à sa cible intacte... C'était au début août.

Je saisis le mousquet de Burton pour le porter contre mon épaule et viser la cible.

— Mister Burton, God damned, *vous devez appuyer la crosse solidement contre votre épaule, pas votre joue!*

Je lui redonne le mousquet et regarde mes soldats, surpris par ma colère; ils s'empressent de positionner leur arme et fixer leur cible.

— Allez, messieurs! Si vous les ratez, ces cibles vont vous trouer la peau à la prochaine salve!

En joue... Prêt... Feu!

Le nuage de poudre se dissipe sur une douzaine de cibles... intactes et victorieuses qui me dévisagent!

McLoud se penche vers moi pour me dire:

— Ils sont vraiment stressés, Sergent. J'vais devoir trinquer avec eux à soir!

Je me rappelle seulement d'avoir haussé les épaules en désespoir de cause.

Le soir venu, le bouffon de caporal entreprit sa mission avec enthousiasme et... dix onces de whisky. La langue bien lubrifiée, il racontait aux recrues, réunies autour du feu, sa récente mésaventure. Un an plus tôt, lors de la bataille de Louisbourg, il avait reçu une flèche dans une fesse. Il leur expliquait que, dans l'attente de la faire retirer par les chirurgiens trop occupés, il fut pris d'une très urgente et sérieuse envie de couler un bronze ! Son mousquet sous le bras en guise de béquille, ce formidable conteur se mimait lui-même, paniqué, en train d'essayer de lever sa tunique et d'abaisser son froc alors qu'ils étaient tous deux cloués... par la flèche ! Son public avait déjà peine à respirer lorsque – tel un chien viraillant pour déféquer – McLoud se mit à tourner autour de son mousquet tout en serrant les fesses :

— Merde, merde, merde, merde !

Trop habité par sa grande prestation, l'acteur éméché accrocha le silex de son mousquet qui cracha la poudre dans un effet pyrotechnique digne des grandes productions théâtrales. Lorsque le sang se mit à gicler de son pied, les rires et les encouragements de son public firent instantanément place à un silence de mort. Ivre ou incrédule, McLoud fixa alors son pied en silence, pendant les quelques bonnes secondes que prit la fumée pour s'élever. Son public explosa de rire lorsque la bête de scène partit à courir en boitant et en gesticulant les bras en l'air :

— Général Wolfe ! Général Wolfe ! Les Anglais nous attaquent !

McLoud était un gai luron, mi-quarantaine, un peu grassouillet, qui devait martyriser son uniforme tous les matins. Mais surtout, c'était un complice et un subalterne dévoué qui épaulait son sergent depuis huit ans. Le genre de soldat qui n'avait pas hésité une seconde, à Louisbourg, à se jeter devant son sergent pour prendre une flèche au cul à sa place.

Sa prestation autour du feu lui coûta un petit orteil et une semaine à l'infirmerie. Aussitôt sorti, il se rendit au mess des officiers pour le débriefing de sa mission d'infiltration. Henderson était assis seul. McLoud se dirigea à sa table et lui demanda la permission de s'asseoir.

Je suis très heureux de revoir mon McLoud. Je m'empresse de saisir son coude pour l'aider à s'asseoir. Il sort aussitôt sa bouteille de « médicament » frelaté déjà à moitié vide et m'offre une dose, que j'accepte poliment. Puis, il la range après l'avoir vidée, au cas où... le bouchon coulerait! Nous savions tous deux que j'aurais bien besoin de son calmant... Une semaine de repos forcé à l'infirmerie ; c'était six jours de plus que nécessaire à mon espiègle de caporal pour cogiter une solution tordue au problème de motivation du peloton. J'ai tout juste le temps de faire une petite prière avant qu'il me lance la phrase tant redoutée :

— J'ai une idée, Sergent!

— Oh, non! Que Dieu protège notre peloton!

— Miss Middleton!

— Miss Middleton?

— Oui, Sergent, Miss Middleton!

— La situation est-elle si critique, Caporal?

— Je crois que oui. Et dans votre for intérieur, Sergent, vous savez très bien que j'ai raison.

Miss Middleton n'était déjà plus une « jeune pousse du printemps » lorsqu'elle avait quitté son bordel de New York pour venir combler ses plus profondes « aspirations » au sein de ce régiment. Elle adorait donner du plaisir aux hommes (... et en recevoir, quand le temps lui permettait !) et elle l'assumait pleinement, tout comme le métier qu'elle avait choisi. La quarantaine avancée, une belle moustache et de belles poignées d'amour, la femme n'était pas moins une confidente généreuse pour ses hommes et ses futurs ex-puceaux.

Après avoir exploité tous ses orifices pendant plus de deux ans et avoir porté plusieurs générations d'« animaux de compagnie », elle démoralisa littéralement la moitié du régiment lorsqu'elle annonça qu'elle prenait une retraite bien méritée... depuis déjà fort longtemps d'ailleurs ! Heureusement, les supplications à genoux du régiment tout entier la convainquirent de prendre la relève de leur cuisinier décédé d'un... empoisonnement alimentaire !

— Je constate, Caporal, que vos « médicaments » n'ont pas altéré votre grande sagesse. Je crains cependant que Miss Middleton ne soit plus en « service actif »...

McLoud baisse la tête en la balançant de côté.

— Je suis au fait de cette tragédie, Sergent !

Mon pince-sans-rire se gonfle le torse puis ajoute solennellement :

— Sergent ! S'il le faut, je suis prêt à me gratter les couilles jusqu'à Noël pour la convaincre du mérite de ses orifices... euh... de ses sacrifices.

Je pose la main sur l'épaule de mon héros.

— Vous êtes un brave soldat, Caporal, mais vous avez déjà donné courageusement votre petit orteil gauche pour notre roi et chié dans votre froc pour votre sergent ! (... j'ai peine à rester sérieux en imaginant encore la scène !)

Vos parents doivent être fiers de vous...

— Vous avez raison, Sergent. Ils ont tout le mérite : je suis né con de même !

— Quel merveilleux don de Dieu ! Votre sacrifice auprès de Miss Middleton sera chanté dans nos chaumières, Caporal... Exécution !

Le sourire en coin, je regarde tituber mon bouffon à moitié à jeun. Eh que j'aime ce vieux con. Les hommes comme lui sont d'une valeur inestimable pour le moral de nos soldats, et surtout pour le mien.

Je dois admettre cependant que l'idée de mon complice m'a mis le cerveau en ébullition. Je sais que les hommes sont motivés par ce qu'ils « souhaitent acquérir ». Et en ce sens, les faveurs de Miss Middleton seront une récompense inestimable en cette période de rationnement. Cependant, je sais aussi qu'ils seront tout aussi motivés par ce qu'ils « craignent de perdre ». Cette pensée fait germer dans mon esprit une idée qui ferait pâlir de honte McLoud lui-même...

Le lendemain matin, tout excité, je croise mon ambassadeur. Je l'interpelle en le voyant se gratter les couilles sans ménagement :

— Je vois, Caporal, que vous avez bravement accompli votre mission.

— Oui, Sergent. Mais j'aurais dû me tirer dans l'autre pied, God damned*! Y faut vraiment que j'arrête de boire!*

— C'est si grave que ça!

— On n'aurait jamais dû la lâcher, Sergent. Y l'ont complètement colonisée! Ils doivent même l'avoir divisée en comtés, God damned*! Y sont comme des sauvages. Y te tendent une embuscade avec une bonne p'tite odeur de fromage bleu, pis quand tu te présentes le mousquet, y te sautent sur les couilles pour t'les scalper!*

Je vous le dis, Sergent: si on l'envoie aux Français, la guerre est finie dans deux mois!

— Caporal, ressaisissez-vous, voyons! Les impératifs de notre mission justifient que le nombre et l'avancée de l'ennemi soient tenus secrets. C'est un ordre!

— Oui, Sergent! dit-il en se gonflant le torse.

— Avant que ne tombe votre mousquet, allez voir le barbier pour une petite coupe. Une fois l'ennemi rasé, regroupez les hommes. Je veux leur parler.

— À vos ordres, Sergent.

Les soldats du peloton furent rapidement regroupés devant le colosse qui les surplombait d'une tête. Tel un père, le sergent s'apprêta à leur enseigner les deux règles d'or de la motivation.

— Messieurs, dans la vie d'un soldat, il vient un temps où de grands enjeux diamétralement opposés guideront son mousquet. Sur la première ligne, ces enjeux ne seront rien de moins que la vie, si vous gagnez... ou la mort, si vous perdez !

Soucieux de bien vous préparer pour votre prochaine ligne de front, votre entraînement au tir de précision vous exposera à ces deux formidables enjeux : « ce que vous voudrez gagner » et « ce que vous ne voudrez pas perdre ».

Habitués à la personnalité effacée d'Henderson, les soldats commencèrent à craindre son sourire espiègle. Le sergent reprit la parole.

— Ainsi, le soldat qui aura le meilleur pointage cumulatif au tir de précision, à la cadence de recharge et à l'entretien de son équipement, pour les deux prochaines semaines, remportera tout un trophée : la Coupe Middleton.

Avec l'élégance d'un aristocrate présentant sa fille à la cour, McLoud prit délicatement la main de Miss Middleton et la fit tournoyer, telle une jeune ballerine boulimique.

— Messieurs, le gagnant pourra passer une nuit entière – toutes dépenses payées par vos officiers – avec notre merveilleuse... Miss Middleton !

L'explosion de joie des jeunes hommes flatta l'amour-propre de la prostituée qui rougie.

Henderson eut de la difficulté à faire taire ses gamins. Il reprit.

— Vous savez maintenant ce que vous pouvez gagner. Mais voilà ! Je vous ai parlé d'enjeux opposés. Ainsi, voici ce que vous risquez de perdre. Celui d'entre vous qui obtiendra le plus bas pointage devra passer une nuit – à ses risques et périls – avec... Mister Logan, notre beau brancardier !

La stupéfaction fut totale ! Les mâchoires restèrent ouvertes et silencieuses lorsque, fier de son coup, Henderson prit la main du beau brancardier tout sourire et le fit aussi tournoyer.

Le penchant de leur brancardier pour un canon bien droit et bien huilé était bien connu du régiment. Et nul n'aurait osé le harceler à ce sujet de peur d'être « oublié » sur le champ de bataille. La stupéfaction des hommes se transforma rapidement en rigolade lorsqu'ils commencèrent à imaginer le malhabile frère d'armes en joyeuse difficulté.

Toutes les armées, de tous les temps, ont connu l'homosexualité circonstancielle. Les Anglais et les Français n'y firent pas exception. Pour sa part, Henderson était fort heureux que la présence de Miss Middleton et de ses copines de New York aient pu limiter les dommages...

Fiers de notre coup, McLoud et moi les regardons se chamailler comme des enfants. Sans les quitter des yeux, mon bouffon me lance du coin de la bouche :

— Vous êtes mon idole, Sergent... Mes parents seraient vraiment fiers de vous !

Tout en grattant sa nouvelle coupe, mon pince-sans-rire ajoute :

— J'ai hâte que le gagnant découvre ce que vous vouliez dire par la « COUPE Middleton » !

Les deux officiers éclatèrent d'un fou rire libérateur dont le supérieur avait presque oublié les bienfaits.

Le stratagème fonctionna à merveille. Malheureusement, la victime collatérale de cette extraordinaire avancée fut le jeune Burton qui finit bon dernier. Henderson aurait sûrement préféré qu'un soldat plus aguerri – capable de garder son brancardier à distance – eût hérité de la nuitée. Il savait bien que sa recrue ne gagnerait pas la Coupe Middleton, mais il était tout de même convaincu qu'il ne finirait pas à la queue du... brancardier ! Le sergent était, à la fois, profondément désolé pour Burton et inquiet pour ses aptitudes de tir en condition réelle.

La culpabilité que je ressens envers mon jeune soldat, me ramène brutalement sur les plaines d'Abraham. Dans le cliquetis des armes qui se meurent de tuer, je m'incline de nouveau vers Burton pour me confesser avant qu'il ne soit trop tard.

— Je suis vraiment désolé, Mister Burton, pour... pour le... brancardier.

Après sept bonnes secondes, Burton se penche vers moi.

— Ne vous en faites pas, Sergent. J'ai eu beaucoup de mal à rater mes cibles pendant deux longues semaines sans que personne s'en aperçoive...

En fait, d'après le brancardier, mon maniement d'armes et ma cadence de tir seraient plutôt remarquables...

Puis, il me regarde avec un petit sourire ravi de nous avoir tous roulés dans la farine. Le temps de comprendre, je suis saisi d'un sourire difficilement contenu tout en pensant que... dans mon temps...

Henderson détonnait vraiment parmi ses fils de première ligne, chômeurs pour la plupart. Futur héritier d'un commerçant d'équipement agricole très prospère et respecté d'Oxfordshire, Henderson était très à l'aise financièrement, bien qu'inconfortable avec la bourgeoisie à pincettes. Il en était cependant tout autre de sa belle Anglaise, qui veillait subtilement à ce que son mari lui assure les apparats et la dentelle dus à son rang.

Persécuté dans le rôle d'administrateur flegmatique imposé par son père autoritaire, le fils artiste suffoquait. Sa belle Anglaise aurait pourtant pu combler ce vide. Dix-neuf années s'étaient écoulées depuis qu'il lui avait promis devant Dieu de l'aimer et de la protéger. Ses sentiments pour Elizabeth étaient maintenant confus. Après trois fausses-couches et une grave hémorragie qui avait failli lui coûter la vie, l'épouse s'était avouée inapte à transformer ce mari... en père ! La femme inachevée en souffrait certainement autant que lui, mais en bonne Anglaise résiliente, elle avait su enterrer cette injustice de la nature au plus profond de son âme. Henderson en fit autant... enfin le croyait-il ! À quarante ans, impuissant à habiter ses rêves et incapables en bon protestant de briser leur union ou d'abandonner l'entreprise familiale, la «gloire du roi» s'était imposée comme la seule issue au mari trahi, au père inutile et au fils ignoré. Piégé, l'aristocrate désabusé avait choisi de servir son roi et une cause plus grande que lui!

Quelque deux mille morts plus tard, à l'aube de la cinquantaine, son âme se consommait dans son mal de vivre grandissant! Encore une fois, sa rencontre avec une autre magnifique demoiselle aurait pu tout changer. Tombé – *malgré* ou *à cause* de la guerre – sous le charme de cette terre déjà promise, Henderson se sentait étrangement en paix dans les bras de Mademoiselle France. En gentilhomme, il se surprit même à envier la belle aventure sauvage et créative des colons canadiens. Mais voilà, le général Wolfe – qui n'était guère plus sadique que les autres fous des autres rois – ne voyait en Mademoiselle France que le théâtre de sa propre gloire. À son âme défendant, Henderson ne put échapper aux lourdes conséquences de l'abandon de sa liberté de choix au profit de son roi.

Je suis au moins rassuré pour Burton, mais mes lèvres perdent rapidement leur sourire alors que je regarde le magnifique blé doré à mes pieds. Apparemment, ni le général français ni l'anglais ne semblaient vouloir faire le premier pas vers l'immortalité de leur propre mort.

Dans l'immobilité du temps en panne, l'esprit torturé d'Henderson quitta le champ de bataille pour la troisième fois. Ses pensées partirent vers l'endroit précis où son âme l'avait abandonné pour de bon: Saint-Joachim!

Afin de couper l'approvisionnement en nourriture vers Québec et forcer les miliciens à retourner sur leurs terres, Wolfe ordonna – deux mois avant les Plaines – d'incendier quatre mille fermes en amont de Québec. Pour cette tâche, il avait sciemment désigné cent cinquante soldats du régiment des Rangers de la Nouvelle-Angleterre – colonie britannique à cette époque – pour cette basse besogne. Le brillant général britannique savait trop bien que la haine viscérale des Rangers envers les Français alimenterait la motivation de ses soldats, et pour cause ! Les petits villages des colonies de la Nouvelle-Angleterre vivaient, depuis quatre-vingts ans, dans la peur des attaques conjuguées des Indiens et des Français expansionnistes. Lors de ces massacres, les adultes étaient assassinés ou scalpés vivants, et les enfants kidnappés étaient vendus comme esclaves en Nouvelle-France.

Deux semaines avant les Plaines, la compagnie de Henderson reçut pour mission d'escorter les Rangers dans une magnifique seigneurie du nom de Côte-de-Beaupré.

La majorité des soldats sous mes ordres détestent ces missions punitives. Après tout, ils sont eux-mêmes des fermiers ou de pauvres villageois. De plus, à l'opposé des Rangers, aucune de nos familles n'avait été malmenée par les Canadiens ou leurs complices amérindiens. Mais nous étions des soldats qui avions prêté allégeance : le choix ne faisait pas partie de nos choix !

Nous marchons sur la berge nord du fleuve Saint-Laurent. Sur notre gauche, les champs sont délimités par des tonnes de roches arrachées et déplacées à mains d'hommes. Je sens l'humidité du matin, qui rehausse les effluves corsés des animaux, attestant de la vitalité des exploitations agricoles.

Alors que nous entrons dans le village de Saint-Joachim, je suis malgré moi ému par la beauté de la petite commune. Les villageois sont visiblement pauvres, mais leurs cabanes sont propres, coquettes et accueillantes. Les fleurs, et leur parfum, ornent les jardins. Les femmes sont belles comme si cette maudite guerre n'existait pas. Certains colons nous fuient, alors que d'autres nous supplient d'épargner leur maigre trésor. Heureusement, la responsabilité de griller cette oasis revient aux Rangers.

En après-midi, il n'y a plus de belle Canadienne ni de belle maisonnette. Il ne reste que le soleil d'août qui tente de filtrer à travers la fumée des champs et du village qui refusent de mourir. Mes hommes sont occupés à contenir des colons en colère lorsque Burton et Alexander traînent devant moi deux adolescents de quinze ou seize ans. La fille retient son corsage déchiré. Je demande aussitôt :

— De quoi sont accusés ces enfants ?

— Résistance armée, Monsieur. Le garçon a menacé deux Rangers d'une hache.

L'adolescente s'écrie aussitôt :

— C'est mon frère. Y protégeait seulement ma vertu.

Les ordres de Wolfe étaient clairs : punir les colons et exécuter sur-le-champ toute personne armée ou résistante. À peine plus vieux que leurs prisonniers canadiens, les deux jeunes soldats qui le retenaient paniquaient devant l'ordre imminent de fusiller l'adolescent.

L'idée mortifiante de détruire quatre jeunes vies pour servir le fou du roi me confronte sinistrement à mes choix d'homme et mes servitudes de soldat. Alors que les yeux du jeune Canadien me détestent, ceux de mes deux jeunes soldats effrayés me supplient, plus haut et plus fort que leurs lèvres n'en auraient jamais le droit. À mon tour de paniquer sous mon uniforme et de rechercher désespérément le salut auprès d'un officier supérieur.

Inutile : c'est moi ! Le sacrifice m'a encore choisi ! J'inspire profondément et demande à Burton :

— De quelle main tenait-il sa hache ?

— Euh..., la droite, Monsieur !

Rassemblant tout son courage, il décrocha prestement la baïonnette de son soldat, empoigna les doigts du frère héroïque et d'un mouvement aussi sec que précis, il lui enfonça la lame au travers de la paume !

Pendant que le gamin se tordait de douleur, le sergent désabusé transmit son code d'honneur.

— Tant que je serai votre sergent, NUL ne sera exécuté pour avoir protégé courageusement la vertu de sa petite sœur ou toute autre femme de sa famille. Est-ce clair ?

Soulagés par le sacrifice de leur mentor et admiratifs de l'éthique d'un grand homme et officier de Sa Majesté, tous acquiescèrent en cœur.

Les villageois – et encore plus le frère valeureux ! – connaissaient les ordres d'exécution de Wolfe. Profondément troublé, le gamin leva les yeux vers le géant qui lui avait courageusement sauvé la vie en le poignardant ! Le regard fuyant, le Britannique sans fils lui sourit timidement en lui tendant son mouchoir, puis lui fit signe de rejoindre sa sœur et l'essaim de villageois sous sa protection.

Le caporal connaissait bien son sergent. Il savait que ce courage était emprunté et que les mains tremblantes de son ami devaient être discrètement calmées. Il n'insista pas pour le faire accompagner lorsque Henderson lui ordonna :

— Monsieur McLoud, je vous confie le commandement pendant que je vais inspecter les alentours.

Les rues sont désertes. J'erre et je repense aux malheureux gamins prisonniers du jeu des rois. Je bouge les doigts et les masse comme si le problème était musculaire et non mental. Je tente de remettre mon armure ébréchée, mais je réalise que j'ai de plus en plus de difficulté à ignorer mon âme. Je suis encore à nu, lorsque des cris étouffés attirent mon regard à l'intérieur d'une mignonne maisonnette. Avant que je puisse monter ma garde, l'horreur collatérale de ces missions punitives pénètre violemment mon esprit fragilisé. Je perds la tête !

Ignorés de tous les dieux, alimentés par le diable, deux Rangers violentaient une jeune Canadienne totalement hystérique, son nouveau-né en pleurs dans les bras. Elle reculait et frappait les prédateurs d'un poing, alors que de l'autre main, elle tentait désespérément d'éloigner le poupon de leurs crocs.

Un des monstres l'empoigna, souleva aisément la jeune fille et la renversa sur la table de cuisine. Paralysé, Henderson la voyait crier et l'entendait lutter.

> *Je suis sans voix ni voie, priant pour que leur officier vienne arrêter leurs bêtes noires!*
>
> *Oh non! Elle se tourne vers moi et me regarde. Je suis piégé, je ne peux plus fuir. Je tends la main vers les fauves, mais je suis incapable de rugir...*

Abandonnée par l'officier, la mère enfonça ses griffes dans les yeux du lâche dominant. La rage des prédateurs explosa dans un ignoble coup de crosse!

> *Je vois la tête de l'adolescente qui rebondit sur la table... l'écrin maternel qui s'ouvre... le poupon qui chute tête première... ses petites mains qui s'ouvrent... puis l'horrible bruit sourd du crâne de porcelaine qui éclate au sol! Et l'affreux silence sans pleurs! Que les gémissements des bêtes assouvissant leurs bas instincts dans l'adolescente inanimée...*
>
> *Mes galons m'étouffent; je ne peux plus respirer. Je suis dégoûté de mon sexe, de mon armée, de mon roi et de tous les dieux. Mais, pire encore, je suis dégoûté de moi-même!*

Démentie mais glorifiée. Interdite mais avalisée en haut lieu. La barbarie des hommes en campagne de répression n'avait de loi que celle du silence.

Abandonnant la mère en danger, Henderson fuyait à toutes jambes, cherchant un abri... un gouffre... un confessionnal... un bourreau...

Ses oreilles le punissaient de vingt années de surdité en lui crachant les pleurs des paysans dépossédés... le rugissement des villages incendiés... les hurlements des puceaux décapités. Puis, l'affreux coup de crosse et l'enfant qui éclate... Encore le coup et la tête du poupon qui explose sans arrêt dans la sienne!

Les mains qui écrasaient ses oreilles ne furent d'aucun recours contre sa conscience qui ne lui mentait plus.

> *Je m'affale à genoux, haletant et désorienté, quelque part dans le jardin isolé d'une maisonnette. Après un long moment et un silence que je ne mérite plus, j'ouvre les yeux. L'horreur!*
>
> *Je suis agenouillé au centre d'une oasis de fleurs mauves et blanches. Elles me dévisagent... à gauche... à droite. Je ne peux fuir leur jugement. Sans pardon, leur beauté et leur doux parfum me renvoient brutalement ma propre laideur... ma propre puanteur!*

Sa grosse carcasse sanglotait enfin, mais il était trop tard, son âme ne respirait plus...

Était-ce ça, « servir son roi » ?

Était-ce ça, la vocation tant recherchée ?

Tout homme a son point de rupture. En choisissant un asservissement militaire, Henderson comprit trop tard que ni son devoir ni sa soumission ne pouvaient protéger son âme fragilisée des horreurs de la gloire des rois.

Chaîne... prison... fardeau... démon... servitude... dépendance... peu importe son nom ou son siècle, nul homme n'est moins libre que celui qui s'emprisonne lui-même. Toute servitude a son point de départ, de non-retour, et la mort de ce poupon fut celui de Henderson. Alors oui, c'est la honte et le désespoir qui avaient gardé le sergent Michael Henderson en première ligne, prêt à recevoir la punition de son dieu et des Français.

Je suis soudainement arraché de Saint-Joachim et ramené sur les Plaines par la petite poussée de Burton. Il me sourit nerveusement, comme pour s'assurer que je suis toujours sur son flanc. Sans se retourner vers moi, il me chuchote :

— Vous, Sergent, ça va ?

L'homme en devoir se ressaisit et, encore une fois, dissimula ses abîmes. Les deux yeux humides fixés sur la milice canadienne et sur les Français en uniforme bleu et gris, il répondit du coin de la bouche à son jeune caporal apeuré :

— Inquiétez-vous pas, Monsieur Burton ! Je me demandais si je prendrais du milicien saignant ou du Français bleu !

Le caporal sourit, trop heureux d'avoir retrouvé son sergent égaré depuis Saint-Joachim.

> *Je regarde les Français sur la première ligne. Je comprends leur haine. Pire, je la mérite ! Ils me semblent soudainement aussi humains qu'un Anglais. À vrai dire, je crois même reconnaître à l'extrême gauche James Clifford, mon barbier de la rue York. Puis, le maigrichon aux grands sourcils à son côté pourrait bien être Henry, le sympathique major-dome de mon père.*

Henderson était peut-être dépressif, voire désespéré, mais pas encore suicidaire. Il se devait maintenant d'identifier celui qui serait soit son exécuteur, soit son exécuté. Les pions britanniques savaient trop bien que Wolfe avait l'habitude de laisser les Français tirer en premier, plus par stratégie que par une légendaire courtoisie. Selon le jeune général, ses soldats visaient avec moins de nervosité lorsque les mousquets adverses étaient vides. De plus, les trois essaims profonds et denses de Français empêchaient les miliciens positionnés à l'arrière de la deuxième rangée d'utiliser efficacement leur arme. Ce faisant, la prochaine salve de l'armée française sera limitée à quatre cents plombs tirés au travers des Britanniques épars.

Face à eux se trouvaient mille huit cents francs-tireurs britanniques à une distance d'un mètre les uns des autres et répartis sur deux interminables rangées de près d'un kilomètre. Mille huit cents mousquets chargés chacun de deux projectiles gigantesques gros comme l'ongle du pouce. Par conséquent, la première salve britannique crachera trois mille six cents plombs à elle seule, soit dix fois plus de métal meurtrier que celle des Français ! Et avec trois essaims de Français agglomérés, chaque plomb touchera forcément une cible et pourra même en traverser une deuxième.

Je suis face à l'extrémité de l'essaim central français. Mon exécuté est face à moi et facile à identifier. Il est aussi laid, antipathique et grassouillet que Moncton, le laitier de mon quartier. Avec un peu de chance, il est probablement aussi malhabile que lui. C'est décidé : si je survis à la courtoisie de Wolfe, c'est à lui que je vais poster mes soixante grammes de plomb !

Soudainement, venant de nulle part, un jeune retardataire français arrive en trombe pour se placer maladroitement à l'extrémité de l'essaim. Sa tunique bleue devient par le fait même ma nouvelle cible. Je suis troublé lorsque je lève les yeux et vois sa figure juvénile d'une quinzaine d'année. À voir ses yeux regarder le sol, on dirait un écolier haletant embarrassé d'arriver en retard en classe.

Puis, le choc ! Non... C'est impossible ! Je le dévisage de nouveau... C'est mon fils... mon fils George !

Il a les yeux d'Elizabeth, ma tignasse brune en broussaille, mon pli au menton, ma mâchoire arrondie et ma maudite timidité envahissante... Mon portrait tout craché... à son âge !

Mes pensées se bousculent. Comment peut-il être ici ? Comment peut-il seulement être en vie ? Mes yeux, mes souvenirs ou Elizabeth me trompent.

C'était pourtant impossible. Il savait trop bien qu'Elizabeth ne pondait pas ! Ce fils – s'il l'avait eu –, il l'aurait fièrement prénommé George, comme le roi d'Angleterre. Malheureusement, l'enfant imaginaire n'avait existé que dans les fondations de son désespoir et de son mal de vivre. Mais par un cruel revers du destin, la ressemblance de son ennemi réanima le cœur meurtri du père inutile.

Ce gamin ne mourra ni puceau ni aujourd'hui. Il peut bien avoir une tunique bleue, il peut bien parler français, anglais ou chinois. Je m'en fous ! Assez, c'est assez ! C'est vivant que George reverra sa mère.

Le regard fuyant et paniqué de George croise enfin le mien. J'ai tant de choses à lui dire, tant de choses à lui enseigner... J'aurais tellement voulu qu'il ne soit pas là, que je ne sois pas ici, que nous soyons ailleurs.

Le silence, la proximité, l'euphorie et la panique eurent raison des Français et des miliciens indisciplinés. Quelques centaines d'entre eux brisèrent les dernières minutes de sérénité de Mademoiselle France dans une deuxième salve désordonnée qui déchira le silence et les Anglais. Essoufflé, inexpérimenté, mais surtout surpris par l'onde de choc des mousquets crachant en cacophonie, George gaspilla à la hâte sa seule chance de survie contre un franc-tireur britannique.

Je suis sorti brutalement de mes pensées par la mitraille de nos ennemis. La brûlure d'un plomb me racle le flanc droit alors que mon visage est éclaboussé d'une purée chaude.

Tous les survivants de toutes les lignes de front et tous les miraculés de toutes les catastrophes ont connu cet instant de pure plénitude. Ce moment où l'horreur de la mort attendue fait place à l'ivresse de la vie qui continue. Cette seconde sublime où le choc s'estompe et où vous renaissez!

Je suis vivant! Je suis... vivant! J'ai à peine le temps de consommer ma joie qu'un couvre-chef sans chef roule à mes pieds. Je me tourne immédiatement vers Burtton pour comprendre avec horreur que je porte sur moi la cervelle du gamin.

Neuf années de cette foutue première ligne et Dieu s'acharne à me garder en vie pour voir ça! Je suis en colère. Je plaque la crosse de mon mousquet contre ma joue dégoulinante et canalise toute ma rage sur les mires de mon canon. Les règles de la guerre sont implacables... Tuer ou être tué! Obéir ou mourir! Ma côte meurtrie le sait, ma joue gluante le sait: je n'ai pas le choix, George le soldat devra mourir pour que mes frères d'armes et moi vivions. Les nécessités de la «gloire du roi» savaient trop bien comment nous imposer ses horreurs.

J'épaule mon mousquet, tout en évitant le regard de mon fils. Je vise machinalement le centre de sa poitrine haletante, paniqué à recharger un mousquet qu'il n'utilisera plus. À cette distance, mon fils est mort!

Pendant que la haine et le doute martelaient la conscience d'Henderson, Wolfe leva le bras, prêt à lancer enfin la première salve britannique. Telle la faux de la mort, le bras du général pointa vers Dieu puis vers le sol pour ouvrir l'enfer sous les pieds des troupes françaises. Les deux divisions britanniques aux extrémités commencèrent à tirer, déclenchant deux cascades meurtrières qui se dirigèrent vers le centre de la ligne de front.

J'entends le tonnerre des mousquets anglais qui vomissent au loin pendant que mon âme refuse de mourir avec George. Je tremble. Mon corps tout entier implore son libre-choix. Je peux choisir! La haine, la mort, la vie, l'amour! Je dois choisir! Soudain, la solution me paraît si claire. À la toute dernière seconde, je pointe mon arme précisément sur son épaule qui tient le mousquet et je fais feu, implorant mon deuxième plomb d'être miséricordieux!

À travers l'écran de fumée grandissant, je vois avec horreur le visage ensanglanté de George se renverser violemment vers l'arrière. Mon esprit agonisant évacue la guerre et les armées de ma vue. Il ne reste que moi, mon mousquet fumant, mon fils exécuté et le blé doré qui attend son corps. Dans un ralenti suppliciant, je regarde sa figure d'adolescent s'affaler sur Abraham.

Malgré mes hommes, malgré la guerre, je m'affale à genoux, l'arme debout encore à la main. J'ai été incapable d'honorer ma femme... Incapable de mériter le respect de mon père... Incapable de sauver le poupon de porcelaine... Même incapable de protéger mon propre fils contre... moi-même! L'arme à la main et la larme à la joue, je sais que j'ai trop tardé à choisir.

Ce n'est pas la seconde manquante qui avait tué le poupon de porcelaine et George, mais neuf années de fuite. En les sauvant, Henderson aurait pu se sauver lui-même... mais en les abandonnant, il s'était lui-même abandonné !

Pour l'homme puni, la première bataille des plaines d'Abraham et toutes les guerres étaient finies bien avant qu'il ne lève les yeux et voie « Moncton » le renverser d'un plomb en pleine poitrine. Couché, les yeux au ciel, il sourit en pensant que le Français grassouillet n'était finalement pas aussi malhabile que son laitier d'Oxfordshire ! Puis vinrent le silence, l'odeur du blé et la paix... Enfin !

Les yeux humides, Michael Henderson fixait les nuages alors que le visage de sa belle Anglaise lui arrachait un dernier sourire. Telle une haie d'honneur, le blé d'Abraham le salua pendant qu'il partait dans les bras de Mademoiselle France.

Septembre 1762

Trois années après les plaines d'Abraham

Sentier forestier
À six kilomètres de Baie-Saint-Paul

Dans un silence et un ralenti surréalistes...

Debout à côté de la roue droite, Francis, découragé et épuisé, ordonne l'arrêt du chariot juste à temps pour s'affaler à genoux dans vingt centimètres de boue aussi vicieuse que visqueuse. Heureusement, le cheval, épuisé, lui obéit cette fois.

Après quelques secondes à implorer le ciel, ses mains meurtries s'accrochent au chariot. Il se relève péniblement et questionne Marie-Catherine du regard. Pour toute réponse, il n'obtient que les yeux humides d'une mère implorant impitoyablement son homme épuisé de... continuer!

Insouciant des graves conséquences divines, le colon relève la figure et l'index au ciel pour vociférer sa rage et ses menaces au dieu de son curé. Ses lèvres hurlent trois années de frustrations.

Devant le silence des cieux, les yeux de Francis quittent les nuages pour fuir vers le seuil boueux de l'enfer, alors que le doux réconfort de l'abandon décontracte ses muscles.

Conscient que cette paix lui est interdite, son corps tout entier se braque soudainement pour hurler sa rage et son courage, dans une rébellion toute paternelle.

Les épaules aussi hautes que son d'adrénaline, Francis se tourne vers Henderson pour engueuler et menacer son ennemi à bout de force.

Puis, dans une prière à ses muscles plus qu'à son dieu inutile, le mâle français agrippe le rayon de la roue et aboie le décompte avant la prochaine explosion !

II. LE MÂLE FRANÇAIS

13 septembre 1759, 10 h 04

Pour les colons canadiens et leurs alliés montagnais et hurons, les techniques de guerre à l'européenne – qui dictaient d'attendre à découvert que le gentilhomme d'en face te tire respectueusement dans la gueule – étaient évidemment insensées et suicidaires.

« Je te tire dans la barbichette.
Tu me tires dans la barbichette.
Le premier qui ratera aura une épithète ! »

Tout comme les autres colons qui formaient, par nécessité, le régiment de la milice canadienne, le père et le fils Gaulthier n'avaient pas appris à mourir en bon pion pour l'honneur d'un général, mais ils savaient comment tuer l'Anglais pour protéger femmes et enfants. Ils n'avaient pas appris non plus à mourir en gentilshommes pour divertir un roi, mais ils savaient comment scalper l'Anglais pour l'effrayer et l'éloigner de leur Nouvelle-France.

Francis Gaulthier occupait la sixième rangée de l'immense essaim nord de soldats français. Bien qu'initialement, cette position lui avait semblé rassurante, elle ne lui permettait pas – pas plus qu'à plusieurs centaines de Français – d'utiliser son long mousquet, en dépit de ses cinq pieds onze. Néanmoins, devant le carnage des tirs britanniques, Francis pourrait fort bien avoir une ligne de visée beaucoup plus tôt qu'il ne l'aurait souhaité !

Narrateur : Francis Gaulthier, 32 ans
Régiment : Milice canadienne
Position : Nord de la ligne de front

Bon Dieu que les tuniques rouges ne tombent pas vite ! Pourtant, nos cris de guerre et le tonnerre de nos armes semblaient si puissants. Nous sommes complètement désorganisés. Les deux premières salves des porcs anglais ont été dévastatrices. À ce rythme, Popâ et moi serons à découvert dans quelques minutes. Je me tourne sur ma droite pour m'assurer qu'il n'a pas été touché. Ouf! Il va bien ! Il tente même de calmer son jeune voisin qui peine à retenir ses larmes. Malgré – et à cause de – la mort qui nous guette, je regarde et admire cet homme extraordinaire. Mon père est mon meilleur ami, mon mentor et – bien qu'il tente de le cacher – mon plus grand admirateur. Depuis que Môman est décédée en crachant ses poumons, mes sœurs et moi prenons un peu plus soin de lui... et lui, de nous !

La présence de ce grand homme au pied de ces Buttes-à-Neveu maudites m'arrache brusquement du champ de bataille pour me projeter vingt-cinq ans en arrière. Le blé écarlate a disparu sous mes pieds pour faire place à de la neige immaculée.

C'était un dimanche ensoleillé de l'hiver 1734 ; j'avais sept ans. Les Buttes n'étaient pas encore maudites, mais pures comme les deux mètres de neige qui les recouvraient. Les parents nous avaient amenés glisser, mes trois jeunes sœurs et moi. Il devait faire moins soixante-dix degrés. La guédille me gelait au nez avant même que j'aie le temps de l'avaler. Et pas question de l'essuyer avec ma mitaine. Même malade et à bout de souffle, Môman m'aurait arraché la tête si mes vieilles mitaines de laine ne m'avaient pas déjà varlopé le nez. Je revois mon père, qui, malgré ses six jours éreintants à bûcher la terre, remontait inlassablement les pleurnicheuses en haut de l'immense « Montagne-à-Neveu ». À un certain moment, alors que Môman était plus loin, Popâ regarda à gauche, à droite, puis se pencha sur moi pour me chuchoter à l'oreille, d'un air complice :

— Toute une chance, Fils, qu'on est deux hommes pour les charrier !

Mon père savait comment bâtir un homme. Je me revois, entre l'euphorie et l'hystérie, calé entre ses jambes, dévalant la montagne plus vite qu'un cheval épouvanté. Et puis... notre mémorable fouille ! Je souris à l'image de ce père protecteur qui n'a jamais voulu relâcher son étreinte pour plonger, tuque première, dans la neige. Je revois mon géant, la tête enfouie, qui implorait MON AIDE de ses bras gesticulants pour finalement retomber sur le dos avec moi, son héros, tout en riant et recrachant le bonheur blanc !

Mon père faisait à peine cinq pieds six, mais si l'on reconnaît un grand homme à la façon dont il se comporte avec les petits, mon père était un géant ! Et même si je le dépasse maintenant d'une bonne demi-tête (merci, Môman !), je suis encore le p'tit homme de mon père !

Eh que j'aime cet homme !

La neige fond aussi vite qu'elle est apparue dans ma tête lorsque mon voisin de gauche s'affale sur moi. Les balles de neige font aussitôt place aux balles de plomb, les toboggans aux canons, le bonheur à l'horreur, la sécurité à la peur et l'amour inconditionnel à la haine viscérale!

Je regarde aussitôt la rangée qui nous précède. À voir mes deux frères montagnais – Mahigan et Anadabi – salivant à la vue des tignasses anglaises, j'en conclus qu'ils vont toujours bien!

Sous la troisième salve des Anglais, deux miliciens des cinquième et sixième rangées, devant Francis, s'écroulèrent, la tête évidée par la même balle. Éclaboussé, Francis regarda son père, tout aussi pétrifié que lui. Sans hésiter, Anadabi se déplaça pour former un écran humain devant Francis, maintenant à découvert. Ému, Francis posa la main sur l'épaule de son bouclier, laissant voir sa vieille cicatrice triangulaire au dos de la main. Dans l'attente que la fumée des mousquets anglais s'estompe, Anadabi le regarda, lui sourit et recouvrit la main du Français avec la sienne, ornée de la même cicatrice triangulaire. Mahigan fit disparaître les deux premières mains sous sa paume gigantesque. Son triangle de chair cicatrisée trônait maintenant au sommet, symbole de l'amitié indéfectible de trois frères de sang.

Cette image me plonge dans des souvenirs qui filent à toute allure. Je nous revois tous trois enfants, partageant nos jeux et nos dieux, nos corvées et nos trophées, nos malheurs et nos douceurs. Le stress accélère mes pensées. Nous sommes déjà adolescents. Je revois, encore une fois, cette journée où une amitié indéfectible devient indestructible!

Ils avaient quinze, seize ans peut-être. Anadabi débitait fièrement le premier cerf qu'ils avaient tous trois abattu sans l'aide d'adultes. Ils étaient maintenant des vrais chasseurs et se préparaient à festoyer en conséquence. Francis s'éloignait pour ramasser du bois sec pour le feu alors que Mahigan allait à la rivière pour remplir les gourdes. Soudain, Francis entendit les cris d'horreur d'Anadabi. Il accourut sur les lieux et s'immobilisa à cinq mètres de l'ours noir qui recouvrait le dos d'Anadabi. Par chance, l'Amérindien eut le réflexe d'utiliser la carcasse du cerf pour protéger sa tête et son cou. Sans même réfléchir, Francis empoigna son couteau et s'élança sur le prédateur. La lame heurta l'omoplate sans sérieusement blesser l'animal, qui le projeta au loin d'un violent coup de patte. Sonné, Francis revint à la charge. L'ours abandonna ses proies pour menacer l'autre prédateur de ses crocs de cinq centimètres. Heureusement, la diversion permit à Anadabi de se libérer et de prendre la fuite, suivi de Francis.

Les trois adolescents à l'adrénaline dans le plafond se réunirent à une vingtaine de mètres du prédateur pour le regarder manger leur trophée. Anadabi remarqua la profonde lacération de deux centimètres au dos de la main de Francis. Lorsqu'il voulut l'examiner, Francis lui posa plutôt la main sur l'épaule, trop heureux que son ami soit vivant. Troublé, Anadabi lui rendit son geste et le regarda en silence. Mahigan les étreignit et lança, en montagnais :

— J'ai faim ! On va-tu chercher notre cerf ?

Tous se regardèrent et sourirent de la même folie. Ils saisirent leur couteau et leur tomahawk et s'élancèrent vers l'ours mâle d'un mètre au garrot en aboyant leur cri de guerre. Leur combat fut épique. L'un sautait sur le dos de l'animal pour tailler ses chairs dès que la bête se tournait vers l'autre. Les tomahawks brisaient des dents et les lames sculptaient le prédateur dans une longue chorégraphie mortelle. Lorsque l'ours blessé et affaibli baissa son museau pour respirer Mahigan se jeta sur son dos, passa son avant-bras sous son cou, souleva la tête de l'animal et lui inséra sa longue lame dans la jugulaire.

Je revois l'animal qui s'affaisse au sol dans une longue expiration morbide. Nous sommes debout, à bout de souffle, encore insensibles à nos lacérations superficielles. Nous sommes couverts du sang de notre courageux adversaire que nous honorons de notre silence.

Anadabi se penche et coupe une griffe de la bête. Il l'appuie sur le dos de sa main et entaille sa propre chair sur trois centimètres, à l'image de ma blessure. Mahigan lui présente le dos de la sienne, qu'il entaille du même symbole. J'essuie la lame qui a sauvé mon ami et l'enfonce dans ma chair pour tracer le deuxième côté d'un triangle. Ils me présentent la main pour que j'en fasse autant. Mahigan prend son couteau qui a terrassé notre premier ours, puis lacère le dernier côté de la figure. Nous appuyons nos triangles les uns contre les autres.

Ce matin, nous n'étions que des enfants. À midi, nous sommes devenus des chasseurs. Maintenant, nous sommes des guerriers... et pour le reste de notre vie, nous serons des frères de sang!

Les miliciens et les Français sur les Plaines commencèrent à paniquer. Les quatre salves initiales faisaient maintenant place à un échange continu de tirs individuels entremêlés d'explosions d'artillerie. La boucherie historique était devenue aussi sanglante que suicidaire. Désormais exposé en première ligne, Anadabi fut rapidement pris pour cible.

Mes pensées sont à peine revenues sur le champ de bataille que la dette d'honneur d'Anadabi lui explose en plein estomac. Je saute immédiatement dans le nuage de fines plumes de guerre pour tenter de retenir son âme libérée de sa loyauté envers moi et les Français. Je porte mes doigts sur son ventre labouré par le plomb pour les voir disparaître dans ses entrailles. Je n'entends rien. Je ne vois rien. Je ne distingue que mon meilleur ami qui expirera sous peu !

— Anadabi, mon frère, je...

De sa main ensanglantée, Anadabi arracha péniblement deux plumes attachées à ses cheveux, les logea dans la paume de Francis et lui murmura sa seule priorité.

— Nahima... Nahim... Na... Nahi... ma.

Trois ans plus tôt, la compagne d'Anadabi avait rendu l'âme dans un accouchement difficile. Le bébé avait survécu mystérieusement, ce qui lui valut le prénom de Nahima, « mystique » en langue amérindienne. La petite était belle comme un cœur, mais souvent... absente ! Avec l'aide de son vieil oncle, son seul aïeul, Anadabi l'élevait très convenablement en dépit de l'attention particulière qu'elle requérait.

Mahigan se jeta à leurs côtés et comprit, lui aussi, que Nahima sera inévitablement orpheline dans quelques minutes ! Anadabi posa péniblement la main sur le cœur de Francis puis regarda Mahigan pour répéter faiblement :

— *Nahi... Nah... maaa.*

Mon frère de sang me confie sa fille et requiert l'assentiment de son frère de chair. Mahigan acquiesce en lui caressant les cheveux. Alors que mes yeux embués plongent dans le regard faiblissant d'Anadabi, mes doigts abandonnent ses viscères inutiles pour recouvrir sa main implorante. Dévasté, mais honoré, je plaque nos paumes ensanglantées sur mon cœur pour lui jurer que son sang y trouvera toute la place dont elle aura besoin.

L'horrible urgence de la bataille le rattrapa lorsqu'une balle transperça son chapeau et le décapota. D'instinct tardif, Francis se pencha sur Anadabi pour se protéger. À son retour... Nahima avait un nouveau papa !

Je déteste ces batailles à l'européenne, je déteste leur discipline... je déteste leurs tuniques rouges de homard bouilli. La dépouille d'Anadabi au sol ; cette bataille devient à la fois irréelle et beaucoup trop réelle. Devant nous – tels des papes qui ne se relèveront jamais – nos boucliers humains embrassent déjà le sol. Nos lignes disparaissent trop vite ! La bonne nouvelle, c'est que Père et moi avons maintenant le champ libre pour dégommer du Britannique ! Je cherche avec impatience le premier trou du cul que Sa grandiose Majesté britannique exposera à mon châtiment... Le voilà, ce sera lui ! Le monstre, le maudit Anglais qui nous a poussés, moi et mes amis, à maudire notre Dieu !

Au prix d'une absence d'à peine quelques secondes, les pensées du fils Gaulthier reculèrent de six semaines. Les visages sadiques des pyromanes anglais s'entremêlèrent dans sa mémoire avec l'odeur de dix années de labeur et de sacrifices qui s'envolaient en fumée. La haine de Wolfe pour les Français, les miliciens en armes et les Amérindiens était bien servie par sa tactique militaire incendiaire.

Torche à la main, les chiens de Lucifer et notre Dieu ignorent mes supplications. Je les implore pourtant tous les deux à genoux. Je revois les regards de ma fille et ma femme. Moi, leur puissant protecteur, prosterné et impuissant devant un... Anglais ! Je répète sans cesse aux pyromanes que je ne suis pas un milicien actif – en tout cas, je ne l'étais pas avant ce jour !

Les arguments du Canadien ne leur importaient guère puisque toutes les raisons étaient bonnes pour éliminer des catholiques français sans honneur qui frayaient avec des sauvages.

Et puis l'horreur ! Ils lancent leurs torches par les fenêtres de la grange alors que mes chevaux sont toujours à l'intérieur. J'entends mes deux bêtes affolées hennir et brasser la baraque. Lorsque les pyromanes me relâchent, mes précieuses réserves hivernales de foin sont déjà en flamme. Devant des Anglais qui rient à pleine gueule, je cours vers mes deux frères d'armes emprisonnés, criant à Marie-Catherine d'aller au puits chercher de l'eau.

Alors que j'arrive à moins de trois mètres du bâtiment enfumé, les deux immenses portes volent en éclats pour tomber en ruine de chaque côté de moi. Je regarde les portes gémir au sol et comprends ce qui leur est arrivé en voyant les deux énormes empreintes de sabots sur chacune d'elles. Une fois la fumée dissipée par l'embrasure des portes, j'aperçois les arrière-trains d'Harry et de sa sœur Luna qui reculent en tandem, malgré l'absence d'attelage. Ils se retournent, côte à côte, dévisagent sur leur droite le seul Britannique miséricordieux qui n'avait pas encore lancé sa torche.

Je vois bien que les deux bêtes ne sont pas effrayées. Ils sont en joual vert! Quelqu'un devra payer pour leur avoine roussie et ils avaient déjà désigné un volontaire!

Les deux fiers descendants du vieux Doc affichaient le même gabarit, le même regard déterminé et les mêmes narines fumantes de leur géniteur. Mais en s'attaquant aux Rangers paralysés, les deux bêtes ne justifieraient que la boucherie commandée par Wolfe.

Je sais trop bien qu'Harry et Luna ne me piétineraient pas, même pour charger un pyromane maigrichon. En me plaçant entre eux et l'allumette, je leur ouvre – sur la gauche – la seule voie de fuite qui pourrait leur sauver la vie. Je sais pertinemment que mes deux gros bébés gourmands oublieront vite leur peine en voyant l'herbe grasse du champ interdit de l'autre côté du chemin. Et effectivement, les quatre yeux s'écarquillent en duo en apercevant la clôture laissée ouverte par les Anglais.

Du haut de leur stature exceptionnelle, les deux bêtes se dirigèrent vers la belle gâterie lointaine, trop heureux d'aller manger leurs émotions ! Dans leur attelage imaginaire, ils trottèrent la tête haute vers la dizaine de soldats ahuris qui se trouvaient sur le chemin de leur prescription d'herbe antistress.

Au grand soulagement du colon, l'amas d'anglais s'ouvrit. Telle une haie d'honneur... à l'honneur douteux, ils laissèrent passer les chevaux. L'assurance et le gabarit des deux bêtes les avaient probablement trop impressionnés pour même envisager une exécution sommaire.

Heureux que mes gros bébés soient sains et saufs, je retourne vers l'écurie. Je m'acharne à sortir l'attirail lorsque j'entends les cris hystériques de Marie-Catherine. Dans la cohue, deux enfants de chiennes anglaises la traînaient sans ménagement à l'écart. Je bondis dans sa direction, mais avant même de toucher le sol, mon front fait la violente connaissance d'une crosse britannique. Je me relève péniblement. Je suis saoul! Je titube. Je me dirige vers mes enfants en pleurs. Impuissant, le front sanguinolent, j'enveloppe et détourne les deux petits otages, tentant désespérément de protéger leur mémoire.

Résigné à la vue des mousquets pointés sur ses enfants, l'esprit de la mère violentée dans sa chair quitta son corps profané pour fuir momentanément dans les nuages, elle qui n'était coupable que d'avoir été désirable et française...

Le souffle d'une détonation m'arrache de mes pensées et de la genèse de ma haine et de ma révolte. Je suis de retour sur les Plaines. Je dois me ressaisir immédiatement. Ils doivent payer ! Je balaye mes larmes, vise attentivement et crache toute la colère de mon mousquet. Le tir de Popâ terrasse le pyromane adjoint pendant que mon plomb de douze millimètres promeut son patron directement en enfer. Là au moins, leur ardeur au travail sera appréciée ! L'épaule endolorie par le recul de mon arme, je me couche pour la recharger. Une interminable minute pendant laquelle l'ivresse de la vengeance fait rapidement place à l'effroi et à l'impuissance de voir mes frères d'armes inconnus s'affaler en sang et en cris sur moi.

Toujours en formation rectiligne, les troupes britanniques expérimentées, disciplinées et mortellement précises, prirent rapidement l'avantage dans cette joute impitoyable. Les Français réalisèrent probablement qu'avec cette cadence funéraire, ils seront bientôt à court de pions. Le premier essaim français au nord de la ligne de front commença à retraiter après huit minutes de boucherie. La majorité des braves soldats réguliers français, qui composaient principalement les première, deuxième et troisième lignes, ont été tués ou blessés. Les survivants meurtris et désorganisés se mirent à détaler vers les remparts de Québec et le pont temporaire menant vers Beauport.

Nul ne pourrait juger leur courage ni prétendre comprendre l'horreur que nos ancêtres ont vécu, agenouillés sur les morts, une arme vide à la main ! Comment le pourrions-nous sans avoir fixé, à vingt-cinq mètres, l'intérieur sombre du canon d'un mousquet directement pointé entre vos deux yeux ? Le soldat de carrière français n'était pas moins brave ni moins compétent que son courageux homologue britannique. En cette bataille du Canada, le matin du 13 septembre 1759, l'ensemble des troupes et miliciens français était simplement moins expérimenté, moins discipliné et moins bien dirigé que ne le furent les vainqueurs. Si les Français ont perdu cette bataille à cause de leurs choix individuels, les Anglais l'ont gagnée, entre autres, grâce à leur asservissement collectif.

> *Mes amis et moi sommes à l'extrémité nord de la ligne de front, et donc, les plus près de la ligne de fuite. Aussitôt, le retrait rendu inévitable, j'agrippe mon père et Mahigan pour courir à toutes jambes en direction de la porte Saint-Jean. C'est sûrement parce que les Anglais devaient rire à pleine gueule en nous voyant détaler comme des lapins que nous n'avons pas été touchés. Un boulet anglais nous a tout de même survolé pour déchiqueter trois miliciens qui couraient loin en avant de nous. Nos frères d'armes en fuite sont littéralement massacrés par les mousquets et les canons ennemis ! D'un commun accord, à cinq cents mètres de notre sécurité, Popâ, Mahigan et moi virons brusquement sur la gauche pour pénétrer dans le bois du coteau Sainte-Geneviève. Ainsi, nous pourrons continuer le combat au côté des miliciens embusqués.*

Ces deux cents miliciens hurons, montagnais et canadiens avaient pour mission d'attaquer l'aile gauche de Wolfe et, au besoin, couvrir la retraite des troupes. Ce qu'ils firent avec acharnement, selon les règles de politesse toute canadiennes et amérindiennes : se fondre dans le paysage ; se protéger ; tirer pour tuer ; ne pas tendre l'autre joue ; protéger les déplacements et la recharge de ses frères ; se déplacer furtivement ; recommencer à satiété ; assaisonner au goût et servir agrémenté de quelques scalps chauds et dégoulinants au passage...

Fini le tirage de barbichette ! Enfin, on va se battre selon nos règles. Nous avions encore les deux profanateurs de ma belle Marie-Catherine à collecter en plus de quelques notes de frais divers à nous faire rembourser par les Anglais.

L'occasion ne se fit pas attendre ! Prises d'une panique contagieuse, les troupes françaises détalèrent devant eux, poursuivies de trop près par des soldats écossais accrochés à leur longue épée et leur kilt à carreau.

Bon... avec leur jupette, ce ne sont pas vraiment des Anglais, mais ils feront l'affaire pour le moment. Un soldat français, blessé au mollet, court péniblement à dix mètres devant nous, tentant désespérément de distancer deux sabres enragés. Avant que Mahigan ou moi n'ayons même le temps de réagir, Popâ avait déjà terrassé le premier moustachu d'une balle de mousquet et le second d'une balle de son pistolet à silex. Ouais !

Pendant qu'il recharge, j'ai tout juste le temps d'apercevoir un milicien en fuite se faire littéralement trancher la joue par une épée écossaise. Avant que notre boucher n'ait le temps de se faire une deuxième tranche, Mahigan et moi lui plombons la gueule si violemment qu'il atterrit deux mètres plus loin. Une chose est sûre, la milice canadienne a maintenant fait les présentations. Gageons que les moustachus à grandes lames doivent regretter leurs mousquets laissés loin derrière sur la ligne de front...

Malgré ce léger oubli, les Écossais se tournent courageusement vers nous et nous chargent à deux incroyables reprises, tels des démons... en jupette ! Presque décimés et incapables d'utiliser efficacement leurs longues épées au travers des arbres et des branches, les redoutables guerriers retraitent enfin.

Au prix de vingt minutes d'une lutte acharnée, deux cents miliciens canadiens et autochtones permirent à plus de mille soldats français et miliciens de s'échapper.

Les Britanniques – qui, eux, étaient moins puristes que les Écossais – avaient conservé leur mousquet. C'est par milliers qu'ils prirent d'assaut les miliciens du boisé. Fermement décidés à ne pas abandonner Mademoiselle France, les miliciens résistèrent pendant quatre-vingt-dix interminables minutes ! Ils combattirent avec un tel acharnement qu'ils imposèrent la grande majorité des pertes anglaises en cette journée du 13 septembre 1759. La résistance héroïque de deux cents culs-terreux canadiens imposa le respect et une crainte durable chez les Écossais et les Anglais, pourtant parmi les meilleurs guerriers du temps.

Vers 11 h 30, le manque de munitions des résistants et les vagues successives d'Anglais – appuyés par le carnage de leurs boulets de canon de six livres – eurent éventuellement raison des miliciens restants, qui durent battre en retraite.

Je tire sur un Anglais à moins de dix mètres et je m'adosse à une roche. Mahigan me regarde.

— Me reste une balle. Faut partir. Je tirer pis nous décamper là-bas (il pointe un gros rocher à vingt mètres).

Les Gaulthier acquiescèrent. Mahigan épaula son mousquet et tira. Têtes baissées, les Gaulthier détalèrent, comme convenu, en direction du rocher. Mahigan resta sur place! Il regarda, en souriant, les Gaulthier déguerpir. Il rechargea la poudre avec son pilon. Il se leva et tira son pilon dans la poitrine d'un Écossais à cinq mètres. Il projeta son mousquet cinquante centimètres en l'air et le rattrapa – tel un javelot – qu'il lança dans l'épaule d'un Britannique. Il sortit son tomahawk et sa massue, et hurla son cri de guerre ancestral. Les deux premières tuniques rouges qui atteignirent sa position goûtèrent généreusement à ses jouets d'enfance.

Après un sprint effréné, les Gaulthier bifurquèrent vers le rocher pour se mettre à couvert. Avant même d'atteindre leur repaire, ils furent violemment soufflés par un boulet de six livres, pour atterrir directement à l'arrière du rocher!

Je suis sonné! Encore incapable de dire si je suis indemne. Je dois reprendre mes esprits de toute urgence. Mes oreilles bourdonnent, j'ai un goût de sang dans la bouche et de la terre plein les narines. Mais je suis vivant et fort probablement entier et ça me suffit pour le moment. Je suis trop anxieux de retrouver mon père pour célébrer ou souffrir. Je le localise aussitôt dans mon dos. Nos regards se croisent et je comprends immédiatement qu'il est habité d'une grande tristesse. Je réalise que sa jambe gauche est littéralement sectionnée juste au-dessus du genou. À travers les giclées de sang, je constate avec effroi que seuls quelques lambeaux de chair la retiennent à la cuisse.

Je saisis ma ceinture et lui tourne le dos pour lui fabriquer un garrot de fortune. Je l'entends parler et gesticuler derrière moi, mais je ne l'écoute pas. Je suis trop concentré à ma tâche et à planifier son évacuation. De toute évidence, je vais devoir le transporter sur mes épaules. Cette image me projette brusquement vingt-huit ans en arrière.

J'étais « grand », j'avais trois doigts et une jointure... Peut-être même quatre ans.

L'enfant sans responsabilités qu'il était trouvait que son Papa égoïste s'absentait beaucoup trop pour défricher et semer ses fameux champs. Môman, son alliée de toujours, avait d'ailleurs « très fortement suggéré » à Francis de passer une journée seul avec son p'tit homme.

Popâ était très occupé, mais quand il était avec moi... il était tout avec moi ! J'étais le seul être humain de toute la Nouvelle-France. Nous avons conclu qu'une dangereuse exploration de vingt-quatre heures « entre hommes » dans un pays lointain et inhospitalier était tout indiquée.

C'est ainsi que nous avons quitté Môman en pleurs, un dimanche matin d'août, avec chacun nos armes et notre lourd sac à dos. Moi, avec mon canif émoussé de quatre centimètres, et lui, avec son poignard de soixante centimètres ! Le sac à dos de mon père ne contenait que nos deux couvertures, notre nourriture, nos vêtements de rechange, nos souliers, la corde, la boussole, l'attirail de pêche, trois casseroles et deux assiettes. Alors que moi, je devais transporter – à moi tout seul ! – mon sac à dos bourré de... mon oreiller de paille !

Les souvenirs de l'enfant étaient précis et colorés, pour avoir entendu son père, aussi fier qu'éméché, les raconter aux vingt-huit dernières soirées du jour de l'an.

Après une marche éreintante de dix minutes, je me souviens d'avoir lancé mon premier :

— C'est dur, Popâ, c'est dur !

— C'est facile de comprenure, mon p'tit homme : y a plein de paille dans ton oreiller !

Il m'a alors proposé de transporter mon sac à dos. Dans un tel état d'épuisement, j'ai dû me résigner à accepter son aide. Sourire en coin, il m'a soulevé – avec mon sac encore sur mon dos ! – pour nous déposer sur ses épaules. Puis, fier de lui, il me dit :

— Y est-tu moins lourd, à c't'heure ?

Je me souviens encore d'avoir été à la fois trop fier d'être sur ses épaules et trop excité par la vue extraordinaire que j'avais, pour lui répondre. Nous sommes arrivés sur le bord du puissant fleuve Gaulthier. Un immense cours d'eau de trois mètres de largeur sur vingt centimètres de profondeur...

Profitant du fait que Môman n'était pas là pour nous gronder, on a conclu que l'on devait absolument sauter dans l'eau – avec nos souliers ! – pour aller pêcher les baleines, cachées évidemment de l'autre côté du fleuve. Après une attente interminable... de dix minutes, Popâ avait déjà attrapé deux énormes poissons de onze centimètres. Et moi... rien !

Discrètement, le père captura sa troisième prise sans la sortir de l'eau et offrit tout bonnement au fils d'échanger leurs cannes à pêche identiques.

Il venait tout juste de me redonner ma canne que j'ai senti le monstre m'arracher les bras. Un énorme achigan de douze interminables centimètres, que j'ai réussi à sortir tout seul... grâce à l'aide de mon père !

Après un feu de camp et trois baleines qui nous ont laissés sur notre appétit, nous nous sommes couchés à la belle étoile. Allongé, avec MON popâ, je tentais d'apprivoiser ma peur face aux innombrables bruits de la forêt en éveil. Popâ m'a enfoncé dans le creux de son épaule et m'a expliqué que les animaux sortaient justement la nuit parce que c'était le moment où la forêt était la plus sûre. Puis, il m'a parlé des animaux qui sortent faire leurs emplettes... puis de l'abbé Moufette dans sa toge noire et blanche... puis de Monsieur Lécureuil qui parle toujours la bouche pleine... puis... puis...

Le père Gaulthier n'avait pas d'éducation et c'est cette nuit-là que son fils comprit qu'il possédait par contre un talent de conteur et une imagination sans limites. Lorsque le paternel regarda finalement son p'tit homme pour lui demander s'il était toujours inquiet, il constata avec tout l'amour et la fierté d'un père que son fils était déjà endormi, la bouche grande ouverte, comme un Gaulthier !

Le bruit d'une explosion tout proche me ramène péniblement sur le coteau. Est-ce parce que je suis assourdi par la déflagration que je n'entends pas les supplications de Popâ ou est-ce la panique de perdre cet homme ?

— Wôôô, Fils. Fous le camp ! S'te plaît, sauve-toé !

Malgré sa blessure et ses cinquante-six hivers canadiens, il m'agrippe le dos de ses énormes mains de colon et me brasse comme un pommier.

— Arrête, Fils. Sacre ton camp, joual vert, pendant qu'tu peux !

J'ai presque fini ce foutu garrot. Je suis terrifié, mais ma tête et mes mains tremblantes refusent d'abandonner. Mon corps tout entier a fait son libre choix. On vit ensemble ou l'on meurt ensemble ! Je refuse de perdre mon père, mon mentor et mon meilleur ami le même jour !

— Non, Popâ. J'vous lâche pas icitte, point final !

Puis, soudain, les mains de Père relâchent leur emprise. L'une me caresse même affectueusement le dos. Je l'ai enfin convaincu... La main déposée tendrement sur mon épaule, il me dit d'une voix si douce que le bruit des canons et des hommes disparaissent dans un silence miséricordieux :

— Francis ! C'tait tout un honneur d'être ton paternel. À c't'heure, tu dois vouère à Marie et mes petits-enfants.

Je me retourne lentement. Horrifié, je fixe le pistolet à silex qu'il pointe sur sa tempe. Ses yeux m'enveloppent d'un regard serein et affectueux pendant qu'il me caresse la joue.

— T'as pus le choix : sauve-toé, Fils !

Les deux hommes, qui étaient prêts à donner leur vie l'un pour l'autre, se regardèrent dans un silence criant de désespoir et d'affection. Le fils cherchait désespérément un argument pour le convaincre, mais connaissait trop bien son père pour avoir hérité... de sa tête de cochon !

J'ai eu la seule idée acceptable aux yeux d'un père. Je saisis mon couteau et scrute les alentours pour constater que la furie de Mahigan semble encore garder les Anglais à distance. Je me tourne vers la jambe déchiquetée. D'un coup sec, je sectionne les derniers lambeaux qui retenaient encore le moignon à sa cuisse.

Surpris, en proie d'une vive douleur... et peut-être même un peu choqué, le père s'écria.

— Ayoye ! T'es malade, baptême ! Si tu voulais un souvenir, t'avais juste à piquer ma vieille montre !

Popâ possédait cet humour incroyable capable de dédramatiser les pires situations. Ça aussi, j'en avais hérité.

— Depuis le temps, Popâ, que vous vouliez perdre du lard... ben là, c'est fait!

Je prends mon pistolet, le retourne et lui présente la crosse en disant catégoriquement :

— Prenez-le ; j'ai encore utilité de vous!

Il fit une pause pour ajouter calmement.

— Vous avez la raison, j'ai pas pouvoir de vous sauver la couenne, mais vous, vous pouvez encore sauver la mienne!

Le pistolet toujours sur la tempe, j'ai bien vu dans ses yeux intrigués que j'avais trouvé les seuls mots qu'il écouterait.

— Avec les Anglais à nos flancs, j'pourrais jamas m'rendre en bas du coteau. Sur mes épaules, vous me préserverez au moins la tête et le dos. Avec nos deux pistolets en mains, vous pourrez clairer mes arrières. Si vous me ralentissez trop, j'vous garantis que j'laisse tomber vot'e vieille carcasse pis que j'décampe.

Le père Gaulthier n'était tout de même pas suicidaire et la logique complètement tordue de son propre fils le remplit d'une certaine fierté toute paternelle. Son fils avait pris les guides en mains et il était maintenant digne de commander son père. Malgré la douleur qui le tiraillait, il sourit et lui dit.

— T'es une vraie mouche à marde! Mais qu'est-ce que j'ai faite au Bon Yieu pour mériter un fils aussi égoïste que toé?

Les deux hommes sourirent et s'entrelacèrent, témoignant d'une affection indéfectible née trente-deux ans plus tôt.

Les Anglais commencent à se refermer sur nous et il est plus que temps de partir. Mais avant, nous rechargeons à la hâte nos armes agrémentées d'une petite spécialité « gaulthière ». Nous enfonçons une double portion de poudre, une douzaine de petites roches et deux plombs dans les deux mousquets et pistolets. Ainsi, nous troquons la précision, dont nous n'aurons pas besoin en courant, au profit d'une pénitence dévastatrice à moins de dix mètres.

Je me lève prudemment, puis soulève mon père sur sa jambe valide. Alors que je m'apprête à l'expédier sur mon dos, il me regarde droit dans les yeux, pointe son gros index ensanglanté sur ma gueule, comme quand j'étais gamin, et me dit :

— *Fils, si y faut, t'es bien mieux de m'laisser tomber !*

Je le regarde, l'enlace et lui dit :

— *Moé 'si, j'vous aime, Popâ !*

Il m'embrasse longuement sur la joue, saisit les deux pistolets, essuie ses larmes d'un coup sec d'avant-bras et, avec une bonne grimace de douleur, se penche sur moi en disant d'un ton résolu :

— *On a faite not' part ! Y est temps que tu rentres dîner !*

D'un coup de hanche, le fils robuste le coucha sur ses épaules et le positionna afin de se libérer les mains. Puis, il saisit les deux mousquets et les positionna côte à côte.

Les bruits du champ de bataille s'imposent brusquement. Je n'entends plus les cris de Mahigan. J'espère que... Je dois rester concentré sur ma lourde responsabilité. C'est à mon tour d'être un géant et de transporter sur mes épaules l'homme le plus important de ma vie jusqu'au fleuve Gaulthier. Je ferme les yeux et hume profondément l'odeur de l'automne pour me calmer. Mes sens s'aiguisent. Les bruits inutiles disparaissent. J'écoute les conseils de la forêt, ma complice de toujours.

J'étire la tête au-dessus du rocher. Je vois avec soulagement que seulement quelques tuniques rouges se sont enfoncées aussi loin. La densité de la forêt et la pente descendante vers l'hôpital Général seront nos alliés. Je cherche désespérément la meilleure trajectoire de fuite possible ; il n'y en a pas, juste une moins mauvaise que les autres. Je sors. Je surveille chaque branche sèche, au sol comme aux arbres. J'insère la pointe de mes pieds sous les feuilles mortes pour rester silencieux. Les précieux enseignements de Mahigan et d'Anadabi me permettent de parcourir une bonne vingtaine de mètres sans faire le moindre bruit, malgré ma précieuse cargaison.

Puis, le premier coup de feu tant redouté. Le plomb fend l'air âcre de la forêt et arrache l'écorce d'un bel érable qui s'était jeté devant nous. Je regarde l'arbre et le remercie de son sacrifice. Le coup de départ est lancé pour le sprint de nos vies !

L'adrénaline lui explose les sens et les muscles. Un autre Britannique épaule son mousquet à moins d'une douzaine de mètres sur la gauche des colons. Les fugitifs n'avaient aucune chance devant un franc-tireur britannique si près l'arme à l'épaule.

J'aperçois la menace. Je pointe mon premier mousquet et je tire sans l'épauler ni même ralentir ma course. La giclée démesurée m'arrache le canon gonflé et violacé de la main. Le bras et les poignets endoloris, j'abandonne mon vieux mousquet, épuisé, mais assouvi, fumant sur son matelas de feuilles...

Décalotté par sa grenaille, le Britannique détala sans son mousquet encore chargé.

Je fuis en hurlant mon courage et ma peur. J'arme mon dernier mousquet à l'aveugle alors que les plombs ricochent comme pour me rappeler que mes forces ne doivent absolument pas m'abandonner.

Deux Écossais apparurent, courant à moins de quinze mètres derrière les Gaulthier. Malgré le régime amaigrissant du père, les deux fugitifs perdaient rapidement du terrain sur leurs poursuivants. Les deux épées dégoulinantes salivaient à la perspective d'embrocher encore du Français. Rusé comme un Montagnais, le père Gaulthier simula la perte de conscience. Alors que les Écossais étaient à moins de cinq mètres, le père passa le pistolet – qu'il tenait de sa main à l'avant – sous l'aisselle de son fils ; le pointa vers l'arrière et relâchât un demi-kilo de haine dans un nuage de poudre noire. Les plombs, qui atteignirent l'un des poursuivants aux genoux, lui projetèrent les jambes si violemment à l'arrière qu'il atterrit face contre terre, la jupette étalée sur son dos.

Sans ralentir sa course, son compagnon consterné le regarda atterrir au sol. La dernière chose qu'il vit lorsqu'il retourna ses yeux enragés vers le vieil estropié fut l'intérieur du canon de son deuxième pistolet. Le malheureux n'entendit jamais la violente décharge.

Popâ lance en saccade :

— Au nom... du père... et du fils...

Puis, il crache bruyamment, avant d'ajouter :

— Amen !

J'en conclus que ses deux coups de feu ont fait mouche et qu'il va particulièrement bien ! Son humour noir me galvanise alors que mes deux cents livres de muscles commencent à se mutiner. Je ralentis, malgré la pente descendante du coteau. Ma course n'est plus maintenant qu'une marche rapide. Soudain, deux jeunes Britanniques en quête des honneurs de leur roi surgissent du côté de la pente, à quinze mètres directement face à nous. Ils se ruent vers nous, coude à coude et baïonnette en saillie, en hurlant leur courage.

Je m'arrête. J'ai à peine le temps de tourner mon dernier mousquet vers eux qu'ils sont déjà à moins de quatre mètres. Je ferme les yeux et fais feu au centre des deux hommes. Le violent recul de l'arme appuyé sur ma hanche m'ébranle à m'en faire presque tomber au sol. Les deux soldats sont violemment projetés dans les airs dans une vrille opposée, pour atterrir face contre terre.

Je suis sans voix. Je conclus, complètement stupéfait, que je viens d'utiliser le seul miracle que ma maigre dîme paroissiale a pu m'offrir !

Puis, le silence... Peut-être que tous les mousquets étaient vides ? Peut-être que la fuite d'un Français et trois quarts ne valait plus les honneurs de Sa Majesté ? La réponse importait peu à Gaulthier, qui, de toute façon, n'avait plus d'armes pour combattre ni d'énergie pour courir. Chancelant, il tenait encore le canon fumant et éventré de son vieux mousquet. Les colons regardèrent, incrédules, les deux malheureux Britanniques immobiles. Après quelques secondes, l'impayable père conclu :

— *T'en avais plein le colon !*

Épuisés, vulnérables, mais surtout heureux d'être toujours en vie, les deux miraculés furent pris d'un violent fou rire aussi immoral que suicidaire.

Conscient que les mousquets anglais, s'il en restait, pourraient être rechargés à tout moment, le père ajouta d'un ton doux et affectueux.

— *Allez, Fils. On rentre à maison.*

Gaulthier jeta son mousquet, replaça son père d'un coup d'épaule et reprit sa descente. À peine trois pas plus loin, le père aperçut un tireur anglais à moins de vingt mètres sur leur gauche. Il vit l'Anglais fermer un œil et coller sa crosse pour tirer. Conscient qu'il était trop tard, il s'écria.

— *ATTENTION, À DRETTE !*

Bien entendu, le fils se tourna aussitôt sur sa droite pour voir la menace. En l'envoyant du mauvais côté, le père présentait consciemment son dos au franc-tireur, qui l'atteignit en plein poumon. Francis perçut le choc sur son cou. Il sursauta et s'élança, animé d'une énergie sale, mais renouvelable… la peur !

Sans m'arrêter, j'interroge Popâ, qui ne répond pas. Je panique, mais je dois continuer, même si je le sens ramollir sur mes épaules. Une éternité plus loin, une montagne plus bas, je ne sais plus, j'arrive enfin à l'orée du bois. Ma course est de nouveau qu'une lente procession, un chemin de croix. Épuisé, mais en relative sécurité, je m'arrête et pose un genou au sol pour souffler quelques secondes.

Lorsque je relève les yeux, j'aperçois avec effroi une jupette écossaise sortant lentement des fourrés pour se placer entre nous et l'hôpital. Je commence réellement à croire à la combativité légendaire des Écossais. La main droite sans doigts du soldat est recouverte d'un tissu dégoulinant de sang ; sa gauche sur son épée toujours dans son fourreau, il continue à avancer pour nous barrer le chemin et nous prendre notre liberté si difficilement méritée. Je n'ai plus d'armes. Je n'ai plus de force. Mon sang se glace lorsque je réalise que toute action serait futile. Nous sommes à sa merci et il le sait.

Les trois soldats étaient ensanglantés et épuisés par deux heures de combat meurtrier. Ils se regardèrent sans mot dire. Puis, le bourreau sortit lentement son épée du fourreau…

Pas question que nous mourions à genoux devant un maudit Anglais. Je vacille sous l'épuisement musculaire, mais parviens à nous relever. Je me bombe le torse. Mes pensées sont déjà avec Marie-Catherine lorsque le guerrier écossais soulève son épée écarlate... Inexplicablement, il appuie la poignée sur sa poitrine, la pointe vers le haut et hoche la tête respectueusement vers le sol. Puis, il se range de côté pour nous laisser passer, tout en pointant son arme vers notre liberté, tel un noble prédateur graciant sa proie sans défense. Moi qui avais tué quantité de ses frères d'armes, je le regarde intensément sans trop comprendre. Lorsque nos yeux troublés se croisent, je reconnais le regard du grand soldat redevenu un homme, peut-être un père, peut-être un fils...

En choisissant d'épargner ses deux ennemis, l'Écossais gracia trois grands guerriers !

Lui rendant sa grâce, je baisse les yeux dans le silence d'une gratitude imprononçable. Avant qu'il ne change d'idée, je sursaute pour replacer Popâ, qui reprend connaissance et gémit comme une fillette.

Relevant la tête, comme pour mériter l'honneur ultime que notre ennemi nous témoigne, je me mets lentement en marche. En croisant le grand guerrier, je m'arrête et lui tends mon mouchoir pointant sa main mutilée. L'Écossais me remercie de la tête et sourit timidement à mon paternel.

Sans qu'aucun mot n'eût été prononcé, les trois hommes étaient maintenant libres !

Quelques mètres plus loin, le père à l'esprit encore vaporeux marmonna faiblement à l'oreille de son porteur.

— T'as ben faite de pas saigner la jupette. Y a l'air sympa, ceul-là !

Francis sourit forcé en hochant la tête. Affreusement conscient qu'un liquide chaud ruisselait le long de son corps, le fils, paniqué, accéléra son pas vers l'Hôpital Général. Heureusement pour eux, les canons de la marine française avaient déjà repoussé les autres Britanniques qui s'étaient aventurés en bas du coteau.

À quatre ou cinq cents mètres de l'hôpital, j'aperçois Mahigan, qui court vers nous en lançant son cri de réjouissance. Mon sourire disparaît lorsque je vois le sang qui le recouvre.

— Tu pisses le sang !

Le grand guerrier lève les bras et me sourit fièrement.

— Moé ? Même pas plume cassée !

Sa joie est vite étouffée en voyant mon père en si mauvais état. Il m'aide à le mettre sur son pied puis il nous enlace tous les deux. Nous sommes épuisés, mais heureux d'être vivants et réunis. Nous nous plaçons de chaque côté de Popâ, ses bras posés sur nos épaules.

Ma main qui lui soutient le dos rencontre un cratère dégoulinant sous son omoplate droite. Paniqué, je tente de le compresser pendant que j'accélère le pas. Je comprends immédiatement le prix qu'il avait accepté de payer en me détournant sur ma droite. Le vieux con m'avait pris au mot!

Voyant pâlir le père Gaulthier, Mahigan lui dit d'une voix pénitente:

— *Je triste. Je beaucoup triste pour Grand Chef. Moi perdre vous après coup de canon. Moi fou devenir pis sortir gueule ouverte grand pour scalper tuniques rouges. Eux partir vite vite!*

Les amis retrouvés rirent de bon cœur en imaginant les jeunes Anglais terrorisés, courant en tenant leur belle tignasse à deux mains, poursuivis par un sauvage de six pieds enragé brandissant un casse-tête dans une main et un tomahawk dans l'autre. Le père commençait à comprendre pourquoi seulement six ou sept Anglais les avaient poursuivis dans leur fuite. Heureux de revoir son fils à plumes vivant, il le remercia à sa façon. Il cracha un quart de litre de sang, lui serra le cou avec affection et lui dit en l'embrassant sur la joue:

— *Hey, Grand Chef! Ton haleine d'ail des bois nous a quand même sauvé la couenne!*

Tous sourirent de leur mieux. Le père essoufflé ajouta d'un ton affectueux:

— J'ai le motton... pour Anadabi... On aimait... tous ton frère... Il est parti... en brave... Y a... y a fait honneur... à vos ancêtres.

Mon ami bouleversé lève la tête et les épaules et acquiesce fièrement en silence.

Nous marchons encore quelques minutes au prix d'atroces souffrances lorsque, épuisé et conscient qu'un prêtre lui serait plus utile qu'un chirurgien, Popâ pointe une roche toute proche et nous dit :

— Les gars, j'pense que... que j'pourrai pas vous porter... jusqu'à l'hosto.

Nous l'assoyons pour le laisser souffler un peu. Je continue de compresser sa plaie, mais sa vie fuit inexorablement entre mes doigts. Ce géant, qui me lançait jadis au ciel pour me rattraper de ses mains assurées, se vide maintenant de son avenir. Je regarde sa cuisse déchiquetée, le trou béant dans son dos et le sang qui ne cesse de couler de sa bouche.

Terrifié, Francis comprit que le sort de son mentor n'était plus entre les mains des hommes. L'adrénaline en baisse, le fils voyait maintenant la souffrance sur la figure du père.

Francis ferma les yeux pour dissimuler ses larmes. Avec la force d'un enfant et la compassion d'un fils, il relâcha doucement la pression sur les blessures de son héros. La vie et la douleur du père fuyaient vers son paradis si chèrement gagné.

Privé du dos qui la soutenait depuis trente-cinq années, la main du fils se mit à trembler. Francis empoigna tendrement les deux épaules de son père et le regarda d'un sourire forcé.

— Pour un plan pourri, c'tait tout un plan pourri !

— Tu... tu décampes comme... une fillette ! Avouère su... j'me serais coupé... l'autre jambe pis j'serais... parti sur mes... mes deux moignons... baptême !

Eh que j'aime cet homme !

— Merci, Popâ. C'te plomb-là était pour moé ! Chus désolé... j'aurais pas dû vous...

— Hey !

Il l'interrompit. Il n'était pas question pour le vieil homme que ce fils extraordinaire porte le poids d'une quelconque culpabilité. Le père devint soudainement très sérieux. Il cracha avec difficulté et lança d'une voix presque colérique.

— Fils, j'te défends... d'être en regret... As-tu compris ?! T'as été un... un grand guerrier, là-bas... et de toujours, un fils... fabuleux... Chus trop... fier d'avoir labouré... aimé... pis bataillé à tes... côtés.

Le mourant tourna la tête pour purger sa bouche de nouveau. Puis, il utilisa ses toutes dernières forces pour empoigner de sa main ensanglantée la nuque de son héros. Il le fixa droit dans les yeux.

— Surtout... merci d'avoir... donné d'la... valeur... à ma vie, pis... à mon trépas ! C'tait mon choix... pis ça été un... un très grand... honneur... Fils !

Il fit une pause, reprit péniblement son souffle, resserra la prise sur la nuque de son fils et prononça enfin ces mots, tabous pour un patriarche de l'époque.

— *Je... t'aime... Francis !*

Après une courte éternité, il approcha sa figure du gamin bouleversé pour lui dicter péniblement l'épilogue de sa vie.

— *S'te plaît... embrasse Marie... pis les p'tits... et... et avise ta mère... que je... m'en... viens souper !*

Alors que la main du père flétrit et abandonna la nuque du fils, ce dernier, terrifié, enveloppa son grand homme de ses bras musclés et impuissants.

— *Moé'si, Popâ, j'vous aime.*

La blessure, tantôt compressée par les épaules et les mains du fils, laissait maintenant fuir la vie. Le père devint rapidement trop faible pour parler, mais ne quitta absolument jamais son fils des yeux. Comme le père aimant l'avait fait si souvent pour son fils, c'était maintenant le légataire qui tenait son auteur blotti contre ses pectoraux. L'orphelin imminent caressa doucement la chevelure de son héros, incapable d'articuler des mots plus précieux que le silence. Les yeux des hommes s'embrumèrent alors que les souvenirs de chacun fleurissaient dans leur esprit.

Puis, la dernière larme du vieil homme quitta la vie pour trouver la main du digne héritier et lui donner sa toute dernière bénédiction paternelle. Dans un grand cri endeuillé, Francis comprit à cet instant qu'on ne l'appellerait plus jamais... *Fils*!

Il écrasa son père sur son cœur en maudissant les Anglais, leur foi et leur langue!

La bataille était perdue pour Gaulthier, tout comme la guerre allait bientôt l'être pour les soixante-dix mille Canadiens français et leurs alliés autochtones.

Septembre 1762

Trois années après les plaines d'Abraham

Sentier forestier à six kilomètres de Baie-Saint-Paul

Dans un silence et un ralenti surréalistes...

Les sept cent kilogrammes du cheval enragé sont inclinés vers l'avant pour tenter d'arracher la satanée ambulance de la boue. Les pattes avant perdent prise et le menton du Canadien plonge dans l'enfer visqueux.

Il se relève avec difficulté et expire son épuisement, tel un taureau provoqué.

Francis le suppliant d'arrêter, l'étalon accepte de retarder l'assaut. Après quelques secondes égrainées, la tête du canadien commence à balancer de gauche à droite pour exprimer sa profonde frustration. À chaque mouvement de plus en plus saccadé, des filaments de bave et de sang se détachent pour tourbillonner dans les airs.

Sans attendre l'ordre de la nouvelle charge, la bête plonge ses épaules à vif dans le collier obstinément immobile, puis elle recule au bacul et s'élance de nouveau. Sourd aux ordres d'arrêt des deux hommes affolés, Harry relâche sa poussée et s'affale de tout son corps dans un raz-de-marée de boue. Une longue expiration morbide sonne le glas du guerrier Canadien.

Tout comme sa sœur, Luna, dans son sillage, le troisième père adoptif avait tout donné.

III. LE MÂLE CANADIEN

Juillet 1753

Six merveilleux étés avant que les lointains champs dorés d'Abraham Martin ne soient immortalisés par la convoitise, le sang et l'histoire.

La vieille chaumière du père Gaulthier et la maisonnette de Francis bordaient la grange familiale. Tous profitaient d'un beau samedi ensoleillé obtenu suite à de longues prières. Les pluies des trois derniers jours avaient dopé la vie et enveloppé la vallée d'un doux parfum d'humus. Loin d'en être dépréciés, la vieille grange grisonnante (et un peu croche), la jolie clôture de perche de cèdre (aussi un peu croche) et le saule majestueux presque centenaire (et... dangereusement croche) complétaient une toile magnifique aux couleurs chaudes, entremêlées de teintes vertes et or. À un jet de pierre, les quinze mètres d'envergure de la rivière du Gouffre grondaient de leur surcharge hydraulique des derniers jours, gracieuseté des deux chaînes montagneuses qui bordaient jalousement la petite vallée d'à peine neuf cents mètres de largeur.

Dans un tel décor incitant à la découverte, Harry – quatre mois – marchait paisiblement le long de son enclos, trop heureux d'explorer de nouveau le monde extérieur. Sa magnifique robe baie était caractérisée par son pelage brun mise en valeur par sa queue, sa crinière et ses jambières noires. Sa tignasse naissante ébouriffée lui donnait même un petit air espiègle.

Le poulain plongeait la tête ici et là pour homologuer quelques nouvelles espèces de papillon et de fleur. Son front plissait et s'étirait sous la surprise de ses découvertes scientifiques et gastronomiques. Soucieux de procéder à des analyses nutritionnelles détaillées, le scientifique en herbe prélevait de généreux échantillonnages d'herbe et de luzerne.

Surexcité par l'arrivée en trombe de Luna, sa sœur aînée, le gamin se mit à courir et à ruer dans tous les sens, encore inconscient du potentiel de sa formidable hérédité. La grande sœur sembla prendre un réel plaisir à jouer l'institutrice. Sa magnifique robe noire et sa crinière assortie reflétaient parfaitement la sobriété de l'enseignante. Seule sa mignonne petite lune blanche au front trahissait sa coquetterie refoulée.

Malgré les deux jeunes étés de l'institutrice, la terre résonnait déjà lourdement sous ses sabots lancés à pleine course. La puissance innée de la jeune pouliche portait facilement au vent ses trois cent quatre-vingts petits kilos avec grâce et fluidité. Trop heureux de libérer l'énergie emmagasinée – depuis trois dodos pluvieux – dans ses pattes trop longues, Harry sprintait furieusement pour ne pas se faire distancer par... une fille! Accoudé sur la clôture, le fils Gaulthier observait, avec une fierté toute justifiée, les jeux et enjeux de la belle fratrie.

À vingt-six ans, après une décennie aux champs avec son père, Francis savait déjà reconnaître une mécanique d'exception. En voyant Harry se développer devant ses yeux, il ne put s'empêcher de penser aux bravades lancées par son père au moment où « mégabébé » Harry – encore ensanglanté et attaché à son incubatrice – s'était levé d'un trait.

— Wow ! Regarde-le se jouquer ! Joual vert, y a du cœur au ventre, le p'tit maudit !

À ce moment précis, mégabébé s'emmêla dans ses pattes toutes neuves pour culbuter vers l'avant et atterrir sur le dos, provoquant de grands rires chez les deux hommes. Probablement insulté, le petit bagarreur remonta sur ses quatre échasses, affichant un air plus épaté que victorieux. En se tournant vers le box de Doc, Gaulthier lança fièrement au nouveau père :

— Hey, le gros ! Y est quand même pas faite en guenille ton p'tit dernier !

Le cou étiré et les narines distendues en direction de son descendant, Doc était occupé à photographier le nouveau membre de son clan sous toutes ses senteurs.

La crinière en bataille, la vulve éventrée, mais les entrailles enfin libérées, la belle Duchesse se jurait sûrement que c'était son dernier...

Harry est né dans la paix d'un jour de mars 1753. Il était l'un des treize mille descendants des quatre-vingt-deux chevaux français envoyés en Nouvelle-France de 1665 à 1671 par le visionnaire roi Louis XIV. Maintenant désignés « cheval Canadien », Harry et ses ancêtres ont dû rapidement s'adapter aux besoins démesurés des colons et aux écarts climatiques extrêmes de Mademoiselle France. En 1753, le Canadien atteignait rarement les six cent kilogrammes et les cent cinquante-cinq centimètres au garrot (15,5 mains) de son contemporain. Même si son gabarit était inférieur à celui du cheval belge et du percheron européen d'aujourd'hui, son intelligence, sa force légendaire et son endurance ne lui ont pas moins mérité le surnom de « petit cheval de fer ».

Doc avait été remis au père Gaulthier par Monsieur le curé, qui le trouvait beaucoup trop ballot pour précéder sa noble carriole. Doc était carrément une « erreur de la nature » de sept cent kilogrammes et seize mains. Loin du tracteur à gazon pour colon du dimanche, Doc était la version John Deere turbocompressée de Monsieur Nouvelle-France sur stéroïdes !

Son coffre d'un mètre de largeur, sa robe brune et ses énormes pattes lui donnaient fière allure. Il était chaussé sur quatre sabots hors route à flanc noir, surdimensionnés et solidement cloutés, presque à l'image des sabots de série du percheron. Équipée de la traction intégrale aux quatre pattes, la traction avant était assurée par deux énormes épaules ballonnées de couches interminables de muscles. La traction arrière était fournie par deux cuisses courtes mais monstrueuses munies d'un dispositif autobloquant particulièrement apprécié par le père Gaulthier durant ses longues années de dessouchage et de labour.

Comme le front du père Gaulthier l'avait douloureusement constaté, le système de freinage du vieux Doc était sec, mais très efficace. Cependant, malgré les coups de pelle pour le débloquer, le frein à main de la bête pouvait occasionnellement rester grippé les matins de grand froid. Autres points négatifs à noter : son encolure surdimensionnée nécessitait une attache-remorque renforcée et conçue sur mesure. De plus, au grand dam du père Gaulthier qui marchait derrière, son système d'échappement devenait tout sauf silencieux et anti-polluant à la moindre montée en puissance du vieux Doc... Notons en terminant que son châssis ultra-robuste et son appétit suralimenté affectaient malheureusement sa consommation hors route. Ainsi, avec quatre litres d'eau, trois galettes de foin et un demi-kilo d'avoine au kilomètre, son coût d'exploitation était de loin supérieur à la moyenne de sa catégorie selon le *Guide du Joual 1752*.

La Duchesse affichait une magnifique robe noire qu'elle portait pudiquement à mi-genoux. Notez que la coquetterie nous suggère de ne pas dévoiler son poids exact, mais disons qu'elle offrait « beaucoup de cheval » pour une seule robe ! Bien que légèrement « moins démesurée » que Doc, elle pouvait quand même – durant ses SPM – développer la même puissance brute que son malheureux coéquipier de la semaine. À travers une longue relation de couple harmonieuse, d'une communication franche et sincère, Doc a appris à coup de ruades – là où ça fait vraiment mal ! – qu'il avait intérêt à ne pas être dans les pattes de la Duchesse à moins que la Duchesse décide qu'il avait sérieusement intérêt d'y être... et vite ! La dame – qui avait l'« ADN » d'un dix-roues et la féminité d'un Caterpillar – n'hésitait pas, lorsqu'elle était en rut, à reculer violemment son adorable croupe de trois quarts de tonne directement dans la poitrine du pauvre mâle, fatigué par une longue journée de travail aux champs !...

Harry et Luna sont tous deux nés de cette communication raffinée des besoins de la Duchesse et des sacrifices consentis par le vieux Doc... Les fiers héritiers de ces deux êtres d'exception n'étaient pas en reste. Luna était déjà une puissante pouliche dotée d'un tempérament docile et effacé. Harry, pour sa part, avait hérité de la timidité de sa mère. À cette exception près : il paraissait déjà évident à cette époque que le gamin ressemblerait comme deux gallons d'eau à son puissant géniteur !

Accoudé sur la clôture, Francis sourit en regardant Harry s'approcher du coin de l'enclos mal drainé. La mare de boue et de crottin liquide attira le gamin aussi assurément qu'une dîme affriole un curé. L'instinct de survie du poulain lui commandait d'éviter cette matière visqueuse énigmatique. La prudence et la propreté ne furent évidemment pas de taille face à la curiosité et à la témérité de la jeunesse. Sans surprise, sous les yeux charmés de Francis, le rebelle se précipita pour traverser l'épreuve en son centre. Ce qui devait naturellement arriver... arriva ! Le gamin s'empêtra dans l'une de ses trop longues pattes et s'étendit, les sabots aux quatre coins cardinaux, dans vingt centimètres de boue liquide.

Le patineur en herbe tenta bien de soulever le train avant qui repartit aussitôt de chaque côté, entraînant cette fois le museau sous la boue. Encore plus frustré, le gamin masqué changea de stratégie sous les rires insultants de Francis. Tout en douceur, la poitrine du poulain s'éleva, un centimètre à la fois. Au moment où la victoire était enfin à sa portée, les trains avant et arrière se mirent lentement à s'éloigner dans une grande arabesque nord-sud. Impuissant, Harry s'affaissait, implorant son maître du regard. Peinant à reprendre son souffle, Francis dut se résigner à le rejoindre dans la boue, soucieux de ne pas briser son nouveau tracteur. Une fois rendu à ses côtés, surpris par la glaise qui tapissait le fond de la marre, le maître respecté, l'*Homo sapiens intellectus*, le superhéros s'envola pour atterrir sur son noble derrière dans une éruption de boue nauséabonde. Les deux gamins éclaboussés – des cheveux aux sabots et de la crinière au soulier – restèrent figés côte à côte, trop surpris pour réagir. Lorsque les deux enfants réussirent enfin à s'échapper, quelque chose d'infiniment plus permanent que leur nouvel enrobage les unissait dorénavant.

Le congé de maternité de la Duchesse ne prit fin que tardivement à l'automne. Le «gros veau» gourmand et insatiable ne fut sevré qu'à sept mois, et n'eussent été les violentes ruades de la pourvoyeuse épuisée, Harry serait sûrement encore pendu sous la laitière. Les mamelles amochées, la mère entamait avec bonheur son retour progressif au travail.

Anxieux, l'orphelin du gagne-foin ne semblait vraiment pas pressé de profiter de sa première journée de libération parentale. Il hésitait à abandonner le seuil de la grange protectrice, recherchant en vain sa grande sœur du regard. Heureusement qu'un pipi hyper urgent s'imposa pour mater ses prédateurs imaginaires. Dans la hâte d'un déluge imminent, Harry cherchait maladroitement à imiter la technique de Doc. Le gamin sautillait pour tenter d'écarteler et de reculer les pattes arrière tout en les soulevant sur la pointe de leur sabot. Sans surprise, il éclaboussa ses belles bottines toutes neuves avec sa technique aussi déficiente que celle de la majorité des *Homo sapiens* mâles contemporains. Figé en position, l'orphelin perdit instantanément toute fierté pour réclamer sa maman à grands poumons!

Les hennissements du poulain traversèrent les champs pour atteindre droit au cœur la femelle à son travail. La mère culpabilisée lui répondit du plus profond de sa gigantesque cage thoracique, pendant que le vieux Doc, qui n'avait évidemment rien entendu, la prit encore une fois pour une couveuse hystérique!

Les semaines défilèrent sans histoire jusqu'en octobre de la même année. À sept mois, à cause – ou grâce – aux absences maternelles imposées par l'employeur, Harry commençait à acquérir l'assurance et l'indépendance d'un étalon.

Tout se bouscula un certain mardi matin alors que Marie-Catherine initiait Harry à la marche au pied à l'aide de la longe de cuir. La belle et la bête avaient pourtant l'habitude de passer de longues heures ensemble à se cajoler mutuellement. Mais ce matin, Monsieur le futur étalon ne semblait pas disposé à se soumettre à soixante-six kilogrammes de lin parfumé. L'animal se braqua sans avertissement sur ses pattes arrière. Surprise et privée de possibilité de fuite, la jeune femme tenta de retenir la bête au sol, souquant la longe à pleines mains. Toute l'adrénaline de la Nouvelle-France n'aurait pas suffi pour contenir un poulain en besoin d'affirmation. Ne relâchant malheureusement pas son emprise, Marie-Catherine se retrouva à la portée des deux sabots non ferrés qui l'atteignirent d'un crochet du gauche à la tête et du droit à l'épaule.

Sous le choc du premier coup et le poids du deuxième resté coincé sur l'épaule, la robe de lin s'affaissa inexorablement. Tout près, Francis se précipita *in extremis* pour soulever la patte de la bête et libérer la belle. Puis, d'un violent coup de coude sur le nez, il fit reculer l'animal, plus incompris qu'agressif. Paniqué, Francis souleva sa pugiliste sonnée pour la transporter jusqu'à la cabane.

Souriant sa gêne, la Française appuyait sur la blessure qui laissait couler quelques gouttes de sang au travers de sa fabuleuse chevelure aussi blonde que rebelle. Pas surpris de sa énième maladresse, le brancardier balançait la tête de côté en admirant la merveilleuse créature qui se trouvait dans ses bras. Ébranlé, le grand gaillard canadien pure laine perdait tous ses moyens devant cette belle Française depuis le jour où leurs âmes fusionnèrent.

C'était il y a sept ans. Il avait dix-sept ans et elle, dix-neuf ans. Son père, un apothicaire aventurier – immigré de France depuis seulement quelques années – pendait la crémaillère de son commerce et de son rêve canadien. Curieux et flâneur, Francis entra pour jeter un coup d'œil aux tablettes insuffisamment garnies qui proposaient, ici et là, toutes sortes de potions magiques gauloises. Mais à peine eut-il fait quelques pas que les yeux angéliques de la fille aînée du pharmacien kidnappèrent son regard. La France et la Nouvelle-France tout entières disparurent ! Seuls un monde, une classe sociale et un comptoir séparaient les deux bouches affamées mais paralysées ! En voyant les yeux qui échangeaient leurs cœurs, le marchand résigné, le père ému, avait déjà compris que ni lui ni l'éducation bourgeoise de sa fille n'empêcheraient celle-ci de suivre cet homme dans sa cabane au Canada.

Même si Marie-Catherine n'avait que quatorze ans à son arrivée en Nouvelle-France, elle avait gardé – malgré sa trentaine d'aujourd'hui – un léger accent français, pour le plus grand bonheur de son beau colon canadien. D'ailleurs, pour le taquiner, la coquine n'hésitait pas, à l'occasion, à prononcer exagérément « à la canadienne » des expressions du terroir insérées ici et là dans son parler du vieux continent.

La combattante extrême n'en était pas à son premier affrontement avec un cheval et ce n'était certainement pas une petite coupure d'un centimètre à la tête qui lui mériterait un compte de dix. Mais il en était tout autrement pour le mari protecteur et en colère qui se précipita dans la penderie pour enfiler, l'un par-dessus l'autre, tout ses vêtements d'hiver. Finalement, il mit ses deux tuques, qu'il attacha à l'aide d'un foulard. Il était prêt pour aller « jaser » avec Harry. Le temps était venu d'enseigner à Monsieur que l'on ne touche pas à un bipède et encore moins à la femelle du mâle Alpha. Le poids lourd voulait un combat avec un poids plume, il l'aura !

Transpirant à grosses gouttes dans son armure improvisée, Francis aurait sûrement préféré que ce championnat mondial ait lieu en janvier plutôt que par une journée d'octobre ensoleillée. Sa marche suffocante vers la grange avait heureusement suffi à atténuer sa colère, qui fit place à la crainte d'affronter un jeune étalon en quête d'identité. Une fois arrivé, sans trop y penser, il saisit la longe de cuir pendante pour reprendre fermement l'exercice de marche au pied. La première ronde débuta aussitôt qu'il dirigea le poulain à un endroit qui ne plaisait pas particulièrement à Monsieur. Harry se braqua de nouveau, comme pour expliquer à un autre bipède les règles de SON écurie. À la différence du premier, le deuxième était bien préparé, avait la testostérone dans le plafond et était très, très loin de sentir le lin parfumé !

Le premier coup de poing du cheval frôla les tuques et s'entortilla dans la longe pour s'emprisonner dans les airs. Harry sur trois pattes, le bipède put facilement tirer avantage du sol rendu glissant par le crottin et l'urine. Francis bloqua l'autre patte avant et renversa la bête au tapis avant de se jeter sur elle. Le genou sur la jugulaire, le maître put ainsi imposer son rang au jeune mâle. Du moins, le croyait-il ! Aussitôt le genou retiré, le poulain se releva face au prétendant. Les mâles se dévisagèrent quelques secondes avant de reprendre l'exercice de marche au pied.

Quelques coups provocateurs à la longe suffirent à lancer la deuxième ronde, qui se déroula à l'image de la première, à l'exception que la bête tarda un peu plus à se relever. Les adversaires, qui transpiraient à torrent, firent d'un commun accord une « pause publicitaire » de dix minutes avant le prochain round. Déterminé à s'assurer que le poulain abdiquerait définitivement son rang face aux bipèdes, Francis le dirigea encore plus fermement, le contraignant même à baisser la tête. C'en était trop ! Le gong résonna de nouveau pour annoncer un troisième round encore plus furieux et brutal que les deux premiers.

Dans un nouveau cabrage, l'animal – maintenant plus furieux qu'incompris – atteignit son adversaire d'un violent crochet aux tuques. Le guerrier sonné mais rusé en profita pour tourner la longe autour du mollet de la bête afin de le maintenir en hauteur et ainsi prendre l'avantage sur elle pour une troisième fois. Le corps-à-corps épuisant, qui les déplaça dans toute l'écurie, durait depuis trois interminables minutes. Chaque belligérant chutait et se relevait tour à tour dans une véritable lutte épique. Le souffle et les gémissements des deux étalons orgueilleux s'entremêlaient à mesure que l'épuisement ralentissait leur ardeur. Même à trois pattes et épuisé, Harry démontrait encore toute la force et la ténacité que Francis espérait de son nouveau tracteur. Juste avant que la cloche ne sonne, Harry perdit pied pour de bon pour s'assommer violemment le museau sur le montant de l'enclos.

Le maître exténué compris au regard de la bête *knockoutée* que le coup et la leçon avaient porté. Le maître bienveillant défit son étreinte pour caresser calmement le poulain, immobile au sol. Puis, d'une voix calme, il se confessa :

— J'suis désolé, Garçon. Fallait que tu comprennes au plus sacrant !

Lorsque le maître se leva, le subordonné resta au sol, le regard fixé sur le nouveau chef de clan. Un petit coup de longe suffit à lui transmettre l'ordre de se relever. Heureux que ce soit enfin terminé, Francis sortit son p'tit flasque – bien dissimulé sous une planche – pour en verser symboliquement une lapée dans le seau d'eau de son adversaire. Comme tout bon mâle après une violente engueulade agrémentée de quelques bonnes taloches, les amis retrouvés prirent un pot ensemble, trop fiers de leurs bobos ! Voyant la bosse sur le museau d'Harry grossir à vue d'œil, Francis lui tapota l'épaule et lui dit en souriant :

— T'es un sapré batailleur, Garçon !

Les mois passèrent, puis les saisons et les années. Au printemps 1755, Harry (... et son nez bossu de boxeur) fêta ses deux ans. L'ossature et les cartilages du jeune adolescent avaient besoin encore d'une bonne année de croissance avant qu'il commence son stage avec le vieux Doc. De toute façon, il n'y avait pas d'urgence, car à dix-sept ans, le vieux ne manquait certainement pas d'« hydraulique dans les veines ».

À l'aurore de cette journée de juillet, alors que l'avoine poussait paresseusement sous un ciel de plomb, Harry fut témoin d'une scène qui programma sa destinée ; une scène qui lui tatoua sa voie avec une certitude inaccessible aux meilleurs orienteurs pédagogiques.

Sous ses sabots, la terre exhalait la transpiration matinale de Mademoiselle France. Les mannes décollaient et les sauterelles atterrissaient au son des apprenties cigales qui annonçaient un lendemain sans nuages.

Le vieux Doc et la Duchesse arrivèrent au travail à l'orée du champ. Harry – comme tout bon adolescent – broutait sans fond le foin semé par ses parents. Guides en main, le père Gaulthier et Francis marchaient derrière l'attelage. Harry avait souvent vu ses géniteurs partir pour labourer et dessoucher les champs éloignés, mais jamais il ne les avait vus au travail. Fiers, la tête haute, la poitrine gonflée, ses parents étaient magnifiques. Leur imposant attelage rafistolé, amélioré, doublé puis triplé portait fièrement les cicatrices de treize années de guerre contre la faim et le froid. Deux immenses colliers, souffre-douleur de deux paires d'épaules impitoyables, laissaient échapper leur bourrage de crin de cheval provenant de leurs propres tortionnaires. Situé à l'arrière des chevaux, le pauvre bacul de bois avait dû être remplacé et grossi à deux reprises pour finalement atteindre vingt énormes centimètres de diamètre. Et pour cause : les deux monstres étaient directement attachés aux extrémités de cette pièce de bois oscillante, ancrée en son centre au châssis du chariot. Guère plus chanceuses, la plupart des sangles et des attaches avaient dû être soit doublées, soit triplées, au fil des années. Telles des décorations militaires, le couple de Canadien avait tellement sué pour imposer chacun de ces sévices à leur attelage, qu'il aurait été irrespectueux de tout remplacer par du neuf.

En langage cheval, le dominant, l'« Alpha », est généralement à gauche du troupeau ou de l'attelage. Le vieux Doc n'était peut-être pas dominant à la maison, mais au boulot – côté cœur de l'attelage – il était le seul patron après le père Gaulthier... et même des fois avant !

Les yeux exorbités, la gueule grande ouverte, l'ado hypnotisé par la scène ne pouvait arracher son regard de ses parents, de leur traîne royale et de leurs deux serviteurs. À dire vrai, le poulain – comme tous les chevaux du monde – n'avait rien à foutre que les dieux de l'autre côté de la clôture soient ou non ses parents. Ils étaient le mâle et la femelle dominants de son clan et ça lui suffisait amplement pour mériter son attachement, sa soumission. Parents ou monarques ? En ce matin ordinaire de juillet, ils n'en venaient pas moins d'amorcer en leur fils une « bombe génétique » qui devra exploser un jour... et tous ses lendemains.

Doc et Duchesse n'étaient pas unis par un mariage royal ni par leur lourd harnais ni par un lien de copulation et encore moins par un descendant maigrichon de l'autre côté de la clôture. Aujourd'hui, ici, ils étaient unis entre eux et aux hommes qui les commandaient par la fratrie. Le père, le fils Gaulthier, le vieux Doc et la belle Duchesse étaient tous des frères d'armes. Sans égard au sexe et à la race, ils s'apprêtaient encore une fois à livrer bataille à une autre demi-douzaine de souches qui leur bloquaient la voie vers leur sécurité alimentaire. Tous avaient en quelque sorte accepté et peut-être même choisi l'allégeance mutuelle qui les unissait. Cet engagement à s'épuiser et à souffrir l'un pour l'autre était implicite à la victoire de la bête, et la victoire de la bête implicite à celle de l'homme.

Rendu à sa hauteur, le vieux roi tourna le museau vers son sujet... Le regard menaçant du mâle Alpha transperça Harry, le prétendant au trône. Le jeune insignifiant ignorait que les conspirations à la succession du roi vieillissant étaient déjà amorcées. Heureusement, l'adolescent maigrichon ne méritait pas, pour le moment du moins, de détourner davantage le vieux roi de sa responsabilité au sein du clan. Une fois face au poulain, le père Gaulthier tourna aussi la tête pour admirer son nouveau tracteur. Le regard affectueux du vieux colon d'expérience pénétra sans résistance le gamin intimidé, qui put enfin relâcher sa respiration. Toujours intrigué par l'énorme attelage et subjugué par la fierté palpable des monarques, le jeune cheval de trait les suivit à distance.

Le champ se devait d'être agrandi pour nourrir convenablement la sixième petite sœur de Francis. Chaque rançon au curé contre leur « excommunion » était une bouche de plus à nourrir. Ainsi, chaque parcelle de la terre se devait d'être pleinement nourricière. Les arbres majestueux, véritables propriétaires ancestraux de ce lopin de terre, n'eurent alors aucun recours contre la faim de l'homme. C'est donc sans appel qu'une douzaine d'érables centenaires furent « expropriés » à coups de hache. Évidemment, leurs racines refusèrent d'abandonner la terre de leurs ancêtres sans livrer leur dernier combat. Les colons durent donc besogner deux jours durant pour déterrer et sectionner à la hache toutes les racines accessibles.

Le jour de l'assaut final était venu. Dirigés au millimètre près par le père Gaulthier, tirant profit de la complicité qui les unissait, les quatre frères d'armes s'installèrent devant leur premier objectif : un érable de trente-cinq centimètres à la souche. Agités, Doc et la Duchesse commencèrent à piétiner fébrilement le sol de leurs godasses cloutées, tels des soldats à l'adrénaline montante. Ils savaient d'instinct et d'expérience que le moment où ils pourraient enfin laisser exploser toute l'énergie de l'avoine accumulée était imminent. Le père

Gaulthier peinait d'ailleurs à les faire reculer pour que Francis puisse ancrer convenablement la chaîne rapiécée à la plus grosse racine de l'exproprié récalcitrant. Le père Gaulthier souquait les guides de tout son poids seulement pour retarder l'inévitable réaction en chaîne.

— WÔÔ ! WÔÔ, les amis ! Arrière ! Arrière !

Profitant de leurs dernières secondes sans souffrance, le bacul de bois, les sangles de cuir et l'attirail métallique de l'attelage s'entrechoquaient dans la cacophonie d'un orchestre en calibration. Tout était prêt pour le premier assaut. En bon chef guerrier, le père Gaulthier calma ses troupes avant l'engagement initial.

— Tout doux, Doc ! Tout doux, la belle !

Le père Gaulthier fit reculer une dernière fois pour leur donner un élan destructeur. Une trop grande distance aurait nui à leur synchronisme tout en augmentant le risque de pulvériser encore l'attelage. Pire, une mauvaise coordination pourrait faire trébucher les chevaux en plein élan et les estropier.

Harry fixa les yeux exorbités et les narines gonflées de ses géniteurs en transe. Mû par son instinct, l'élève hypnotisé fixa le maître. Le futur tracteur attendait la commande d'embrayage. Livré à son hérédité en fermentation, le mini-cheval de trait se mit machinalement à piétiner le sol à son tour.

Puis, l'ordre libérateur du maître vint enfin.

— YAAAA !

Dans une explosion musculaire stupéfiante, deux paires d'épaules, mues par une tonne et demie de fureur, plaquèrent les colliers affolés. Les courroies et le bacul gémissaient à fendre l'âme, tels des suppliciés écartelés, pendant que les chaînes et la ferraille sonnaient leurs excitations moyenâgeuses. Surpris par le choc, Harry recula et figea pendant qu'une demi-douzaine de corneilles s'enfuyaient à tire-d'aile.

— Vas-y, Doc! T'es le plus fort!

Sous l'impact initial, la souche s'était déplacée d'une quinzaine de centimètres, mais refusait obstinément d'abandonner sa fondation. Huit sabots frustrés crachaient leur terre à la tête du père Gaulthier, labourant de profonds sillons de leurs fers à crampons. Les couches de muscles se relayaient à chaque nouvel appui, telle une vague de fond déformant leur robe. La gueule ouverte et immobile, Harry était pétrifié. En entendant gémir sa race sous l'effort, le jeune Canadien sortit de sa torpeur. Instinctivement, l'élève prometteur abaissa son bassin et s'inclina vers l'avant pour fournir sa poussée solidaire.

Dans un hymne à l'effort tout canadien, les pots d'échappement des deux monstres résonnaient et polluaient à plein régime...

— Ouf... Pitié! Pas les deux en même temps!

Le visage verdâtre et plâtré par la terre, le père Gaulthier eut toutes les misères à stopper ses frères d'armes. Malgré un excellent bilan pour un premier assaut, les deux guerriers piétinaient déjà le sol. Le cessez-le-feu semblait trop long à leur goût; ils voulaient retourner au combat. L'ennemi n'était pas vaincu et ils le savaient!

Harry n'avait pas encore repris son souffle que le père Gaulthier dut se résigner à les autoriser à retourner au combat. Francis vérifia rapidement les attaches, puis le maître les fit reculer de quelques centimètres. Harry, qui avait abandonné toute retenue, s'était approché de la clôture et du groupe. Les trois chevaux, dopés par l'adrénaline, piétinaient le sol, le bassin surbaissé, prêt à l'assaut final. Le cri du maître et le claquement des guides sur leur croupe les libérèrent enfin.

La deuxième charge fut dévastatrice et l'expropriée se souleva lentement, mais inexorablement sous chaque centimètre de terrain gagné par les trois bêtes et Francis, qui sectionnait de coups de hache précis les racines récalcitrantes. Même Harry avançait, reculait et tendait tous ses muscles dans un esprit de corps instinctif. Le bacul en balançoire fit reculer la Duchesse sous la poussée du vieil entêté à sa gauche. À peine moins orgueilleuse que lui, elle se transforma, sous la provocation, en taureau enragé – toutes veines en saillie – pour broyer son collier. La souche rendit enfin les armes dans une symphonie de craquement et un feu d'artifice de terre projetée par les racines libérées.

Outre leur combativité, ce couple hors du commun partageait un autre trait de caractère unique. Ni le vieux Doc ni la belle Duchesse n'acceptaient de s'immobiliser avant d'avoir traîné sur quelques mètres leur « trophée » vaincu. Alors, en bon seigneur, le père Gaulthier leur laissa encore une fois leur petit tour d'honneur, puis les immobilisa.

Leurs expirations assourdissantes témoignaient de la brutalité du combat, bien qu'il ait été de courte durée. Suffisant à peine à la tâche, les six narines doublaient de diamètre à chaque inspiration. Telles des rivières après la crue, les veines reprenaient lentement leur lit pendant que les bêtes planaient encore sur leur piqûre d'adrénaline. Encore essoufflé, le vieux Doc renifla le museau de sa belle, comme pour lui dire :

— T'étais choquée, la vieille...

Le père Gaulthier et Francis – presque aussi épuisés que les bêtes – furent pris d'un grand fou rire en voyant Harry se pavaner victorieusement. Les colons connaissaient bien la gestuelle du Canadien trottinant en rond, la tête qui balance de bas en haut. Pour peu, on aurait cru l'entendre dire :

— Ouais... On l'a eu, 'barnak !

Le père Gaulthier lança en souriant :

— T'as été ben vaillant, Garçon. Merci du coup de patte !

Automne 1758. Trois autres années avaient passé. À cinq ans, Harry était bel et bien devenu l'étalon exceptionnel prédit par le bonhomme.

Son impressionnant coffre de six cent cinquante kilos, sa force brute et sa persévérance lui permettraient bientôt de rivaliser avec son Monarque. Avec sa longue crinière de rock star qui touchait maintenant ses larges épaules musclées, fiston franchissait le seuil de sa vie adulte avec désinvolture. Ainsi, dans moins de deux autres années, avec une cinquantaine de kilos de plus, il sera au sommet de sa maturité physique. Cependant, avec son petit caractère d'adolescent rebelle, il devra attendre son neuvième ou dixième anniversaire avant que sa pleine maturité cognitive et émotionnelle lui permette de choisir librement l'obéissance. Dans l'attente, le maître des guides et l'Alpha s'efforçaient de le soumettre à leur autorité.

Attelé avec Doc, Harry demeurait un engin docile, bien qu'il commençait à démontrer des signes de provocation envers le mâle dominant vieillissant. Le prétendant au trône n'hésitait plus à accélérer, ralentir, et même changer de direction avant que le souverain ne le lui commande.

En contrepartie, lorsque jumelé avec Luna, il s'imposait tout naturellement en meneur inspirant et exigeant, au grand plaisir de sa sœur, qui préférait un rôle plus « musculaire » que « cérébral »

De temps en temps, le père Gaulthier aimait bien réveiller son coq, mais avec Gérard c'était peine perdue. Gérard était un volatile costaud aussi insomniaque que dévoué à son art. Annoncer poétiquement le soleil levant à 6 h du matin était une chose, mais hurler aux étoiles pour ne s'arrêter, complètement enroué, qu'à 10 h... c'était autre chose ! Même pour un fermier, même en 1758, 4 h du matin... c'était quand même 4 h du matin, joual vert ! Le colon aimait bien son coq, mais il commençait sérieusement à se demander s'il ne l'aimerait pas encore plus avec des oignons et une p'tite sauce brune !

Café noir en main, Gaulthier adorait tout de même humer l'arôme de sa terre paresseusement dévoilée par les premières lueurs du matin. Le parfum de la luzerne en fleurs se mariait à l'arôme des pins majestueux, qu'il avait épargnés pour la seule allégresse de ses narines. Ce bouquet serait malgré tout imparfait sans l'apport des effluves corsés colportés par l'enclos de ses compagnons d'armes. Toute personne qui a eu le privilège un jour d'être adoptée par une demi-tonne d'affection chevaline a probablement succombé, contre toute logique, à l'association olfactive du crottin et du… bonheur!

Mais pour dire vrai, ce matin, Gaulthier ne s'était pas levé avant Gérard pour démoraliser son volatile. En fait, l'homme n'avait pas très bien dormi. Songeur, Gaulthier fixait son « réveille-matin » débile encore assoupi, la tête profondément rétractée dans ses plumes. L'idée de lui hurler un *COCCO-RICOOO!* vengeur lui traversa évidemment l'esprit, mais le colon n'avait pas la tête à la taquinerie. Il était davantage préoccupé par l'humeur renfrognée très inhabituelle que le vieux Doc démontrait depuis quelques semaines.

À vingt ans et avec son espérance de vie chevaline – à cette époque – de vingt-deux ans, Doc était aussi vieux et usé que le père Gaulthier. Depuis quelques mois, son vieux tracteur peinait à compléter ses dix heures de travail quotidien au côté d'Harry. En maître bienveillant, le père Gaulthier lui avait offert une préretraite pleinement méritée. Profitant de la pause de midi, il le retirait de l'attelage pour le remplacer par Luna. Les prédécesseurs de Doc avaient toujours accueilli ce privilège avec une belle prise de poids reconnaissante, mais le vieux Doc, lui, hennissait sans fin sa fierté d'Alpha à chaque mise en tablette. Gaulthier aurait pourtant dû savoir que son cheval d'exception n'avait rien du « quêteux », ravi jour après jour de manger le foin récolté par d'autres. Quelque chose dans la tête du futur retraité n'allait vraiment pas et l'homme ne tardera pas à le réaliser tragiquement.

Plein d'appréhension, le père Gaulthier ouvrit les vieilles portes grinçantes de l'écurie. Une forte odeur de « bonheur » et de bonne santé animale lui souhaita la bienvenue.

— Ouf! Vous charriez un p'tit brin, là!

Endormis, Doc, Harry et Luna tournèrent la tête lentement, très lentement, vers le nouveau coq trop matinal, lorsque Gaulthier se dirigea vers le patriarche et lui murmura d'une voix compatissante:

— Salut, mon vieux! J't'ai organisé une p'tite journée père-fils.

Malgré ses appréhensions, le père Gaulthier était tout de même fort heureux de besogner avec son vieux pote, le compagnon d'armes de ses plus grandes batailles. Une demi-journée intime puisque Francis serait occupé à réparer les clôtures du champ sud. L'opportunité d'observer son vieil ami était donc parfaite. De toute façon, il ne restait que deux vieilles souches à arracher pour que le sentier qui traverse la forêt d'érable soit carrossable. «Docteur Gaulthier» savait trop bien que ses deux gaillards adoraient se pavaner avec un paquebot déraciné à leur train... C'était bon pour le moral!

Harry était devenu la nouvelle fierté du colon, et pour cause! Les inlassables enseignements du vieux Doc avaient forgé son rejeton en meneur fier, inspiré et inspirant. Junior était toujours à l'affût du moindre son provenant du maître et du moindre mouvement des guides sur sa croupe ou son cou. Tout comme son Alpha, Harry n'hésitait jamais à suer à grosses gouttes et à ignorer l'usure de la journée seulement parce que la voix de l'homme le lui demandait. Le jeune avait appris «à la dure» aux côtés du vieux Doc, qui n'hésitait pas à mordre ou à utiliser la bascule du bacul pour transmettre ses sanctions. Pour se faire, le vieux coach plaquait violemment son collier vers l'avant, afin que l'effet du bacul projette vers l'arrière son apprenti, alité dans son collier. Lorsque les coups de semonce ne suffisaient pas, le vieux n'hésitait pas à mordre au sang la nuque du décrocheur somnolent. On comprendra pourquoi le fils ne pouvait tolérer à son tour qu'un compagnon d'attelage ne tire pas son dû.

La complexité des sentiments qui unissaient le colon à ses chevaux de trait est sûrement difficile à comprendre par l'« *Homo technicus confortalis* contemporain ». Il lui serait aisé de ne voir en la bête qu'un animal de compagnie turbocompressé, ou pire, qu'un tracteur poilu et malodorant. À l'opposé de la machine, une bête de somme aura toujours le choix et les moyens de ne pas obéir à un minuscule bipède, de pousser moins, de tirer moins, d'endurer moins.

Certes, le cheval peut être forcé à la soumission par l'odieux maître-exploiteur, mais la noble bête peut tout autant choisir d'offrir son obéissance, et même son sacrifice, au maître bienveillant. D'ailleurs, tous s'accordent pour dire que l'homme gratifié de ce privilège est élevé au titre de cheval le plus fort et le plus respecté de son clan... l'Alpha ! Une telle consécration ne méritera pas une plaque honorifique au colon ni même une médaille. Elle lui vaudra mieux, beaucoup mieux : l'altruisme et l'obéissance indéfectible du cheval et ainsi, la fierté extraordinaire de nourrir ses êtres chers. Ajoutez au tableau que le maître passera infiniment plus de temps avec ses chevaux qu'avec sa femme et ses enfants et vous comprendrez pourquoi Gaulthier aimait le vieux cheval plus qu'un frère et le plus jeune, presque comme un fils !

Après un copieux petit déjeuner au lit, le préretraité eut droit à une toilette attentive à la lueur du soleil d'automne qui s'infiltrait. En fait, le vieil homme le caressait plus qu'il le brossait. Il effleura de ses doigts redevables les multiples blessures de guerre du vieux soldat. Les dizaines de cicatrices aux genoux, que le cheval s'était infligées en trébuchant sous la poussée, étaient autant de preuves que le vainqueur n'était pas celui qui ne tombait jamais, mais bien celui qui se relevait toujours !

Ses flancs étaient ornés de vieilles décorations gagnées au combat corps à corps contre des hardes de branches sèches et sanguinaires. La main crevassée de l'homme glissa jusqu'à son énorme encolure pour remercier chaque centimètre carré de sa robe brune sacrifiée par une vie de labeur. La crinière du vieux Doc n'était certes pas aussi fournie et lustrée que jadis. Sa musculature n'était certes plus aussi proéminente qu'elle le fut un temps. Mais le vieux cheval n'en demeurait pas moins un superbe spécimen Canadien hors du commun.

Le colon souleva l'énorme collier brutalisé qu'il avait si souvent retiré avec reconnaissance la nuit venue. En le regardant, il prit soudainement conscience des quinze années d'effort et de dévouement que la bête lui avait consenties. Il ausculta de ses doigts aussi usés que sa mémoire chaque sangle réparée, chaque courroie recousue et chaque ferraille ressoudée au feu de forge.

Gaulthier s'approcha de l'oreille de Doc pour lui chuchoter sa reconnaissance :

— Merci Doc ! J'sais, mon vieux, que t'as une crotte su'l cœur. J'sais aussi que tu voudrais ben continuer à te « désâmer ». Les ancêtres comme toé pis moé, c'est dur de comprenure, je sais ! C'est pas facile d'laisser la place aux jeunes, hein ?

Il regarda à gauche... puis à droite, feignant de s'assurer que personne n'écoutait, et il chuchota au cheval :

— J'vas dire un secret : moé aussi, chus aussi bon qu'avant, mais moins longtemps !

Était-ce le souffle de l'homme dans l'oreille de la bête meurtrie ou les mots qu'il portait ? Le vieux cheval se tourna doucement vers son confident pour le regarder sans bouger. L'homme savait que l'énorme bille ne donnait pas accès à un instinct bêtement programmé, mais à une âme intelligente, sensible et dévouée. Le géant inquiet, tourmenté par le crépuscule de sa vie utile, déposa son lourd museau sur l'épaule de l'homme. Troublé par l'œil en deuil, l'homme lui caressa la crinière et prononça ce serment que le cheval aurait sûrement aimé comprendre.

— J'serai toujours là pour toé, mon frère, comme toé tu l'as toujours été pour nous autres.

Dans la rosée du matin, Gaulthier les sortit de l'écurie sans presse, comme pour savourer chaque moment de cette cérémonie. Aujourd'hui, pour ne pas vexer le vieux Doc, le colon futé attela le préretraité à la gauche d'Harry, tel l'Alpha qu'il était. Respectueux de son mentor, Harry ne sembla guère s'en formaliser.

Troublé, le père Gaulthier suivait ses étalons qui marchait en direction du champ nord. Visiblement tourmenté, le vieux Doc marchait la tête plus basse qu'à l'habitude.

À la vue du champ, Gaulthier fut littéralement kidnappé par sa mémoire, pour être entraîné dix-huit mois plus tôt, en mai 1757.

L'assaut du Fort William Henry planifié par Montcalm appela la milice sous les drapeaux pour le 1er juin. En théorie, les colons disposaient de trois semaines pour labourer et semer avant de partir. Mais voilà, la vallée avait reçu des chutes de neige très tardives et abondantes, inondant les terres de la Rivière du Gouffre du ruissellement de ses deux gigantesques entonnoirs montagneux. Les champs de Gaulthier devinrent à ce point détrempés que toute opération de labour fut impossible avant la dernière semaine de mai, ne laissant que six jours aux Gaulthier avant leur départ obligatoire pour Québec. Une famine longue et impitoyable guettait toute la famille s'ils ne parvenaient pas à labourer, semer et rabattre quinze acres de terre en moins de cinq jours ! Un dur labeur qui exigeait normalement trois fois plus de temps.

Par chance, les Gaulthier disposaient exceptionnellement de quatre chevaux, de deux hommes adultes et d'une douzaine de petites mains pour semer. Le souvenir de la faim encore frais à leur mémoire, tous se mirent au boulot avec ardeur. Les dix-huit heures de travaux forcés quotidiens eurent raison, après trois jours, de la plus petite stature de Luna. Malheureusement, la Duchesse se blessa sérieusement à la fourchette d'un sabot, ne laissant que deux journées à Doc et au jeune Harry – âgé de quatre ans à cette époque – pour entamer et compléter le champ nord. Le père Gaulthier et Francis étaient, quant à eux, exténués, couverts d'ampoules, mais toujours debout ! Ils se relayaient toutes les quatre heures pour manœuvrer l'exténuante charrue de bois à sillon unique, forçant et trébuchant comme des bagnards.

Malgré les sacrifices des hommes et des bêtes, ils prirent du retard dans le rabattage final. Au midi de la dernière journée, il fallait encore rabattre la terre de deux énormes champs sur les semis déposés la veille par l'armée de petites mains. Pour cette dernière étape, plusieurs lourds troncs d'arbres – sur lesquels on avait aménagé un siège de fortune – devaient être traînés par les chevaux afin de refermer, sur les graines, la terre des sillons. Qui plus est, le rabattage devait être exécuté sans attendre au risque de voir des hordes de corneilles piller, en moins de vingt-quatre heures, les graines laissées à l'air libre.

Lorsque Francis releva son père pour le quart final de travail, il était évident que, faute de temps, un champ tout entier allait devoir être abandonné aux pilleurs ailés du matin.

— Débarquez, Popâ ! J'vais nourrir les jouals pis donner un dernier coup !

— Maudit calvaire ! Y en restera plus épais mèqu'les corneilles vont avouère déjeuné.

— Allez-vous coucher, Popâ. Faut qu'on retontisse à Québec demain avant l'coucher du soleil. J'vas essayer d'en sauver un p'tit bout avant de m'canter.

Le vieil homme épuisé n'avait plus la force de combattre ni d'argumenter avec ce fils qu'il admirait de plus en plus. Il le serra dans ses bras, toujours incapable de lui dire tout l'amour et l'admiration qu'il lui portait. Une fois rendu à la cabane, c'est le cœur en regret qu'il s'écrasa tout habillé sur le grand banc de bois pour enfin dormir plus de trois heures d'affilée.

Après avoir nourri les deux bêtes épuisées, Francis inspecta et rafistola leurs sabots en piteux état ; il fixa tant bien que mal l'un des fers de Doc sur le point de détaler. Il vérifia ensuite les harnais de chacun. Ce qu'il vit le stupéfia et le submergea d'une profonde admiration envers ses frères. Sous le pourtour du collier, la peau à vif des guerriers témoignait encore de leur extraordinaire dévouement au clan. Sans qu'aucune violence ne leur eût été portée, les « petits chevaux de fer canadiens » avaient obéi, malgré la souffrance, à la seule voix du maître.

— Les gars, j'sais que vous pétez pas l'feu pis qu'on ambitionne sul'pain béni, mais y nous reste une darnière bataille, pis on rentre à maison après !

Après deux petites « claques de gars » sur chaque croupe, l'équipe se rendit dans le champ nord vers dix-neuf heures pour le dernier assaut. Inlassablement, les bêtes tiraient leur charge à la seule lueur de la pleine lune. Malgré un sommeil envahissant, le gamin de trente ans – en quête perpétuelle de la fierté paternelle – refusait d'abandonner. Harry, qui n'avait apparemment rien à foutre de ces considérations philosophiques, commença à ralentir pour finalement s'arrêter, complètement épuisé.

Francis les relança, mais leur marche fut de courte durée. Harry s'immobilisa de nouveau et refusa obstinément de repartir. Témoin de l'impasse, la lune éclairait le champ à moitié rabattu avec en son centre le vieux Doc, qui tirait seul pendant que Francis suppliait Junior d'avancer !

À la cabane, endormi sur son banc pourtant inconfortable, le père Gaulthier se réveilla en sursaut passé huit heures du matin. Même Gérard, le coq maléfique, n'avait pas réussi à le ressusciter plus tôt. Qui plus est, sa bru reconnaissante avait traîné les enfants à l'extérieur pour laisser dormir son beau-père avant son départ pour Québec. Il se leva paresseusement et arracha un bout de pain frais sur la table de cuisine. Lorsqu'il comprit qu'il avait dormi plus de neuf heures, il se précipita dans la chambre vide de son fils puis vers la grange, où il constata avec inquiétude que deux étalons n'étaient pas aux boxes. Le père, troublé, enfonça le pain dans sa poche et se précipita au champ nord.

À son arrivée, le soleil orangé fumait déjà sa rosée matinale. Il chercha nerveusement ses hommes dans le magnifique tableau. Son cœur s'enraya lorsqu'il vit, à l'autre extrémité, son attelage inerte. Gaulthier courut à en perdre haleine à travers le champ d'honneur. Ignorant la terre qu'il foulait, le père s'immobilisa sans voix – à une vingtaine de mètres – lorsqu'il aperçut Francis effondré sur les billots et Harry affalé au sol. Les prières qui se bousculaient dans sa tête lui donnèrent la force de franchir les derniers mètres qui le séparaient de Fils. Le cœur du père se remit à battre lorsqu'il entendit son fils unique ronfler comme un Gaulthier. Le mystère s'éclaircit lorsqu'il se retourna et vit que son champ était en fait complètement rabattu et prêt à laisser pousser l'or vert. L'homme, gonflé d'orgueil paternel, comprit que son équipage, trop épuisé pour rentrer, s'était simplement endormi au bout du dernier rang !

S'approchant en silence d'Harry, qui sommeillait, il constata que son cou et sa nuque étaient couverts des morsures de l'Alpha. Le palefrenier d'expérience reconnut immédiatement les châtiments que Doc avait infligés à son élève désobéissant. Ému, il s'approcha avec admiration et reconnaissance du seul cheval qui avait été de tous les attelages depuis la dernière semaine. Son vieux Doc encore somnolent n'ouvrit les yeux qu'à moitié lorsque Gaulthier le caressa et lui chuchota :

— Ton gamin est devenu un étalon c'te nuitte et le mien, un homme ! Merci, mon vieux ! Merci pour tout !

Puis, Gaulthier se retira en silence pour cueillir deux énormes touffes d'herbe avant de sortir le pain de sa poche, de s'asseoir et de s'adosser au poteau de clôture.

Regardant son champ et ses hommes avec admiration, le père attendit simplement en silence qu'ils se réveillent pour leur servir leur petit déjeuner au lit.

Le pain et l'herbe avaient disparu de ses mains. Fort Henry n'était plus qu'un mauvais souvenir. Le présent et l'inquiétude s'imposèrent de nouveau. Arrivé à l'orée du bois, l'équipage, qui ignorait avoir été sans maître pendant cinq bonnes minutes, se positionna devant leur première victime dans un ballet chorégraphié au centimètre : une souche de chênes d'une vingtaine de centimètres de diamètre. Même si le père Gaulthier et Francis avaient déjà sectionné les racines principales, la souche demeurait tout un trophée susceptible de remonter le moral du doyen.

La vieille chaîne rouillée solidement attachée, le temps était venu pour l'arbre éviscéré de laisser sa terre à l'espèce dominante. La première charge fut polie et discrètement retenue par Gaulthier en respect du doyen, qui en fut visiblement insulté. Les yeux du vieux cheval se refermèrent légèrement, exposant toute la motivation – ou peut-être la frustration ! – de l'usure du temps. Les énormes sabots, ferrés d'épouvantables crampons d'acier, piétinaient le sol en attente du décollage. L'hydraulique du vieux Doc était en surpression... Harry et Gaulthier ne le comprirent que trop tard. Après un repos un peu plus long que jadis, la deuxième charge – nécessaire pour alanguir la souche avant l'assaut final – fut lancée par le maître des guides. Le vieux cheval s'élança si violemment qu'Harry et ses six cent cinquante kilos furent littéralement projetés à l'arrière par le bacul, tel un minuscule caniche en laisse. Gaulthier gueulait et souquait à pleines mains pour tenter de retenir le vieil entêté. L'ADN en furie, Harry répondit aux défis du paternel en fonçant tête baissée dans son collier. Les larges épaules et les cuisses matures du fils pouvaient maintenant tenir tête à l'ancêtre vieillissant. Enfin, Harry croyait-il!

Les bêtes de somme ne travaillaient plus en équipe, mais combattaient l'un contre l'autre, avec l'énorme souche comme trophée et le père Gaulthier comme spectateur impuissant. Le pauvre attelage, pris entre deux armées, se lamentait et craquait de tous ses joints. Les deux montagnes de muscles, de furie et d'orgueil s'acharnaient sur l'érable presque immobile depuis maintenant une vingtaine de secondes. Jadis, même Doc aurait déjà concédé la victoire à son adversaire, mais pas aujourd'hui, et surtout pas avec le jeune prétendant au trône à ses côtés!

Le moment était venu de montrer au fiston Bêta que papa Alpha avait encore de l'« hydraulique dans les veines » et encore quelques vieilles ruses à lui enseigner. Le vieux Doc entraîna son fils un peu surpris sur la gauche sur presque trente degrés puis recula jusqu'au bacul, ignorant toujours les supplications du maître. Instinctivement, Harry recula aussi et se prépara à synchroniser l'ultime ronde contre la souche, contre son géniteur ou les deux à la fois! Le père Gaulthier paniqué par le terrain accidenté face à son attelage leur criait à tue-tête:

— WÔÔÔW, WÔÔÔW, barnak! Vous allez vous casser la yeule...

Le maître impuissant était pendu aux guides pour les retenir. Les narines dilatées à outrance, les étalons voulaient en finir, en dépit des mors révulsés par Gaulthier. L'effort excessif déployé sur les guides rafistolés eut finalement raison du vieux cuir, qui céda. Devant le visage horrifié du père Gaulthier, les deux mors ainsi libérés, transmirent aux gueules enragées l'ordre de l'assaut final.

Dans une poussée et un ralenti suicidaires, vingt ans d'expérience et six mois de frustrations se déchaînèrent en parfaite synchronie avec trois quarts de tonne de testostérone juvénile. La pauvre souche fut si outrageusement expulsée de sa terre que les deux bêtes en furent violemment projetées vers l'avant. Trop épuisé pour s'immobiliser à temps, le vieux Doc en perte d'équilibre posa la patte avant dans une cavité entre deux roches. Débalancée et entraînée par son propre poids, la patte de douze centimètres de diamètre se fractura dans un effroyable craquement. Dans sa rencontre avec le sol, le dentier du vieux tracteur éclata dans une giclée d'hémoglobine.

Inexorablement, ses sept cent kilogrammes de muscles exténués s'effondrèrent sur le côté, entraînant au sol son rejeton, emprisonné par l'attelage.

Gaulthier pria pour que l'horreur entendue soit le bruit d'un arbre brisé ou du bacul cassé. Il n'eut pas le temps de finir sa prière que le vieux Doc lui hurla la réponse à fendre l'âme.

Gaulthier figea, glacé par le cri caverneux. Le maître reprit rapidement ses esprits pour se précipiter sur son homme au sol. La patte brisée était effroyablement ballottée par les contrecoups du fils séquestré. Le sabot sans genou fouettait l'air à quelques centimètres seulement des visages horrifiés de Gaulthier et d'Harry. Ensanglanté et affolé par les hurlements du pauvre cheval cloué au sol, Gaulthier savait qu'il risquait même sa vie en s'interposant entre deux tonnes de panique.

Le sergent saisit instinctivement son couteau pour sauver ses frères d'armes. Il combattait avec l'énergie du désespoir chaque sangle de cuir qui retenait Harry attaché, lorsque soudainement, un violent coup de tête du fils affolé lui fractura le nez, qui fit instantanément un don de sang. Sonné, presque *knockouté*, il recula pour reprendre ses esprits. Pour une fois, Gaulthier aurait vraiment souhaité que le cuir abandonne un peu plus vite. Le sergent qui refusait d'abandonner ses hommes racla son nez de sa manche et se jeta sauvagement sur la dernière sangle pour la castrer d'un violent coup de lame. Épuisé, mais enfin libéré, Harry se releva péniblement pour s'éloigner aussitôt à l'épouvante.

Heureux de constater que le fils ne semblait pas blessé, le vieux sergent se précipita au chevet de son vétéran pour le calmer. La bouche entrouverte, la respiration courte et haletante et les yeux révulsés du cheval trahissaient la douleur qui l'habitait. Le regard du palefrenier d'expérience fixait le tibia immobilisé à quatre-vingt-dix degrés. Il refusait l'insupportable réalité : son meilleur ami était condamné ! Abattu et incrédule, Gaulthier s'assit et souleva l'énorme tête ensanglantée de l'animal pour la déposer délicatement sur ses cuisses et la caresser.

— Je l'sais qu'ça fait ben mal, Doc !

L'animal se calma après quelques minutes. Feignant un courage qu'il aurait aimé avoir, le vieux maître sourit et dit :

— T'en as pris toute une tabarnak, mon vieux !

Puis, touchant son museau ensanglanté, il ajouta :

— Pis tu vas manger mou pour un bon boute !

Les yeux humides, l'homme caressait affectueusement l'animal tout en lui mentant effrontément.

— Ça v'être correct, mon vieux. On a la couenne dure à notre âge ! Tu seras bi'ntôt sur tes quatre fers pour parader ta maudite souche. Tu vas vouère, Mahigan va te ramancher ça. Ça va aller, Doc, ça va aller !

Les yeux de Gaulthier suintaient son chagrin à mesure qu'il prenait conscience de ses propres mensonges. Peu importe, la voix de l'homme calmait l'animal, qui le fixait maintenant par la fenêtre noire charbon de son âme blanc pur. Puis, l'homme lui sourit.

— T'as-tu souvenance, Doc, quand t'as écrapoutillé la capote haut-de-forme du seigneur Beaupré juste en chiant d'ssus ? Joual vert qu'on était crampés !

Le colon frôla du bout des doigts le museau pourpre du cheval, perdant à chaque parole un peu plus de son courage et de son sourire.

— Pis, t'as-tu mémoire de la guenille de période de Violette que t'avais piquée à côté de la bécosse ? J'revois ma créature, rouge de honte, te cavaler après pendant qu'tu t'poussais en t'balançant sa guenille de chaque bord de la tête...

L'homme vidait sa mémoire, mais la respiration toujours haletante de son ami en souffrance lui imposa l'épouvantable responsabilité d'un palefrenier et d'un maître bienveillant: mettre fin rapidement aux souffrances inutiles. Au moment même où il se résigna à aller chercher son pistolet à silex à la grange, Harry réapparut, encore à moitié harnaché. Il s'approcha avec précaution de son géniteur puis le renifla. De toute évidence, ses sens lui disaient que quelque chose de grave gardait son mentor au sol. Le gamin mystifié recula subitement en balançant sa tête de côté comme s'il avait senti la mort. Puis, s'avançant lentement, il renifla le museau de son chef de clan pour le lécher dans un geste tout aussi instinctif qu'affectueux. L'homme culpabilisé caressa l'orphelin imminent.

— Chus désolé, Harry. C'ta cause de moé. J'aurais dû vous empêcher de varger dans vos colliers comme ça!

L'« homme à bête » marqua une longue pose. Il respira profondément et souleva délicatement la tête de Doc pour la déposer au sol. S'agenouillant devant le blessé incurable, il lui dit, sans réellement réfléchir:

— Doc! Jase à ton fils. Dis-lui qu'il est le chef à c't'heure. Dis-lui qu'y est paré!

Puis, il se retira, observant discrètement les deux bêtes se renifler et se lécher mutuellement le museau. Nul ne saurait pourquoi, mais plus le père au sol se calma et plus le fils s'énerva. Peut-être que leur instinct leur avait simplement rappelé que la perte d'une patte pour un cheval constituait une inévitable peine de mort. Et ce n'était pas les impératifs de l'homme qui leur avait enseigné, mais leur instinct de troupeau devant ruer ou fuir les prédateurs au grand galop.

Le vieux colon savait qu'il était temps d'aller chercher son pistolet et qu'il devait amener Harry avec lui. Un cheval ne doit jamais voir le maître bienveillant abattre un des leurs et encore moins s'il s'agit de son Alpha. La compassion et le courage derrière un geste aussi brutal sont des sentiments d'une trop grande complexité pour la bête, qui n'y verrait que la haute trahison de sa confiance absolue envers le maître et l'homme. Témoin privilégié de l'affection indéfectible entre les deux bêtes, Gaulthier savait à plus forte raison que l'avenir de son dernier tracteur en dépendait. Il s'approcha sans empressement du gamin paniqué, puis saisit ses guides avec délicatesse tout en caressant son encolure détrempée de sueur.

— Garçon, faut y aller ! S'te plaît, faut y aller !

Harry balançait la tête de côté, refusant obstinément de quitter son mentor toujours au sol. L'insistance du maître parvint à lui imposer les premières enjambées si cruelles. Le nez à l'orée du bois, mais les oreilles révulsées vers son passé, Harry hennissait son Alpha. Abandonné à son présent rationné, Doc regarda son futur disparaître.

Sûrement trop noble pour hurler sa détresse, le soldat estropié reposa la tête sur le tapis de feuilles dans un râlement d'adieu étouffé. Témoins respectueux, les érables laissèrent filtrer quelques rayons de soleil, tel un ennemi honorant l'acharnement au combat d'un grand guerrier vaincu. Les yeux fermés et la tête baignée par l'hommage lumineux, le cheval, résigné devant son inutilité, titillait ses narines pour humer la brise de Mademoiselle France venue l'honorer.

Tourmenté, l'homme courait en traînant son compagnon fort peu coopératif. Chaque pas posé sur ce sentier du retour – que Doc et lui avaient si souvent emprunté à la brunante – le torturait davantage en le rapprochant de son arme et de son atroce devoir. Une fois arrivé à l'enclos extérieur et déterminé à ne pas mettre à la casse ses deux tracteurs le même jour, Gaulthier y enferma Harry, avant de se précipiter dans la grange. Fouillant nerveusement sur la tablette du haut à la recherche de son pistolet, son regard croisa une statuette de la Sainte Vierge d'à peine huit centimètres.

Il saisit la petite machine à voyager dans ses souvenirs qui le transporta deux années en arrière, face à la chapelle de Baie-Saint-Paul.

Monsieur le curé avait organisé, après la grand-messe, un petit concours afin de se débarrasser de la souche d'érable de bonne taille qui l'empêchait d'agrandir le perron de la chapelle. L'attelage gagnant devait remporter la statuette, fraîchement bénie pour l'occasion. Plus motivé par le péché d'orgueil que par la volonté de posséder l'objet saint, père et fils Gaulthier adoraient exhiber les mécaniques de leurs deux étalons turbocompressés. Les distractions étaient plutôt rares au village et la messe, obligatoire. Alors, la région tout entière assista au premier concours officiel de tir de chevaux de Nouvelle-France. Le parvis de la chapelle fourmillait de pécheurs portant leur habit le moins usé ou leur chapeau le moins bouseux. Les enfants couraient en tous sens, relâchant enfin l'hyperactivité refoulée pendant la trop longue cérémonie. Les hommes, eux, misaient en cachette l'argent de la quête qu'ils avaient oublié de laisser au curé. La réputation de Doc n'était plus à faire, mais sans sa Duchesse à sa droite, ferait-il le poids, campé de l'adolescent d'à peine trois ans ?

L'ordre d'apparition fut tiré au sort et chaque attelage aurait un premier essai avant qu'une racine maîtresse ne soit coupée. Les Gaulthier méritèrent la dernière place, à leur grande satisfaction. La première équipe s'installa, copieusement encouragée par la foule. Gonflés d'orgueil, père et fils Lacasse avaient sorti leur bel attirail du dimanche. Malheureusement, le beau cuir tout neuf et le bacul décoratif volèrent en éclat au violent choc initial. En deuxième place, désavantagé par leur plus petit gabarit, les deux étalons des frères Alarie creusèrent sans succès de profondes rigoles dans le parvis de sable, et ce, malgré un effort remarquable. Sous les applaudissements de la foule, ils cédèrent leur place à l'avant-dernière équipe, un couple de vieux mariés en chicane perpétuelle. Quand l'étalon poussait, la jument n'était pas encore prête et quand la jument l'était, le mâle était trop épuisé... Trop pressé d'aller faire une sieste dans leurs stalles respectives, le vieux couple laissa la souche intacte aux Gaulthier.

Pendant ce temps, de l'autre côté de l'église, l'espiègle père Gaulthier profitait de la cohue pour renifler discrètement la jument en rut du curé. Satisfait, il regarda à droite, à gauche, et souleva la queue de la vieille fille, puis frotta la main gauche sur la vulve odorante. À l'avant de l'église, Francis positionnait l'attelage surdimensionné et rafistolé qui lui valut d'ailleurs quelques rires à peine contenus. Malgré tout, confiant et gonflé comme un paon, Francis recula le vieux Doc et Harry devant la souche pendant qu'un villageois arrimait l'attelage à la chaîne. Le père Gaulthier se positionna au côté de Doc et saisit le licou de cuir qui cintrait la tête du cheval.

Le bacul avait beau avoir été décentré pour avantager Harry, Francis piaffait d'impatience à l'idée d'exhiber la puissance de leur nouveau tracteur. Il tendit les guides avant de lancer ses deux « chevaux-vapeur ». Feignant de le caresser, le père Gaulthier passa la main gauche, encore humide, sur les narines du vieux mâle. Avant même que le cuir des guides ne touche sa croupe, les couilles du mâle reproducteur furent foudroyées par les puissantes phéromones de la vulve sainte. Le cerveau – rendu inutile – se ratatina instantanément pour donner le contrôle des opérations aux testicules.

Malheureusement pour le joueur de tours, l'adorable croupe de la vieille fille se trouvait dans le champ de vision gauche du vieux mâle rajeuni. Les yeux sortis des orbites, il se rua de côté vers sa dulcinée, oubliant tout bonnement qu'un collier, un attelage et un arbre lui barraient la route. Dans l'urgence, les testicules avaient aussi négligé un deuxième petit détail... Fiston était solidement harnaché à ses côtés. Surprit par le bond de Doc, le gamin se retrouva littéralement assis sur le bacul. Pas plus chanceuses, la pauvre souche et toutes ses racines décollèrent littéralement, victime du premier cas de dopage répertorié dans une compétition officielle. De mal en pis, le déplacement sur sa gauche du valentin en rut entraîna la malheureuse souche vers le perron de l'église pour s'y accrocher et l'arracher dans un fracas qui ébranla toute la bâtisse. Doc, Harry, Francis à plat ventre, la souche... et le perron de l'église traversèrent le parvis et la foule en panique. Arrivé à l'adorable croupe insatisfaite, l'étalon charitable l'enjamba pour la saillir sans présentation ni autres préliminaires superflus. Tel un jouet secoué par un chien, chaque coup du bassin de l'exhibitionniste projetait le pauvre Harry dans une direction différente, pendant que les mères scandalisées tentaient de voiler les yeux de leurs enfants et que les hommes, crampés et pliés en deux, se frappaient les cuisses à pleines mains.

Mais la jument du curé n'était pas une vieille fille pour rien. Elle savait défendre sa vulve. D'un coup de bassin digne d'un médaillé d'or de judo, elle recula le maniaque pour lui remodeler les testicules d'un coup de sabot aussi violent que précis. Les genoux ramollis, Doc recula juste assez pour recevoir le deuxième sabot directement sous le dentier. La douleur convainquit probablement les testicules convulsés de « canceller » le projet et de redonner le contrôle des opérations au cerveau, qui recouvrit son volume initial. Le nouveau centre des opérations conclut rapidement que la reproduction de l'espèce pouvait sûrement attendre quelques jours... et même un peu plus si possible !

Flanqué de son gamin encore étourdi, le châtré s'éloigna péniblement de la croupe de rêve. Le nez ensanglanté et les pattes arrière minutieusement écartées, Doc prit lentement – très lentement ! – le chemin de la grange... la souche et le perron toujours à sa traîne.

Les cris et les applaudissements nourris des partisans de Doc s'évaporèrent... tout comme le sourire sur la figure de Gaulthier. L'homme torturé par sa responsabilité reposa la statuette et souleva son pistolet. Malgré ses mains tremblotantes, il le chargea lourdement avant de se précipiter vers la forêt. À l'orée du bois, il s'arrêta à la vue de son partenaire au sol. Puis, inspirant profondément, il s'avança lentement vers lui. Baignant dans l'hommage lumineux des maîtres de la forêt, Doc lui sembla calme à son arrivée. Il leva la tête puis lécha la main du maître comme pour le remercier de ne pas l'avoir abandonné. L'homme s'assit de nouveau sous la tête de son frère pour lui murmurer ses derniers adieux.

Dans le silence de la forêt respectueuse, le maître caressa la bête, tentant de repousser le moment de la libération du cheval et de la condamnation de l'homme.

À la grange, Francis arrivait tout juste du lointain champ sud lorsqu'un frisson lui parcourut l'échine à la vue d'Harry, seul dans l'enclos, portant son attelage en lambeaux. Il crut immédiatement qu'un grave accident était survenu et que le cheval s'était enfui pour se précipiter dans son enclos, dont la porte inclinée se serait refermée derrière lui. Son imagination et son cœur battaient la chamade. Il savait que son père était parti très tôt ce matin avec les deux étalons pour dessoucher le sentier du champ nord. Il entra précipitamment dans l'enclos pour examiner le cheval de plus près. La vue des sangles tranchées au couteau et du sang sur la robe de l'animal lui fit croire que son père ou Doc était resté prisonnier sous un arbre renversé ou sous la souche qui aurait rebondi. Si c'était le cas, les muscles d'Harry seraient indispensables.

Dans l'espoir futile de monter Harry, Francis saisit une sangle de cuir sur la clôture pour remplacer les guides arrachées. Malgré l'urgence, malgré ses efforts, le cheval le renvoya au sol… tout comme le mois passé, l'année passée et l'année d'avant ! Le cheval de trait pouvait tirer pendant des heures à s'en arracher littéralement les épaules, mais tout comme son père avant lui, il refusait inexplicablement que quoi que ce soit de plus lourd qu'un attelage lui monte sur le dos. Francis se résigna, saisit la guide à deux mains et se résolut à courir à ses côtés. Il était convaincu que le cheval anxieux refuserait de retourner au bois. Aussitôt la barrière ouverte, le colon fut plutôt arraché du sol par le cheval empressé. Agrippé à deux mains au collier, Francis volait !

Au prix du vrai courage, le père Gaulthier se leva, puis, faisant face au condamné, retira discrètement le pistolet de l'arrière de son ceinturon. La main tremblante, il l'approcha de la tempe du cheval. Mais, avant que l'acier ne soit à la portée d'une mise à mort assurée, quelque chose d'inattendu se produisit.

Peut-être était-ce l'odeur âcre de la mort en poudre noire ? Ou encore l'ombre de la branche-à-feu que le vieux cheval avait vue cracher la mort dans les entrailles du cochon ? Qui sait, qui saura ? Le patriarche courageux sursauta et, au prix d'efforts torturants, se souleva sur trois pattes pour se placer, chancelant, face au maître. Essoufflé par l'effort et la douleur, il se calma puis se stabilisa. La bête plongea son regard dans l'âme culpabilisée de son ami, puis lui mordilla délicatement l'épaulette en signe d'affection chevaline indéfectible. Lorsque Doc leva la tête bien droite, Gaulthier comprit que le cheval estropié se savait « périmé ». En véritable Alpha, peut-être avait-il choisi de partir debout !

— D'accord, mon frère, tu partiras en étalon libre et affranchi.

Les mains tremblantes, Gaulthier retira pour la dernière fois le lourd collier et les sangles restantes. Il caressa l'énorme bête tout en se repositionnant devant elle. Le bras alourdi par sept mille deux cent quatre-vingt-sept jours de combat et d'amitié, il reprit l'arme pour l'approcher de nouveau de la tempe poilue soulevée au gré des battements d'un cœur tellement plus gros que l'organe lui-même. Les paupières du colon, qui peinaient à assécher sa vue, se refermèrent pour canaliser son courage et protéger sa mémoire de la vie qui sera éjectée par l'autre tempe.

À moins d'une vingtaine de mètres d'eux, tout juste arrivés à l'orée du bois, Francis et Harry braquèrent aussitôt leurs regards perplexes vers les vieux mâles face à face. Avant même qu'ils ne comprennent la situation, le silex déchaîna l'irréparable poudre noire dans une explosion étourdissante de lumière et de fumée. Les vieux frères d'armes s'affaissèrent à genoux, atteints par la même balle; l'un mortellement à la tempe et l'autre, profondément au cœur.

Témoin de la détonation et de l'image interdite, Harry sursauta et recula de deux bons mètres pour figer, les quatre pattes écartelées. Avant que Francis ne puisse saisir les guides pour le protéger, Harry se précipita au trot vers son monarque allongé sur le côté. La bête se dirigea directement vers la tempe fumante pour y renifler le sang, la poudre et la mort.

Le sursaut et les cris d'Harry sortirent le père Gaulthier de sa torpeur. Ouvrant les yeux, il constata l'irréparable. Il se leva aussitôt et jeta l'arme, puis s'approcha sans réfléchir du gamin pour le rassurer de ses caresses. Ce faisant, le palefrenier bouleversé commit sa plus grave erreur en permettant à l'orphelin perturbé d'associer – aux mains de l'homme – l'odeur du sang Alpha et de la mort poudreuse ! Trompé par le maître bienveillant, Harry recula et balança la tête de côté en signe d'incompréhension et de détresse. Francis tenta bien de saisir les guides, mais le cheval se braqua sur ses pattes arrière, provoquant les deux maîtres de ses sabots. L'animal trahi posa fermement les pattes au sol, dévisagea les hommes et s'enfuit « à l'épouvante », traînant son attelage en lambeaux et sa servitude naissante.

En le regardant s'éloigner, le père et le fils Gaulthier comprirent qu'ils venaient de perdre deux tracteurs et deux frères le même jour !

DEUXIÈME

PARTIE

LE TERRITOIRE

Septembre 1762

Sentier forestier à six kilomètres de Baie-Saint-Paul

Dans un silence et un ralenti surréalistes...

Secouée par la dernière charge d'Harry, Nahima reprend vaguement connaissance. Malgré sa vision floue, la petite Amérindienne reconnaît aussitôt la jument affalée au sol, trois mètres à l'arrière du chariot.

Le souvenir confus de la chute et du râlement funeste d'Harry embrase la lucidité du petit ange.

Nahima porte son seul bras valide en direction de l'étalon en balançant la tête. Ses lèvres chuchotent son hurlement :

« NON, HARRY ! Nahima nonnn... »

Pleurant la souffrance de la bête plus que la sienne, elle s'évanouit, de plus en plus près du ciel que de la terre !

IV. L'ANGE

18 septembre 1759

Cinq jours avaient passé depuis le massacre des Plaines et le plancher de l'hôpital Général de Québec dérougissait à peine du sang des deux armées. Sur le dernier lit près de l'immense fenêtre, l'âme d'Henderson vagabondait entre la paix du néant et la douleur de la vie. L'esprit embrumé de l'homme puni distinguait progressivement la langue de son ennemi qui flottait dans la pièce.

Même si la voix féminine lui semblait douce et mélodieuse, ses paupières refusaient toujours de s'ouvrir pour dissiper ses terribles craintes. *Suis-je vivant ? Suis-je prisonnier ? Où sont mes hommes, McLoud ?* Avant que ses yeux ne puissent lui confirmer qu'il était malheureusement vivant, le néant revint lui offrir ses derniers moments de paix.

Le mois d'après ? La semaine d'après ? Peut-être même la minute d'après, Henderson ouvrit finalement les yeux sur une chambre aux murs blanchis. Chaque inspiration, chaque toussotement le crucifiait et lui rappelait qu'il était bien en vie. Le vinaigre, qui combattait courageusement l'odeur putride de la mort imminente, réveilla enfin l'instinct de survie du suicidaire. Mourir, d'accord ! Mais pourrir vivant, jamais ! Horrifié à l'idée que son corps immobile se décomposait sous son nez, ses yeux affolés se mirent à chercher désespérément un voisin purulent. Son regard paranoïde croisa enfin les yeux noisette de la jeune sœur Eugénie, qui tamponnait affectueusement le front de l'un de ses quatre cochambreurs d'infortune. Malgré son jeune âge, sœur Eugénie connaissait ce premier regard de la deuxième naissance. Habitée d'une bonté rayonnante et apolitique, elle s'approcha aussitôt du colosse coincé dans son lit pour lui sourire :

— Bonjour, Monsieur Henderson ! Vous êtes à l'Hôpital Général de Québec. Ne vous en faites pas, vous avez tous vos morceaux !

Elle lui effleura la main gauche, la droite, puis le pied gauche et le droit afin qu'il puisse en faire le compte par lui-même.

La messagère de l'autre foi parlait un français simple que l'éducation bourgeoise d'Henderson lui permit de comprendre aisément. Par contre, il était mystifié par la sollicitude de cette femme pour l'ennemi et le conquérant qu'il était. Indigne de cette tendresse, l'homme bouleversé fixa les deux perles brunes dans l'espoir d'une réponse ou peut-être même du pardon qu'il ne méritait pas. Incapable de parler, il baissa les yeux puis hocha la tête pour au moins remercier la jolie religieuse.

Quelques jours plus tard, le vinaigre et la chaux semblaient avoir gagné du terrain au gré des amputations et des cent quatre-vingt-douze départs pieds devant.

L'officier savait que le « civisme » militaire commandait que les blessés des deux camps soient soignés à l'hôpital de la région. Les périodes d'éveil prolongé d'Henderson et les soins attentifs des sœurs de la congrégation des Augustines suscitaient en lui plus de questions que de réponses. Heureusement, les auscultations exagérément douloureuses de la vieille sœur Matilda soulagèrent ce malaise. Il faut admettre que les souffrances imposées par la convoitise du vainqueur anglais avaient passablement amoché l'amour inconditionnel de la vieille infirmière pour son prochain. Henderson n'en grimaça pas moins de douleur sous la pression exagérée de la sœur. Instinctivement, sœur Eugénie saisit la main du patient afin de l'accompagner dans sa souffrance. Contrariée par sa naïveté, la sœur aînée crucifia aussitôt la jeune idéaliste du regard.

Lorsque l'examen sembla terminé, le blessé tenta de connaître l'ampleur de ses blessures.

— Le balle est enlevée ou trop près de le cœur ?

Sœur Matilda ignora ses questions et quitta la chambre pour invectiver discrètement sa jeune élève, toujours immunisée contre la folie des hommes. À la recherche de réponses, Henderson tendit l'oreille pour capter leur conversation.

— Sœur Eugénie, vous traitez ces... ces voleurs et ces assassins avec la même sollicitude que les valeureux défenseurs de notre langue et de notre foi ! Vous devriez faire preuve de plus de discernement !

— Mais, ma sœur ! Leurs yeux pleurent les mêmes douleurs que nos frères. Ne sont-ils pas tous des fils de Dieu ?

— Un fils de Dieu au cœur tellement dur que le plomb n'a pu y pénétrer ! Dites-lui que la balle a brisé deux côtes et a rebondi. Son cœur de pierre a été loupé, mais les côtes ont perforé le poumon gauche. Si son poumon ne s'affaisse pas, il pourra retourner assassiner des Canadiens français dans quelques mois.

Henderson comprit la raison de son atroce douleur à la poitrine et celle de sa survie miraculeuse à trente grammes de plomb, tirés littéralement à bout portant. Le soldat d'expérience connaissait bien la vue fuyante et les mains tremblantes du champ de bataille. Il comprit que le sosie de son laitier maladroit avait fort probablement déversé la moitié de son sachet de poudre à côté du canon, privant ainsi son projectile de sa vélocité mortelle. De ce fait, le revers de l'épaisse tunique avait suffit pour entraver la pénétration du projectile.

Il fit une pause dans ses pensées pour visualiser Moncton, qui avait effectivement l'habitude de vider presque autant de lait à côté du goulot que dans la pinte. Tout en reposant sa tête sur l'oreiller, Henderson sourit en pensant aux incroyables similitudes...

Malheureusement, sa plénitude fut de courte durée. Sœur Eugénie et les autres représentants catholiques avaient assurément sauvé le corps du soldat, mais l'homme avait rendu l'âme en même temps que le poupon de porcelaine. Même l'altruisme inconditionnel irradiant des yeux de la messagère du Dieu chrétien ne pouvait suffire à libérer l'homme. Pire, jour après jour, chaque bonté qu'il croyait ne pas mériter l'emmurait davantage dans la prison de sa servitude.

Cherchant toujours une réponse à la question qui l'avait placé en première ligne neuf ans plus tôt, un mélange asphyxiant de colère et de culpabilité finit par l'étouffer. Malgré la douleur qu'il méritait, le pécheur hurla en anglais ses questions au représentant crucifié au mur de sa chambre.

— Pourquoi notre dieu ne m'a-t-il pas puni ? Pourquoi ne m'a-t-il jamais répondu ? Pourquoi Paul Alexander, John

McAfee, Henry Boyle, Sean Carter, Michael Smith, Steve Gordon, David Baker, Mike Person, Doug Blackburn... ?

Le Sergent, l'homme, le gardien... le père... récita par cœur le nom des trente-quatre gamins morts sous ses ordres.

— Pourquoi le jeune Dale Burton et pas moi ? Pourquoi le poupon de porcelaine... et pas moi ? Pourquoi George n'a-t-il jamais existé ? *For Christ's sake*, pourquoi avoir choisi ma propre main pour l'assassiner ? Suis-je à ce point indigne d'être père ? Dieu ! Qu'attendez-vous de moi ?...

Le pécheur toussa sa souffrance puis plongea sa figure dans ses mains crevassées pour cacher sa honte de... pleurer ! Étouffé par ses sanglots, les épaules sautillantes, l'homme errant lança un appel désespéré.

— Par pitié, réponds-moi...

Sœur Eugénie et la vilaine sœur Matilda qui s'apprêtaient à entrer dans sa chambre furent les témoins indiscrètes de sa prière dont elles avaient compris le désespoir si ce n'étaient tous les mots de l'autre langue. À la vue des deux femmes, l'Anglais se hâta d'essuyer sa souffrance. Toujours aussi austère, la sœur Matilda examina les côtes salvatrices, mais pour la première fois, ses mains serpentées de tuyauterie bleue n'exercèrent point de pressions inutiles ou douloureuses. Pour peu, on aurait même pu percevoir une caresse. Puis, l'infirmière ferma les yeux et immobilisa sa main sur la « pierre » de l'homme pendant quelques secondes de plus que nécessaire. Nul ne sut si l'hospitalière auscultait le cœur ou si la sœur priait pour qu'il guérisse enfin. La sœur devenue moins vilaine regarda sœur Eugénie et lui dit moins sèchement qu'à l'habitude :

— Faites-lui un dernier pansement et il pourra partir demain, si tout va bien.

Puis, se retournant sur le pas de la porte, sa figure fut animée d'une expression inhabituelle, que la science moderne aurait pu interpréter comme la naissance d'un sourire. La vieille sœur, soudainement moins vieille, retrouva la foi de sa jeunesse :

— Bonne chance, Monsieur Henderson. Que Dieu vous vienne en aide !

L'homme bouleversé remercia la femme des yeux et de la tête juste avant qu'elle ne sorte. Après être restée silencieuse à observer la branche d'érable qui caressait la vitre, sœur Eugénie ouvrit la fenêtre. Elle cueillit une superbe feuille d'érable multicolore comme seuls les automnes de Nouvelle-France arrivent à peindre. Elle s'approcha d'Henderson, appliqua une compresse sur la blessure, puis, sans explication, plaça délicatement la feuille sur le cœur de l'homme déconcerté. Toujours sans mot, la sœur recouvrit la feuille et la blessure des pansements d'usage. Puis, en y posant la main, elle fixa les yeux en quête de réponses. Elle dit alors :

— Monsieur Henderson, la guerre n'apporte que des questions. Vos réponses, vous ne les trouverez pas en conquérant la Nouvelle-France, mais peut-être en vous laissant conquérir par elle !

Le vieil homme de toutes les guerres resta sans voix, la bouche entre-ouverte pendant que ses pensées accueillaient la réponse à ses prières :

« Comment une si jeune et si vierge petite chose peut-elle détenir une telle sagesse ? Évidemment qu'elle a raison : mon pardon ne peut naître dans la destruction du rêve d'autrui, mais dans l'édification d'un rêve commun. »

Culpabilisée par sa familiarité et sa franchise, sœur Eugénie fixait ses doigts qui aplanissaient le drap. L'homme, profondément ému et reconnaissant, souleva délicatement le menton de l'ange que l'autre foi lui avait prêté. Il plongea son regard humide au plus profond des deux noisettes. Trop respectueux du voile qu'elle portait pour serrer la sœur contre lui, il souleva la petite main pour la poser sur la feuille d'érable, puis il la recouvrit de ses deux larges mains tremblantes, dans un silence compris par tous les peuples et tous les cultes.

Debout dans le grand vestibule de l'Hôpital Général de Québec, Henderson sourit à sœur Eugénie, qui le tenait par l'avant bras, davantage pour le rassurer que pour le soutenir. La grande sœur regarda la porte, fit un signe affirmatif de la tête, que son cavalier lui rendit, plein d'espoir. Henderson se dirigea vers l'embrasure pour apercevoir la mignonne petite ville et son fleuve magnifique. Il inspira profondément la première bouffée d'air si douloureuse du nouveau-né.

Il lui aura fallu l'aide des catholiques pour réaliser enfin que sa foi protestante ne l'avait pas amené en Nouvelle-France pour y mourir, mais pour y renaître. Après tout ce sang versé, Dieu avait peut-être besoin lui aussi d'un nouveau départ !

Aussitôt le pas de la porte franchi, Henderson aperçut une quinzaine de ses vingt-deux hommes, solennellement au garde-à-vous, venu accueillir leur paternel adoptif. Au bas des marches, le caporal McLoud – étonnamment sérieux – salua son supérieur ému.

— Nous sommes tous très heureux de vous revoir, Sergent !

— Et moi donc, Messieurs !

McLoud monta et lui demanda :

— Puis-je me tenir après votre coude, Sergent ?

Henderson sourit et se laissa aider. Le gardien regarda chaque soldat et reconnut immédiatement ses cinq fils manquants. Il regarda McLoud et lui ordonna :

— Caporal, je sais pour Monsieur Burton, mais, s'il vous plait, dites-moi que les fantassins de première classe Andrew Grey, George York et Roy McAfee ainsi que... le sous-lieutenant Henry Morgan sont saouls, en prison ou avec une pute.

McLoud, qui ne plaisantait pas avec la vie de ses hommes, bomba le torse et regarda droit devant lui et lui dit :

— Non, Monsieur. Ils sont morts fièrement à vos côtés. Que Dieu les bénisse !

Le père serra les lèvres en fixant le ciel. Sans qu'aucun ordre leur soit donné et dans un synchronisme parfait, le peloton tout entier passa le mousquet à gauche et déposa la crosse au sol. Les hommes posèrent lentement le genou gauche au sol, placèrent la main droite sur le cœur et inclinèrent la tête en silence. Ému de leur initiative, le sergent demanda l'assistance de McLoud pour les imiter, dans une longue minute de silence. Au signal du caporal, ils se relevèrent et se remirent au garde-à-vous.

Le sergent, las de tous ces morts, resta au sol sous les yeux de ses hommes émus. McLoud aida son ami à se relever et lui fit face. Puis, en fin psychologue qu'il avait toujours été, il le fixa droit dans les yeux et lui demanda :

— Monsieur, avec votre permission, les quinze hommes qui ont survécu grâce à vos enseignements souhaiteraient transmettre un message personnel à la Grande Faucheuse.

Reconnaissant et intrigué, le sergent acquiesça de la tête. Solennellement, McLoud fit un demi-tour et s'écria :

— Messieurs ! À vos armes !

Le peloton parfaitement accordé saisit leur mousquet et le firent prestement tournoyer de deux cent soixante-dix degrés pour le rattraper parfaitement à l'horizontale, les deux paumes vers le haut. Les avant-bras parallèles au sol, ils feignirent d'agripper par derrière les hanches de la Grande Faucheuse. Puis, ils s'immobilisèrent dans l'attente de l'ordre de McLoud :

— En joue !

Les frères d'armes, trop heureux d'être vivants, reculèrent le bassin d'un bon vingt centimètres tout en avançant leur mousquet d'autant.

— Tirez !

Dans un synchronisme olympien parfait, les survivants donnèrent un violent coup de bassin vers l'avant tout en ramenant sèchement le mousquet au ceinturon dans un profond cri du cœur. « Hheuu ! »

L'ordre résonna deux autres fois, à l'image des trois salves d'honneur traditionnelles.

— Repos, Messieurs !

McLoud fit un quart de tour sur la droite pour se retrouver perpendiculaire à son sergent qui peinait comme tout le monde à garder son sérieux. Son héros de McLoud avait encore réussi à le faire sourire, envers et contre tous. Feignant d'essuyer une larme, le bouffon demanda :

— Sergent ?

— Oui, Caporal.

— Comme vous le savez, on a magistralement botté le cul de l'armée française sur les Plaines !

— J'ai effectivement eu la bonne nouvelle, Caporal.

— Vous savez aussi que la ville de Québec a capitulé et ouvert ses portes et... ses tonneaux... sans autre opposition ?!

— Incroyable, non ?

— Vos hommes et moi-même avons attendu votre sortie, Monsieur, avant de trinquer à ce fait d'armes.

— J'en suis sérieusement honoré, Messieurs. J'ai passé dix jours à l'hosto, j'arrive à peine à imaginer l'ampleur de votre sacrifice personnel, Monsieur McLoud !

Les hommes sourirent d'un signe approbateur, connaissant bien le petit penchant – disons plutôt la pente abrupte ! – de McLoud pour un petit remontant.

— Justement, Sergent, puisque vous en parlez. Nous savons tous que le règlement interdit à nos vaillants soldats de trinquer avec les officiers.

— Je suis convaincu, Caporal, que vous avez longuement réfléchi à cette injustice pendant mon séjour ici.

Jamais à court de solutions absentes du guide militaire, McLoud lui tendit discrètement une tunique de simple fantassin ! Ému par cette démonstration d'amour toute masculine, le colosse prit la tunique et l'enfila douloureusement avec l'aide de son complice de toujours. Bien que conscient d'enfreindre le code militaire, il la revêtit et l'ajusta fièrement, ignorant les manches trop courtes. Il s'adressa ensuite à ses hommes :

— Ce serait un immense honneur, mes amis.

Trop heureux de trinquer avec toute sa famille... et de trinquer tout court, McLoud aboya l'ordre tant attendu :

— Rompez, Messieurs !... C'est le sergent qui paye !

Après une soirée bien arrosée à l'extérieur du camp de base, Henderson et McLoud se retrouvèrent seuls face au fleuve et à leur avenir incertain. L'alcool aidant, les deux amis eurent enfin une vraie discussion d'homme.

— Monsieur McLoud, voilà maintenant neuf longues années que vous protégez mes arrières. Neuf ans durant lesquels vous m'avez gratifié de votre loyauté, de votre amitié et de votre merveilleux sens de l'humour.

— Sergent, vous n'allez pas m'embrasser, là ?

— Caporal, je suis sérieux. Je veux que vous sachiez que je...

Trop gêné, trop humble ou simplement trop « mâle » pour laisser leurs deux cœurs se toucher, le caporal interrompit son supérieur pour la première fois en huit années.

— Je sais, Sergent, ne vous en faites pas, je sais...

Monsieur, pour la dizaine de fois où vous avez menti pour m'éviter la cour martiale, je ne vous ai jamais vraiment...

Pas plus doué que son caporal, Henderson l'interrompit à son tour.

— Ben voyons donc, Caporal ! C'était rien comparé à cette fesse embrochée pour moi. Je ne vous ai jamais vraiment remerc...

— Pas la peine, Sergent. J'passais par là !

McLoud marqua une pause :

— Votre confiance et votre respect m'ont offert mon premier véritable ami ! Monsieur, cette flèche, je l'aurais prise au cœur pour...

— Je sais, Monsieur McLoud...

Henderson baissa la tête et ajouta :

— ... mais je n'en mérite peut-être pas autant. Tant de morts, tant de destruction, tant de civils innocents. Si seulement j'avais...

— Monsieur, on a quinze bons soldats vivants là-bas...

McLoud se tourna pour pointer au loin sa bande de joyeux lurons complètement bourrés et à moitié dévêtus malgré la nuitée fraîche d'automne. Coiffés de leurs sous-vêtements, ils chantaient et célébraient la vie encore plus que la victoire.

— Regardez-les, Sergent : c'est peut-être pas évident à première vue, mais ils sont restés de bons soldats. Comme tous ceux sous vos ordres depuis neuf ans, vous ne leur avez jamais permis de devenir des assassins ou des violeurs. C'est un honneur de servir sous vos ordres, Monsieur. Que Dieu vous bénisse !

Son ami avait raison et sa tête le savait, mais ses nuits n'en étaient pas moins hantées par le fracas de la maudite porcelaine et l'image de la tête ensanglantée de George projetée à la renverse. L'homme étouffa son lourd secret, sourit de force et remercia son ami.

— Vous avez raison, Caporal, nous allons retourner de bons fils à leur mère. Que Dieu vous bénisse aussi !

Le sergent fit une longue pause tout en fixant le fleuve illuminé par la lune complice.

— C'est un magnifique pays, Monsieur McLoud. Je ne comprends pas pourquoi la France l'a abandonné si facilement.

— Je ne sais pas pour l'armée française, mais à la façon dont une poignée de colons et de sauvages nous ont stoppés dans les boisés... Je vous dirais, Sergent, qu'*abandonner* et *facilement* ne s'appliquent pas du tout aux Canadiens !

Le sergent, torturé par ses servitudes, posa la main sur la feuille d'érable qu'il portait dorénavant au cœur et lui répondit :

— Je sais, Caporal. C'est un brave peuple... même plus que certains d'entre nous...

Puis, il prit une profonde bouffée de Nouvelle-France et annonça :

— Daniel, je vais demander une démobilisation pour raison de santé. Je quitte l'armée !

Le caporal regarda le sol. Après quelques secondes théâtrales, il poussa un grand soupir de soulagement :

— Ouf ! Sauf votre respect, Monsieur, ça fait plus de deux ans et un pied crucifiant que je veux tout balancer, mais je craignais que votre nouveau caporal n'ait pas le cul assez large pour attraper les flèches !

Aveuglé par ses servitudes, le sergent n'avait jamais compris pourquoi son ami ne marchait droit que lorsque son pied était saoul ! Henderson prit soudainement conscience des sacrifices que son meilleur ami avait consentis. Désinhibé par le houblon, il le saisit à bras-le-corps pour le coller sur sa poitrine, ignorant sa douleur aux côtes et les satanées conventions. Après toutes ces années, le mâle laissa enfin parler son cœur.

— Vieux con, que j't'aime !

Sans mots, le bouffon étreignit son ami de toute son affection. Puis, après un silence et quelques petites tapes dans le dos – question de masculiniser leur geste – McLoud se recula et demanda :

— Est-ce qu'on doit s'embrasser, maintenant ?

Deux merveilleux sourires scellèrent une profonde amitié façonnée dans la guerre et la loyauté.

Après quelques secondes de silence à contempler le fleuve, McLoud annonça :

— J'attendais pour vous le dire, mais ils ont maintenant trop d'officiers. Notre peloton a été annexé au 23e régiment. Les garçons seront entre bonnes mains.

— Qui commandera le 23e ?

— Gloucester et Harrington, Monsieur.

En fin diplomate, McLoud ajouta immédiatement :

— L'état-major avait sûrement prévu un long rétablissement pour vous, Sergent.

— Ces vieux cons sont mieux de prendre soin de nos gamins.

Soulagé que ses hommes soient effectivement en très bonnes mains, les pensées du sergent se tournèrent vers l'avenir, qu'il appréhendait. Il toussota douloureusement avant d'entamer ce long silence qui précède l'aveu.

— J'espère pouvoir retourner en Angleterre avant les glaces. Une fois les esprits calmés, je compte revenir avec ma femme et m'acheter une petite seigneurie dans la région de Baie-Saint-Paul... Et vous, Daniel, que comptez-vous faire après avoir quitté l'armée à cause de cette grave blessure... incapacitante ?

L'officier venait d'endosser la démobilisation de son ami loyal. Parfaitement au fait du risque que son officier encourrait, McLoud sourit et le regarda en silence. Tout remerciement aurait de toute façon été inutile. McLoud savait qu'Henderson savait que McLoud savait ! Et c'était suffisant. Stimulé par cette franche et limpide discussion d'homme, McLoud passa aussi aux aveux :

— J'ai un projet très personnel que je caresse depuis quelques années. Dès que je l'aurai réalisé, si vous me le permettez, Monsieur, j'aimerais beaucoup vous rendre visite sur votre seigneurie.

Trop respectueux pour questionner le projet « très personnel » de son ami, le sergent toussota, prit un air solennel et lui transmit son tout dernier commandement :

— Évidemment, Caporal, et c'est même un ordre!

Puis, il mit la main sur son épaule et ajouta affectueusement:

— S'il vous plait, Daniel, n'y manquez pas.

Le temps était venu pour Henderson d'écrire à sa belle Anglaise.

Québec, Nouvelle-France
Le 12 octobre 1759

My Dear Sweet Lady,

Voilà maintenant vingt trop longs mois que je suis reparti pour la guerre de Wolfe et neuf trop longues années que je t'ai abandonnée pour la mienne. Notre victoire à Québec m'a presque coûté la vie. Mais, Dieu merci, cette expérience m'a aussi redonné espoir. Les voyages, les guerres, les batailles, les morts et les cauchemars se sont succédé sans jamais me révéler ma mission véritable. Je n'ai pas la réponse exacte à cette question, mais je sais maintenant que c'est dans la paix et à tes côtés que je vais la découvrir.

Le Nouveau Monde offre tellement d'occasions de réaliser les rêves les plus incroyables de quiconque sachant apprécier la neige et les Canadiens. Autant la première est froide, autant les seconds peuvent être chaleureux. Bien sûr, notre conquête, si elle s'étend en Nouvelle-France tout entière, va laisser un goût amer pendant quelques années. Mais les Canadiens sont un peuple résilient et davantage préoccupé par le froid, la faim et leur curé que par leur roi.

La blessure que j'ai subie sera suffisamment longue à guérir pour justifier ma démobilisation, avec tous les honneurs. Chérie, je quitte l'armée !

Cette guerre se terminera sûrement bientôt. Avec le modeste héritage laissé par mon père et les incitatifs financiers de l'armée, nous pourrions acquérir en Nouvelle-France une belle seigneurie d'une dizaine de fermes. Ainsi, grâce à nos employés et aux impôts de nos habitants, nous pourrions y vivre à l'aise, loin de nos échecs.

Des officiers qui ont patrouillé cette région m'ont d'ailleurs chaudement recommandé une petite seigneurie à vendre d'une vingtaine de milles carrés, du nom de rivière du Gouffre. Apparemment, à seulement huit milles du grand fleuve Saint-Laurent et d'un charmant petit village côtier du nom de Baie-Saint-Paul.

Ma chérie, beaucoup trop de temps et d'épreuves se sont écoulés depuis la dernière fois où je t'ai réitéré mon amour. Je suis désolé que ma quête ait pu être si coûteuse pour nous deux. Je ne peux que t'offrir le reste de ma vie à tes côtés pour me faire pardonner.

J'espère que ma démobilisation pourra être officialisée avant les glaces de façon à ce que je puisse prendre le premier bateau pour te reconquérir.

Ton Michael qui t'aime.

Fin septembre 1759

Les plaines d'Abraham et Québec étaient perdus. L'automne était entamé. La plupart des miliciens durent retourner sur leur terre vandalisée pour reconstruire une baraque ou une grange de fortune avant l'hiver. Même après la mort de Wolfe, l'efficacité militaire de sa folie incendiaire offrait un répit aux troupes anglaises campées dans Québec.

Le fleuve endeuillé s'apprêtait à rejeter sur le minuscule quai de Baie-Saint-Paul le vieux bateau de transport et sa cargaison de miliciens honteux. Honteux d'avoir perdu en moins de huit minutes une bataille qu'ils avaient crue gagnée d'avance. Honteux, après tout ce sang versé, d'avoir ouvert les portes des fortifications de la ville sans qu'aucun coup de feu supplémentaire ne soit tiré pour les défendre. Honteux, coupables, mais heureux d'être de retour alors que plus de six cents frères d'armes étaient morts ou gravement blessés pour qu'ils survivent.

Le soleil fêtait cette journée de réjouissance pour les uns alors que les nuages s'apprêtaient à accompagner la douleur des autres. Nul ne connaissait la liste des survivants et l'effroyable réponse supplantait toute autre considération politique du moment.

À vrai dire, reconstituer les réserves hivernales de nourriture, rebâtir les habitations et retrouver une vie normale laisserait à la population peu de temps pour se préoccuper de la couleur du foutu drapeau qui flotte sur le port.

Légèrement en retrait du quai, Marie-Catherine Gaulthier écrasait nerveusement la petite Charlotte de dix-huit mois sur sa poitrine, alors que sa grande Gertrude de quatre ans restait soudée à sa cuisse. Marie-Catherine cherchait désespérément les yeux de son homme. Soudain, le cœur de la femme s'arrêta lorsqu'elle crut apercevoir la chevelure châtain qui dépassait à l'arrière du groupe. Lorsque le bateau accosta, la foule éplorée prit littéralement le quai d'assaut, tant et si bien que Marie-Catherine perdit de vue la tignasse tant espérée.

Ses yeux cherchaient. Son cœur suppliait. Ses genoux faiblissaient. Son visage cédait.

Après une éternité de quelques minutes, les deux yeux bleus de son beau colon émergèrent lentement de la foule pour relancer enfin sa respiration. Dans une explosion de bonheur trop intense pour ses genoux fragilisés, la femme en pleurs s'affaissa doucement sur Mademoiselle France. L'homme courut aussitôt vers les trois belles créatures pour s'agenouiller devant la plus grande. Il saisit ses deux joues de ses larges mains et l'embrassa passionnément.

Ils ne respiraient plus, mais pour la première fois depuis son départ, ils ne suffoquaient plus !

Occupée à épier une famille en pleurs qui encaissait l'incommensurable coût de la liberté, Gertrude avait loupé l'arrivée. Lorsqu'elle se retourna, la petite reconnut aussitôt le visage soudé à la bouche de sa mère. Elle se jeta au cou de l'heureux père, qui tomba à la renverse.

— Popâ ! Popâ ! T'es là... mon Popâ !

Puis, aussi sournoisement et habilement qu'elle l'envoya au tapis, la lutteuse le fixa de ses p'tits yeux de Noël pour lui asséner le coup de grâce.

— Popâ, est où ma nouvelle poupée ?

Malgré la foule, malgré ses bonnes manières, Marie-Catherine se jeta aux côtés de son mari pour lui porter secours :

— La voilà, ta poupée !

Elle déposa fièrement la petite Charlotte sur la poitrine du pauvre lutteur maintenant aux prises avec trois adversaires déterminées à ne plus le laisser partir. Le père – pourtant absent depuis moins de deux mois – dévisagea la mini Catherine et s'exclama à l'originale :

— Chérie ! Est aussi belle que toi...

Puis, il s'empressa d'ajouter tout en chatouillant sa grande fille :

— ...et que ma grande fille gâtée !

Occupé à compter les nouvelles dents de Charlotte, le couple ne remarqua pas que Gertrude s'était levée pour s'étirer le cou vers le quai.

— Popâ ? Popââââ ?

— Oui, mon amour !

— Il est où, grand-père Gaulthier ?

Saisie d'horreur par la question toute simple, Marie-Catherine affolée chercha frénétiquement la réponse qu'elle trouva dans les yeux atterrés de son orphelin de mari.

— Non, Francis ! C'est pas vrai ? Dis-moi que... c'pas vrai !

La bru en pleurs savait à quel point Monsieur Gaulthier était irremplaçable pour son homme. Le père orphelin s'agenouilla et saisit les épaules de sa fille pour lui répondre. Après des jours à tenter de comprendre et plus d'une minute à chercher les bons mots, l'orphelin n'avait plus la force de dissimuler sa nouvelle servitude : sa haine viscérale des Anglais !

— Chérie, chus désolé. Les méchants Angliches ont tué ton grand-père.

Surprise du manque de tact de son mari, Marie-Catherine sursauta.

— Voyons, Francis ! C'est pas des dires pour un enfant.

L'homme se redressa et dévisagea son épouse. Puis, le barrage fragile de sa retenue céda pour libérer un torrent de souvenirs et de colères.

— Ben quoi ! Qu'est-ce que tu veux que j'y colporte ? Que des gentilshommes angliche ont mis son grand-père d'amour en pénitence, six pieds sous les gravats, parce qu'y voulait pas partager ses jouets ? Peut-être que j'devras y jaser que des gentils m'sieurs dans une forêt magique voulaient percer son popâ – juste pour jouer ! – pis que Grand-Père a pris le clos pour que son popâ revienne... sans maudite poupée ! Je sais, je sais chérie ! J'vas lui jaser qu'a doit jama jouer avec le feu comme nos bons amis angliches. Pis qu'a va avouère qu'un repas par deux jours c't'hiver parce qu'on a pus de grange, pus de foin pis pus de blé !

Incapable de retenir davantage les larmes de sa haine, l'homme éclata en sanglots avant d'ajouter :

— J'devoir plutôt y dire que les m'sieurs angliches sont tellement d'adon qu'y sont mis à deux c't'été pour essayer d'y faire une sœur, parc'que son Popâ était trop occupé à cacher ses p'tits yeux pis ses p'tites oreilles.

La Française se pencha calmement vers Gertrude et lui tendit la petite Charlotte en lui demandant avec un large sourire :

— Ma grande, peux-tu tenir ta sœur une petite minute ?

Puis, elle se retourna et enlaça son mari pour... pleurer à chaudes larmes avec lui. Après quelques sanglots libérateurs, la petite Gertrude empoigna la cuisse de son père et lui dit :

— Popâ..., p'eurez-pas ! La poupée c'est pas g'ave. J'vais jouer avec Charlotte !

Puis, la petite voix miséricordieuse se mit sur la pointe de ses pieds et leva le nez vers son père en ouvrant tout grand les yeux au ciel.

— R'gadez, Popâ, c'est pas g'ave, y a pas de goutte de peine !

Le couple détrempé laissa échapper un petit rire bienfaiteur, trop heureux que la petite n'ait apparemment rien compris de toute cette horreur. Après avoir discrètement essuyé leur « pinte de peine », ils se penchèrent pour soulever et enlacer leurs deux raisons d'avancer.

Une fois les barrages du couple de nouveau érigés, un témoin discret resté à l'écart s'avança vers l'essaim familial. En le voyant, Gertrude s'exclama :

— Mahigan ! Môman, Mahigan là ! Fait voler moi !

Le Montagnais trop célibataire, libre et aventurier pour avoir des enfants n'en exerçait pas moins une attraction bien méritée sur eux. Le « mononcle à plumes » saisit Gertrude pour faire tournoyer joyeusement sa belle Hirondelle-Futée, qui battait des bras.

L'hirondelle n'avait pas encore atterri que Marie-Catherine porta la main à ses lèvres lorsque Francis lui chuchota la fin tragique de son frère, Anadabi. Le couple chérissait des yeux ce géant d'une autre nation qui portait leur fille et ses amis plus haut que ses propres plumes ! Tout en serrant Marie-Catherine contre lui, Francis lui chuchota l'hommage de son sauveur :

— Chérie, Mahigan m'a sauvé la vie ! Sans lui pis Popâ, j'serais pas icitte !

À la vue des plumes du grand guerrier qui virevoltaient, elle reconnut l'ange protecteur qu'elle n'avait cessé de prier. Aussitôt l'hirondelle atterrie, la Française se dirigea vers le colosse avec toute l'affection et la reconnaissance que ses yeux et ses bras pouvaient porter. Ignorant la timidité du Montagnais, elle l'enlaça à lui couper le souffle puis lui dit à l'oreille :

— Merci, Mahigan. Merci, merci, merci, merci !

Aussitôt qu'il put bouger la tête d'un petit millimètre, le héros lança un regard interrogateur à Francis, qui lui fit des gros signes de « J'sais pas ! C'est pas moé ! J'comprends rien ! »

Elle desserra son étreinte suffisamment pour le laisser respirer un peu, puis recula et déposa tendrement ses mains sur ses larges épaules.

— Nous aimions tous Anadabi. Ton frère va nous manquer...

Tout en acquiesçant, le Montagnais tourna la tête pour dissimuler sa douleur. La femme appuya doucement sur le menton de Mahigan pour le ramener face à elle et pénétrer son regard sous la bruine amérindienne. Sans nul besoin de consulter son mari, qui s'était joint à eux et les enlaçait, Marie-Catherine ajouta :

— Notre famille et notre cabane seront toujours les tiennes, Mahigan !

L'Amérindien acquiesça timidement lorsque Francis lui fit une prise de cou tout en l'intimant :

— ... à condition, Grand-Chef, que tu lâches l'ail des bois !

Les deux hommes sourirent pendant que Marie-Catherine, mystifiée, tenta de humer discrètement l'haleine du grand guerrier.

À peine avaient-ils entamé leur marche vers le chariot que la mère sursauta d'effroi.

– Oh non ! Nahima ?

Anadabi avait confié son petit ange mystique aux bons soins temporaires de son trop vieil oncle, Outetouco. Marie-Catherine savait trop bien que ni le vieux guerrier septuagénaire ni Mahigan ne pouvaient prendre soin d'un enfant si spécial. Sans autre parenté vivante, l'avenir de la petite était incertain.

Elle fut interrompue dans son cauchemar par la question de Francis, qui lui tendait – paume ouverte – une des plumes de guerre d'Anadabi entachée de son sang.

— Chérie... tu sais... dans son dernier souffle, Anadabi m'a demandé d'adop...

La mère l'interrompit pour crier son soulagement.

— Oui, chéri ! Évidemment que oui, chéri !

Elle attrapa la plume qu'elle pressa contre son cœur. Puis, se retournant vers Mahigan, elle le regarda droit dans les yeux pour répéter :

— Oui, Mahigan ! Et avec ton aide, elle n'oubliera jamais ni Anadabi ni ses racines.

Témoin sur les Plaines de la demande de son frère, le célibataire timide ne pouvait demander une meilleure famille pour l'héritière si exceptionnelle de son sang. Il prit alors la plume des mains de la femme et l'arrima aux cheveux rebelles de la mère, puis il porta la main sur son cœur et hocha la tête en signe universel de profonde gratitude. L'adoption était maintenant officialisée.

Le temps était venu de rentrer enfin à la maison. Arrivé au chariot, Francis ne manqua pas d'aller saluer et caresser Luna et Harry. Il souleva la tête trop basse du mâle et lui dit :

— Salut, Garçon ? T'enmieutes-tu un peu ?

Il y avait maintenant plus d'un an que le vieux Doc était mort et le jeune surdoué tardait sérieusement à redonner sa confiance et son dévouement à l'homme. Et sans ces liens, tout doué qu'il soit, l'animal n'offrirait ni coopération ni effort au-delà de sa zone de confort.

Depuis la tragédie, Harry n'avait offert ni l'une ni l'autre, ce qui le plaçait entre un mauvais cheval inutile et une bonne « picouille » trop gourmande. Francis et Mahigan n'eurent nul besoin que l'animal leur réponde pour comprendre, à sa seule posture abaissée, que le cheval ne s'était toujours pas libéré de sa servitude.

Sur le chemin du retour, le chariot s'immobilisa à la croisée des chemins. À gauche, la ferme. À droite, Nahima. Les trois échangèrent un sourire en pointant vers la petite. Luna emboîta docilement le pas. Son frère était plutôt réticent à l'idée de s'éloigner de sa paillasse. Francis dut claquer de nouveau les guides sur l'immense postérieur du mutin.

— Garçon, avance ! J'ai pas l'goût de te serrer les ouïes aujourd'hui. J'viens d'arriver, calvâsse...

Rendu à la cabane défraîchie d'Outetouco, Mahigan sauta pour aider Marie-Catherine, qui portait Charlotte d'une main. Gertrude préféra les bras beaucoup plus forts de son papa à elle ! Le guerrier d'un autre siècle sourit de toute sa dent en apercevant Francis et Mahigan vivants. Le cœur lourd de devoir annoncer une si terrible nouvelle, tous avancèrent lentement, comme pour permettre au vieil oncle de faire son propre décompte.

Son visage s'éteignit en voyant son neveu s'approcher seul et lui empoigner les épaules. S'adressant à lui en montagnais, Mahigan confia au patriarche une plume de guerre de son brave frère, porteuse de la terrible nouvelle. Mahigan n'épargna pas le vieux guerrier trempé dans le courage de son peuple en lui parlant sans attendre de la petite Nahima et des dernières volontés d'Anadabi. Outetouco s'assied lentement et porta les mains à la poitrine comme pour saisir les deux flèches qui lui transperçaient le cœur. Le père usé était conscient de la profonde affection des Gaulthier pour Anadabi et sa nièce mystique.

Abdiquant ses dernières années de bonheur pour le bien-être de la petite, il essuya ses larmes et fit bravement signe de son approbation. Marie-Catherine s'approcha, confia Charlotte à Mahigan, puis s'agenouilla. Pour rassurer le vieil homme, elle recouvrit affectueusement sa main fripée et s'adressa à lui dans un montagnais fort bien maîtrisé, preuve de son affection pour ce peuple fier et magnifique.

L'ex-père embrassa la future mère, puis pointa son index crochu entre ses yeux pour lui transmettre ses directives non négociables. La mère silencieuse, qui aurait accepté n'importe quoi pour le bonheur de la petite, acquiesça de grands signes ininterrompus de la tête. Rassuré, Outetouco cueillit la mère par la main pour guider le groupe à l'arrière de sa cabane. Suivant sa consigne, ils restèrent silencieux, légèrement en retrait du bâtiment en bois rond. À un jet de pierre devant eux – sous une lisière de feuillus écarlates, orange et or –, la petite Nahima était assise dos aux visiteurs indiscrets. Face à elle, trois louveteaux gris et noirs du printemps se tenaient sagement assis. À leur vue, Francis se prépara à bondir lorsque le vieux sage le retint en posant calmement la main sur son avant-bras.

On aurait dit que les yeux des louveteaux vénéraient mystérieusement la fillette. Chacun de ses mouvements entraînait systématiquement six grandes billes noires hypnotisées alors qu'autant d'oreilles braquaient chaque syllabe montagnaise prêchée par la déesse. Les quatre petits êtres illuminaient littéralement la clairière, à la fois par leur jeunesse, leur paix et leur sagesse. Mahigan s'approcha et mit la main sur l'épaule de Francis. Les guerriers enviaient sûrement les ennemis naturels à qui l'on n'avait pas encore enseigné la peur et la haine.

Soudainement, les deux philosophes sourirent à pleines dents lorsque la petite se tourna pour laisser entrevoir le grassouillet et délicieux bébé lièvre qu'elle tenait maladroitement sous son menton...

La rotation de la sauvagesse exposa le profil de sa figure coquettement bordée de deux petites tresses noir bleuté. Le visage basané et les pommettes colorées à l'air pur rendaient un vibrant hommage à la beauté naturelle de ses parents et de sa race. Ses cils interminables balayaient ses yeux bridés, mais étrangement sombres. Tel que lui avait enseigné le lièvre, le mignon petit museau en trompette de Nahima remuait délicatement, titillé par le vent salvateur. Sur sa robe traditionnelle de peau de cerf, les centaines de petites perles disparates scintillaient au soleil d'octobre. Chaque éclair de bonheur récompensait les vieilles mains endolories du « grand-oncle au foyer » qui les avaient maladroitement, mais héroïquement cousues.

La petite « conversait » avec ses quatre amis à poil, mais sans jamais leur sourire ni les regarder dans les yeux. Mystérieusement, depuis sa naissance, les deux fenêtres de sa vieille âme fuyaient toutes les pupilles, alors que le sourire discret de ses lèvres en cœur refusait d'exposer ses belles dents blanches. Cette absence d'engagement visuel – aussi troublante soit-elle pour les hommes – avait au moins le mérite d'éliminer toute communication menaçante avec ses amis les animaux.

Excitée par la scène, Gertrude rompit le pacte de silence.

— Veux jouer aussi...

Nahima tourna lentement la tête vers les pieds du groupe qu'elle balaya du regard. Les mocassins d'Anadabi manquaient! Contre toute attente, elle fixa pendant plusieurs secondes l'aïeul anéanti. Peut-être était-ce la distance protectrice, peut-être était-ce l'absence de papa et la présence de tante Marie ? Ou peut-être avait-elle simplement vu la condamnation à l'inutilité dans le regard du vieux père périmé ? Nul ne saura.

La petite se redressa maladroitement sans échapper le pauvre lapin sauvage toujours pendouillant, mais visiblement heureux de ne pas être seul avec les louveteaux. Les yeux hagards, elle se déplaça maladroitement, ici et là, pour cueillir quelques grands chefs-d'œuvre d'automne, recevant l'approbation des trois truffes noires qui la suivaient le plus naturellement du monde ! Sa cueillette complétée, le petit ange déposa bébé lièvre au sol, puis caressa longuement les trois toutous. Toujours sans les regarder, elle leur dit dans son montagnais naissant :

— Nahima partir. Loups-Gourmants pas goûter à Lièvre-Grassouillet. D'accord ?

Son regard glissa dans chacune des pupilles pour valider solennellement leur engagement. Puis, l'enfant se retourna et se dirigea vers la vieille main tremblante, son bouquet de feuilles multicolores entre les doigts. La louve, qui veillait à l'orée du bois, apparut aussitôt derrière Nahima pour ramener ses trois petits – non sans reluquer le « lièvre aux carottes et basilic » qui détalait vers son terrier.

Sans se soucier le moins du monde du carnivore, la petite se dirigea directement vers la main torturée de son grand couturier d'amour pour y déposer son bouquet de feuilles d'automne. Puis, se plaçant à ses côtés – le regard perdu dans la forêt aussi vide que ses deux grands yeux noirs – elle enlaça en silence la vieille cuisse fourbue. Respectueux de la réserve du petit ange, la large main tremblante se posa doucement sur la tignasse noire pour caresser en silence ce petit être si exceptionnel.

Tout en murmurant en montagnais, Outetouco arracha de sa tignasse la plume de leur tribu et il s'agenouilla péniblement devant l'orpheline pour l'arrimer à sa petite tresse. Puis, tout en lui parlant dans le dialecte d'amoureux qui fut le leur, il prit la plume de guerre d'Anadabi pour la faire danser et virevolter dans le champ de vision du petit regard fuyant. La plume, enfin capturée par les pupilles noires, s'envola une dernière fois pour se déposer avec grâce debout sur le sol. Au son des murmures montagnais, la plume blessée s'allongea délicatement, tel son père, pour s'y éteindre éternellement.

Puis, le silence, l'éruption dans la petite mémoire et l'extraordinaire goutte de peine qui abandonna pour la première fois le regard impassible de Nahima. Tremblantes, les mains ridées renoncèrent héroïquement à imposer une étreinte non sollicitée par la fillette elle-même. Les mains escortèrent de nouveau les petits yeux hagards de Nahima jusqu'à la plume et son père décédés. Il souffla symboliquement sur la plume puis la souleva à l'horizontale vers le ciel et ses aïeux, et il la fit disparaître dans ses mains. Elle réapparut sur la joue hâlée pour cueillir délicatement la larme la plus rare du monde et la déposer dans le creux de la petite paume. Deux petits yeux ténébreux, comme sa tristesse, s'abaissèrent vers ce premier messager de son âme emprisonnée.

Durant cinq longs battements de cœur, les yeux trempés de la poupée s'élevèrent pour pénétrer enfin les yeux noyés d'Outetouco. Ses longues prières enfin exaucées par le trop court miracle, le vieil Indien plein d'espoir arrima l'âme emplumée d'Anadabi dans les cheveux de sa descendance. Il souleva la petite et s'avança pour la remettre à Marie-Catherine et Francis bouleversés par la brèche dont ils venaient d'être témoins.

Avant même que la femme n'ouvre la bouche, Nahima saisit délicatement la plume jumelle attachée à la chevelure de la mère envoyée par son père. Elle fixa longuement la plume en silence, puis celle accrochée à ses cheveux. Elle replaça les deux plumes jumelles avec précaution. Les yeux dans le vide, elle posa sa petite joue sur l'épaule de la nouvelle maman adoptée.

De retour depuis seulement trois semaines, Francis avait besogné sans relâche pour reconstruire... et oublier ! Heureusement, le dimanche autorisait la grasse matinée jusqu'à... six heures du matin... tant qu'aucune pensée impure ou inféconde ne justifie une telle paresse honteuse.

Francis se lovait paresseusement sous sa courtepointe multicolore de deux tonnes lorsque Marie-Catherine et Gertrude se jetèrent sans pitié sur lui. Trop heureux de cet immense bonheur retrouvé, le chef de famille enlaça sans ménagement ses deux femmes pour les menacer.

— J'vous lâcherai plus jamas. Vous êtes mes prisonnières !

Feignant de se débattre, Gertrude implora l'aide de sa nouvelle sœur restée sur le seuil de porte.

— Nahima, Nahima... Aide-moi !

Malgré la vie menacée de sa nouvelle copine de jeux, la petite sauvageonne resta en retrait, impassible. La famille connaissait bien ses absences. Tous savaient qu'ils devaient parfois insister un peu plus, ce qui fit la mère.

— Nahimaaa mon amourrr viens nous voir !

Les yeux de Nahima abandonnèrent le vide et la fillette réapparue. Son regard encore flou balaya le plancher, le lit, le plancher, le lit, Gertrude, le lit, le plancher... Après un moment, Marie-Catherine libéra un bras pour l'inviter de nouveau, mais en montagnais. La petite hésita un moment, mais finit par s'approcher de la paillasse pour s'y appuyer. Le regard sans cible, elle déposa la main sur le pied du kidnappeur – toujours terré sous la couverture – pour le caresser discrètement. Était-ce sa première marque d'affection ou une demande de libération ? Peu importe, les deux réponses étaient extraordinaires !

Les semaines passèrent et la petite famille bicolore trimait dur pour remplir le caveau vidé à l'anglaise. Un autre dur hiver canadien s'annonçait. Avec ses pointes de moins trente-cinq degrés le jour... même le soleil préférait passer l'hiver dans le sud avec les bernaches. Le soir venu, après un maigre souper volatilisé en quatre bouchées, il n'était pas facile de mettre au lit des enfants au ventre contestataire. Gertrude – comme tous les enfants de quatre ans – détestait aller au lit.

— Non, Gertrude pas dodo ! Gertrude pas dodo !

Par bonheur ou... par malheur, à ce chapitre, Nahima était parfaitement normale. Elle fuyait sa couchette ! Un soir de contestation particulièrement épique, ses parents réalisèrent qu'ils devraient peut-être engager une autre institutrice lorsqu'ils entendirent les premiers mots en français de leur Montagnaise adoptive. Le soir fatidique, Nahima faisait sans succès de grands signes de la tête tout en fixant le vieux plancher de pin noueux. Exaspérée de l'insistance de ses parents, elle leva les yeux et décréta, du haut de ses trois pommes :

— Non, Gertrude pas dodo !

Les parents comblés se détournèrent pour ne pas éclater de rire devant un si bel effort. L'hiver 1759-1760 serait peut-être moins pénible que prévu, après tout !

Printemps 1760

Les Anglais étaient dans Québec et les Français autour. Le brigadier Lévis, le colonel Murray et leurs dix mille cinq cent trente pions s'échangèrent courageusement du plomb et de la baïonnette une bonne partie de l'hiver.

Au total, la bataille de Sainte-Foy fit près de deux mille morts et blessés sous les deux drapeaux. Sans vainqueur, les armées exténuées manquaient cruellement de nourriture, de munitions et de motivation. Pire, le froid, les maladies pulmonaires et le scorbut devinrent insidieusement plus mortels que les mousquets. Dans les faits, la guerre était sur « pause » dans l'attente du premier roi qui alimenterait son armée une fois le fleuve Saint-Laurent libéré de son épaisse coquille hivernale.

Sur les berges de la Rivière-du-Gouffre, avec cinq bouches à nourrir, toutes les pensées de Francis étaient dans ses deux mains ensanglantées. Sa charrue peinait à creuser son sillon unique en dépit du claquement quasi continu des guides. Le bacul d'Harry accusait toujours un retard désolant sur celui de sa sœur, pourtant plus petite.

— Gros sans-cœur ! Enwoye, tire, calvaire !

Le colon en sueur verbalisait sa frustration pendant qu'il poussait comme un forcené sur les manchons de sa charrue. La reconstruction de la grange et le remplacement de ses réserves incendiées ne laissaient aucun répit au colon pour une psychothérapie chevaline. La charrue devait avancer. Le blé devait pousser. Point final ! Les journées et les heures passaient et Harry refusait toujours d'utiliser son extraordinaire hérédité, se limitant aux « services essentiels ». Le pivot du bacul – qui jadis devait être décentré pour aider sa sœur – était maintenant tristement excentré pour favoriser le mâle sans orgueil. Même le museau de sa sœur qui le devançait n'embrasait plus sa testostérone. Le soleil avait dépassé son zénith depuis deux bonnes heures et la chaude journée printanière n'accrut en rien la motivation du cheval trahi.

La campagne d'extermination de Wolfe ayant éliminé la moitié des chevaux de la région, le maître se savait sans autre ressource animale depuis qu'il s'était résigné à abattre et cuisiner la Duchesse vieillissante pour passer l'hiver. Derrière l'étalon défectueux, le minuscule bipède ne pouvait que transpirer eau et sang sur les manchons, alors que la faim de ses femmes le tenaillait davantage que son propre estomac vide. Lorsque le tracteur dépressif s'arrêta pour la misère d'une racine qu'il aurait pulvérisée un an plus tôt, l'homme de trait perdit pied et patience. Éraflé, épuisé, furieux, il s'élança au côté de la bête pour lui botter le ventre de toutes ses forces. Les langues de sa botte et de sa bouche déchaînaient trois semaines de frustration accumulées.

— J'en ai plein le cul... *vlan!* Si t'arrêtes pas de bretter... *vlan!* Tu vas faire du steak, toé'si... *vlan!*

À chaque coup violent, l'énorme ventre brun se soulevait dans un râlement sourd et abandonné. À chaque frustration libérée, la tête du cheval s'abaissait un peu plus. De retour aux manchons écarlate de la charrue, Francis saisit le fouet pour fendre la robe de la bête, qui démarra enfin... pour n'avancer que de quelques mètres! De guerre lasse et en dépit du retard accumulé, le trio poinçonnerait encore trop tôt cette journée-là.

Le long retour vers la grange avait transformé la colère de Francis en profonde amertume. Une fois à l'intérieur de l'antre, il retira avec précaution l'attelage rapiécé et investi d'un passé beaucoup trop lourd à porter pour l'héritier désillusionné. Il lui retira les vieilles ornières aussi inutilisées qu'inutiles du temps du vieux Doc. Lentement, Francis palpa de ses mains torturées la croupe lacérée de l'animal. Submergé de regrets, le maître savait qu'il avait lamentablement échoué à protéger son frère d'armes. En cuisinant la Duchesse, l'homme avait tout misé sur le sang du vieux Doc, mais avait dangereusement sous-estimé la révolte du fils. Culpabilisé, Francis se plaça face au cheval et lui souleva le menton pour tenter de saisir son regard désormais fuyant. Lorsqu'il réussit momentanément à arrimer les deux billes noires, l'homme se confessa:

— J'ai pas d'allure, Garçon... j'te d'mande le pardon!

Puis, l'homme voulut souder son front à l'autre orphelin dans un geste d'amitié toute chevaline. Mais pour la première fois, Harry détourna la tête. Déçu, désemparé, découragé, Francis sombrait lui aussi:

— Popâ ! Doc ! Dieu ! S'il vous plaît, aidez-nous quequ'un !

La voix tremblante, aussi épuisée que ses larges épaules sautillantes, l'ex-Fils céda.

— Sacrament ! J'ai pus d'grange ! J'ai pus d'blé ! J'ai pus d'père ! J'ai même pus d'joual. Popâ... j'tais pas prêt !

Harry abaissa lentement la tête vers son abandon laissant Francis seul avec sa servitude et sa certitude :

— Les maudits Angliches !

Les jours et les nouvelles tentatives se succédèrent de mai à juillet 1760. Harry n'était plus que l'ombre du superbe héritier qu'il était et de l'Alpha qu'il aurait pu être. Débordé et exaspéré, Francis glissait lentement du côté sombre du palefrenier. Évidemment, les exploits de leurs deux pères célèbres étaient sans pitié pour les deux fils asservis qu'ils étaient devenus. À la fin de l'été, Harry n'était plus que la risée du village. Le colon savait qu'une grave décision devrait être prise avant l'hiver prochain, si le Canadien refusait toujours de retourner au combat.

Accompagné de ses inséparables doutes, l'habitant tourmenté entrait tout juste dans sa cabane lorsqu'il fut confronté à son inévitable rôle de père. Sa grande Gertrude, maintenant âgée de quatre ans et demi, l'assaillit.

— Popâ... Veux montrer Nahima faire tigalopopâ.

— Ma chérie, Popâ a sa journée dans l'corps. Demain, ma chouette !

Sans égards aux arguments de l'épouse protectrice, la petite démone utilisa sans honte une technique antisportive et déloyale. Elle plongea ses grands yeux piteux dans ceux du père sans défense et lui dit :

— S'i vous p'aîîît, Popâ d'amouuuuuur...

Épuisé, mais amoureux, le père se plaça évidemment en position, prenant soin de déboutonner le haut de sa chemise. La mère aida la petite cavalière à monter et inséra ses pieds dans les poches de chemise en guise d'étrier. La cow-girl saisit le foulard de Francis à deux mains et regarda fièrement Nahima, intriguée, avant de lancer l'ordre d'avancer.

— Huuu !

La vieille picouille marcha autour de la table en hennissant joyeusement au son des applaudissements de la foule... Maman. La picouille entama le trot au grand désespoir de sa cavalière qui, à chaque coup de croupe, glissait – lentement, mais sûrement – sur le côté. Papa la retint avec l'avant-bras. L'atterrissage en douceur fut célébré par les félicitations de la foule et les baisers de la monture. Aussitôt relevée, Gertrude invita sa sœur à l'imiter. Le refus de Nahima galvanisa la cow-girl, qui la saisit par le bras pour la tirer jusqu'au cheval. Le second refus de l'Amérindienne poussa la compétitrice dans son dernier retranchement. La petite fille du grand-père Gaulthier avait bien appris à piquer pour provoquer. Gertrude « enligna » Nahima et prononça les deux seuls mots qu'elle connaissait en montagnais :

— Nahima ! Pas pacable !

Oh non ! La guerrière regarda furtivement sa sœur pour tomber les deux pieds dans le piège. La sauvageonne s'approcha d'un pas assuré vers le joual et avant même que la mère puisse l'assister, elle remonta la chemise du père jusqu'aux épaules pour exposer la peau du cheval médusé. Puis, d'un geste assuré, elle empoigna fermement de sa main gauche la grande crinière de son père et se lança à plat ventre sur l'étalon et se tourna pour enfourcher la monture. La surprise du cheval et de la foule fut complète lorsque la fille d'Anadabi lança ses talons dans les côtes du Mustang. D'instinct, la petite reproduisait les gestes banals de son premier papa, si souvent observés. Malgré les grimaces du cheval, la guerrière tira la crinière d'une seule main vers l'avant, au son d'un ordre étouffé mais sans équivoque :

— Yaiii ! Yaiii !

Pris au jeu, la picouille se transforma en étalon alors que la sauvageonne à la timidité évaporée serrait fermement le torse de ses cuisses en insistant à coups de bassin vers l'avant.

— Yaiii ! Yaiii !

Décidé à sauvegarder sa réputation d'« étalon sauvage », le père accéléra la cadence. Mais plus il sautait, et plus la crinière était sollicitée. Plus la bête transpirait, plus les petites cuisses collaient. Au bout du troisième tour de table, le mustang cassé et épuisé s'immobilisa sur l'ordre bienvenu de sa cavalière. Avec la sagesse de sa race, l'amazone flatta affectueusement le cou de l'étalon débourré – sans manquer de le remercier dans la langue de ses ancêtres –, puis passa son pied droit par-dessus la tête du cheval pour se laisser glisser au sol, sous les rires et applaudissements de sa mère.

Sourde aux hommages, la Montagnaise se tourna et donna deux petites tapes sur la croupe du bon Mustang essoufflé. Puis, l'ange se tourna vers sa compétitrice chagrinée et lui dit :

— Gertrude pis Nahima bonnes, bonnes, bonnes !

Le visage de Gertrude s'illumina d'une grande fierté, et c'est sans égard à la réserve de Nahima que Gertrude l'étreignit de toute sa spontanéité. En dépit de ses yeux lointains, les bras de Nahima abandonnèrent l'indifférence de ses propres cuisses pour aller effleurer avec hésitation la taille de sa sœur, sous les regards des parents bouleversés.

Un dimanche après-midi de septembre, la messe était réglée. Fort heureusement, en acceptant la moitié du honteux dix sous de profit de la quinzaine, la grande sollicitude de Monsieur le curé avait sauvé le colon exténué du péché mortel de l'avarice. À ce prix, Mademoiselle France et le Bon Dieu s'étaient même mis d'accord pour gratifier leurs colons serviteurs d'un soleil quasi estival.

L'âme aussi légère que ses poches, Francis réparait une roue dans la grange pendant que Marie-Catherine couchait les trois filles pour leur sieste de l'après-midi. Bien au chaud à l'étage dans leur petit nid de paille, les oisillons s'endormirent rapidement. Depuis un certain temps, la jeune mère trouvait sa plus jeune... déjà trop vieille ! La jeune femme, née des mœurs libertines de Madame France, profita honteusement du fait que son homme était seul à l'écurie pour aller « négocier » son ovulation avec lui...

Telle une avocate en toge, prête à affronter le plus intraitable des juges, l'amoureuse avait libéré sa chevelure et déboutonné le corsage de sa belle robe bleue du dimanche en vue d'une plaidoirie corsée. Dès son entrée dans l'écurie et sans le moindre avertissement, la juriste d'expérience exposa ses deux plus gros arguments avant même d'ouvrir la bouche...

Pour avoir déjà été manipulé par la juriste coquine, le pauvre travailleur agricole savait que les arguments exposés étaient fermes, mais sensibles à une négociation menée avec doigté. L'homme était conscient d'avoir entériné devant Monsieur le curé un contrat l'obligeant de pourvoir à sa belle Française. Le père, insécurisé, savait que la guerre n'était pas finie et que ses réserves de maïs avaient presque entièrement été « soufflées » par l'incendie ! Pire encore, bien avant l'arrivée des Anglais, Francis craignait que sa terre ne soit pas encore apte à nourrir un quatrième petit Gaulthier. Depuis deux ans, à chaque ovulation, l'épouse fertile savait qu'elle devait reprendre la chose en main avant qu'il ne soit trop tard. Et... cycle après cycle, du bout des lèvres, la pompière donnait docilement son aval aux gaspillages de son mari !

En désespoir de cause, Marie-Catherine avait même tenté, sans succès, de manipuler son pourvoyeur endormi espérant ainsi être mise en demeure. La trompe habitée, mais l'utérus vacant, la veuve noire sans semence était bien déterminée, cet après-midi, à mettre à mort son mâle. Et avec la bénédiction du Bon Dieu, tous les coups étaient permis pour amener une nouvelle brebis au baptême.

Figée par les deux incontournables arguments sous son nez, aucune objection ne pouvait être prononcée par l'homme, trop bien élevé pour parler la bouche pleine. Bien décidée à jouer le tout pour le tout, la plaideuse repoussa doucement son adversaire déjà inflexible, pour s'adosser les épaules dénudées au poteau. Les rayons voyeurs du soleil illuminèrent sa magnifique crinière délivrée, puis sa figure angélique, alors que les effluves corsés de foin et de cheval s'amalgamaient dans un parfum aphrodisiaque aussi bestial qu'impitoyable.

L'ange de France perdait ses ailes à mesure que la toge prenait son envol, soulevée par la belle incendiaire. Absolument pas préparé à négocier avec une juriste « déculottée », l'homme de fer savait sa cause perdue lorsque les premières perles de plaisir furent libérées en preuve par l'index habile de la jeune femme aux yeux clos. Voyant sa chance filer entre les doigts de l'avocate, l'homme amoureux – et le père négociable — saisit le visage de la future mère pour l'embrasser avec la passion de sa langue française.

Le temps était venu pour Francis de négocier sa compensation en vue de sa reddition imminente. Sa main se faufila sous la chevelure pour soulever délicatement la nuque frémissante. Il plongea son regard amoureux dans les yeux de la belle pécheresse. Déjà rendue au cinquième ciel, la juriste, soudée aux pupilles de son homme, gémit son accord pendant qu'il introduisait sa défense. Touchée profondément, l'avocate perdit tout son décorum au rythme des coups bas et des violentes prises de bec. La grange résonnait maintenant du gémissement des plaignants sur le point de conclure une entente extrêmement profitable aux deux parties. Puis, soudainement, en plaideuse d'expérience, la femme s'allongea sur le dos, juste à temps pour recevoir le paiement en liquide de ses honoraires, arrachant ainsi la dernière plainte du pauvre homme complètement dépouillé.

Puis, un silence aussi soudain et assourdissant que le furent les plaidoiries les enveloppa tendrement. Le museau tendu hors de son enclos, Luna renifla la femme inanimée, allongée dans son fourrage. Pour sa part, peu impressionné par l'argument de Francis, Harry ne semblait absolument pas être menacé en la demeure !

En voyant les paupières – aux cils interminables – demeurées barricadées par la violente satisfaction, Francis prit encore une fois conscience de l'extraordinaire créature assoupie sous son cœur battant. Il examina longuement ses longs cheveux tricotés de brindilles de foin doré. Ses fines épaules dénudées et les lèvres mordillées par la honte, la femme vainqueure, mais vaincue, avaient encore ses magnifiques seins gonflés sous ses propres doigts épuisés. L'homme, toujours emprisonné par les cuisses frémissantes de la plus belle femme du monde, chuchota :

— Ma chérie, je t'aime tellement.

Trop faible pour bouger ni même pour ouvrir les yeux, Marie-Catherine murmura simplement :

— Moi aussi, je t'adore, mon amour...

Puis, avec un petit sourire espiègle, elle ajouta :

— ... et merci !

Conquis par le projet de son épouse, le futur père embrassa tendrement la main coquine qui accepta de lui céder un sein pour s'y blottir et rêver enfin à *Fils*... peut-être ?

Septembre 1762

Sentier forestier à six kilomètres de Baie-Saint-Paul

Dans un silence et un ralenti surréalistes...

Francis et Henderson sont debout de chaque côté d'Harry, étendu au sol. Aveuglés par le désespoir, ils s'aboient mutuellement leur colère en pointant le cheval.

Les paroles de l'Anglais transforment la boue sur le visage de Francis en véritable peinture de guerre. Ses muscles dopés par trois ans et deux heures de frustration, le colon pose le pied sur le timon central pour bondir directement dans le visage de son conquérant.

Les deux mâles exténués s'agrippent par les épaules pour hurler leurs frustrations et leurs accusations dans leur langue respective. Sous les cris de la mère, qui les supplie d'arrêter, les deux hommes s'effondrent sur le dos, aussi épuisés de tête que de corps, laissant la femme seule pour retenir son petit ange sur terre!

V. LES SERVITUDES

Septembre 1760

Montréal a capitulé, sans réellement livrer bataille, le 8 septembre 1760 face aux troupes britanniques – très supérieures en nombre – du major général Amherst.

La partie débutée par Wolfe aura finalement été remportée par forfait, le roi de France n'ayant pas pleinement réalisé que la partie avait commencé. Par conséquent, les pions, les tours, les fous et les cavaliers de l'armée des bleus furent transformés en petits pions rouges par le vainqueur, qui se mérita la main de Mademoiselle France. Face à un parti beaucoup plus riche, discipliné et entreprenant que lui, le courtisan français ne faisait plus le poids devant ce mariage de force et de raison. Mais, même fiancée à son Anglais, le cœur et la chair de Mademoiselle France appartenaient toujours à son amant français et à sa langue maternelle.

Les semaines passèrent et l'autorité bienveillante du conquérant anglais leur mérita une paix relative. Le roi, les généraux et les mousquets français avaient perdu la terre, mais la bataille des curés, des utérus et des politiciens canadiens pour sauver la langue ne faisait que commencer !

Fleuve Saint-Laurent – novembre 1760

La tignasse au vent de Michael Henderson – affranchie de son couvre-chef militaire – était délicieusement fouettée par le souffle du grand fleuve canadien. Chauffé par un soleil radieux, le visage rude de l'homme n'exprimait ni la joie du pardon ni l'horreur de l'errance. Face à la Nouvelle-France, qui se rapprochait à chaque vague, les yeux clos d'Henderson revoyaient plutôt son retour en Angleterre un an auparavant.

Son esprit troublé avait reculé jusqu'au moment où il s'apprêtait avec anxiété à livrer la bataille la plus importante de sa vie : reconquérir sa femme ! Fraîchement démobilisé et arrivé en Angleterre, le tabac du cocher et les effluves de son quartier d'Oxfordshire ressuscitaient tant de souvenirs agréables, entreposés par nécessité depuis neuf interminables années. Sans se soucier du revenant, sa rue bourgeoise se pavanait toujours avec ses beaux tailleurs et ses belles maisons de pierres. L'air marin avait admirablement bien attisé sa convalescence, mais l'imminente réponse d'Elizabeth le torturait davantage que ses entrailles.

À moins de cinquante mètres de l'enfer ou du paradis, de l'errance ou de la vocation, le passager reconnut le visage qu'il avait peint sur le ciel d'Abraham. Il lança quelques pièces au vieux cocher et descendit de la calèche au prix de quelques grimaces de douleur. Son cœur tambourinait dans sa poitrine si violemment qu'il se crut de nouveau en première ligne à la recherche de sa cible. Le regard aiguisé du franc-tireur visa le cœur qu'il devait désespérément toucher. Dans le même silence qui unissait jadis les deux armées des Plaines, le mari admira un bon moment la plus belle femme d'Oxfordshire. Sculptée dans les années immobiles, l'Anglaise était ravissante même sans sourire, sans chapeau... et sans enfants ! Tel un papillon libéré de sa chrysalide, la femme qui émergeait de sa quarantaine rayonnait par sa belle maturité et ses formes justes assez généreuses.

Mystérieusement, sa cible s'immobilisa, puis se retourna pour capturer le regard de l'homme qu'elle n'attendait plus. Dans cette pause et cette proximité, leurs yeux pouvaient enfin s'échanger leurs prières silencieuses.

Incapable de lire le visage impassible, l'homme partit à l'assaut de sa réponse. Contre toute attente, la femme bouleversée retraita aussitôt pour se réfugier dans les entrailles de l'antre de pierre. Le soldat s'immobilisa, touché mortellement, les bras pendants et désarmés devant la réponse qu'il redoutait tant. Après une minute d'éternité aussi longue que toute la route qu'il venait de parcourir, la maison recracha la lady toute britannique. Coiffée de son chapeau de soie, l'aristocrate s'avança d'un pas ferme pour s'immobiliser à un bon mètre de son mari mystifié. Puis, la main tremblante, elle lui tendit une lettre pliée et dépliée trop de fois.

Sa lettre d'adieu ? Il avait évidemment trop tardé. Il avait évidemment trop exigé d'elle. Les mains tremblantes, l'adolescent de quarante-neuf ans ouvrit sa proclamation de mise à mort. Les yeux usés de l'homme peinaient à absorber la centaine de mots qui dévalaient sur lui, telle une avalanche sur le point de l'ensevelir, de l'asphyxier.

Henderson abaissa le papier et fixa le visage anxieux de l'auteure alors que les dix derniers mots de la réponse se gravaient dans sa mémoire.

« Je te suivrai n'importe où, Michael. Je t'aime ! »

Sans le moindre respect pour le macadam bourgeois sous leurs pieds, les jeunes mariés s'enlacèrent et s'embrassèrent comme à nul retour auparavant. Qui sait quels mots de la lettre d'Henderson – «*mon amour*»? «*à tes côtés pour toujours*»? ou pire… «*nos échecs*»? – convainquirent sa belle Anglaise…

L'homme avait besoin de cette femme extraordinaire à ses côtés et tous les mots étaient permis, y compris les seuls mots auxquels il savait qu'elle ne pourrait résister… «*Seigneurie*» et «*nos employés*».

—

De retour sur la frégate et le fleuve Saint-Laurent, la projection des souvenirs d'Henderson fut interrompue par deux seins généreux qui s'encastrèrent sous ses omoplates. L'homme renaissant couvrit la manucure de sa belle Anglaise tout en fixant les côtes de Mademoiselle France et son fleuve majestueux qui s'ouvraient devant eux.

Leurs valises étaient prêtes depuis des mois. L'offre d'achat conditionnelle sur la seigneurie de la Rivière-du-Gouffre qu'Henderson avait soumise avant de quitter la Nouvelle-France arrivait à son terme et les deux conditions étaient enfin remplies. La belle et la paix! La majeure partie de son héritage, les profits générés par la vente de leur maison et sa prime de démobilisation avaient été englouties, mais qu'à cela ne tienne, l'espoir était un choix sans prix!

Malgré la fraîcheur d'octobre et la brise canadienne, Henderson et sa belle sous le bras gauche rêvassaient sur le gaillard d'avant lorsque le capitaine hurla:

— Baie Saint-Paul à tribord !

Henderson tourna la tête à droite et Elizabeth... à gauche ! Sans la regarder, l'homme appuya délicatement sur le menton de la Belle pour le tourner du bon côté ! Le petit sourire coquin d'Elizabeth fit place à son émerveillement à la vue des deux chaînes de montagnes protectrices qui dévoilaient – à chaque poussée des voiles – la rivière du Gouffre et le pittoresque village niché en son estuaire.

— Michael, c'est vraiment magnifique !

Puis, elle le regarda et ajouta un mot, à la fois si banal mais si porteur d'espoir :

— Merci !

L'homme ému écrasa son âme sœur sur son cœur en rémission. La femme ferma les paupières comme pour retenir en elle tout cet espoir.

Deux couchers de soleil plus tard, lorsqu'elle les ouvrit de nouveau, le plus extraordinaire manoir se dressait devant elle, attendant son approbation. Dorloté entre une chaîne montagneuse peinturée aux couleurs de l'automne et les embruns cristallins de la rivière du Gouffre, le manoir du seigneur était modeste mais... parfait ! Ses persiennes noires tranchaient sur les murs de bois blanc rafraîchis. Tel l'écrin qui soutient et met en valeur sa pierre, la large galerie contournait interminablement la demeure. Quatre immenses peupliers montaient la garde, alors que deux magnifiques pommiers en façade offraient leurs derniers fruits d'automne aux visiteurs.

Les yeux et la bouche des deux bourgeois manquaient d'ouverture pour tout consommer. Les clôtures blanches de l'enclos à chevaux serpentaient entre l'écurie et l'immense champ prometteur, alors que la rivière entraînait, dans un léger grincement, la vieille roue à aubes du pittoresque moulin à farine du seigneur.

La main sur la bouche et peinant à retenir ses larmes, la femme se retourna vers son homme, le fixa et lui affirma solennellement.

— Michael. Oui, je le veux !

Tout comme sa belle Anglaise sur le fleuve, le nouveau marié ne put prononcer qu'un mot si banal, mais si porteur d'espoir :

— Merci !

De retour à Québec, Henderson et Elizabeth étaient assis devant le notaire Pierre DeCyr. En colère, Henderson tenait une facture entre ses mains, alors que le notaire tentait de la justifier :

— C'est présentement une transaction très compliquée, vous savez. Ça fait à peine deux mois que Montréal est tombée. De toute façon, nous devrons attendre les directives de l'administration britannique avant de la compléter. Vous devriez passer l'hiver à Québec.

Henderson le dévisagea.

— *What ?!* En plus de tous ces frais imprévus, on va devoir passer l'hiver à l'auberge ? !

– Ça me semblerait aussi plus... prudent monsieur Henderson. Les p'tits villages au nord sentent encore la fumée !...

Ignorant l'avertissement du notaire, Elizabeth regarda la facture et s'insurgea.

— Mais chéri, c'est plus de la moitié de notre fonds de réserve. Après l'hiver ici, il ne nous restera plus grand-chose.

— Je sais, mon amour, le foin va devoir pousser pas mal vite !

Rivière-du-Gouffre

Arrivé en trombe de Baie-Saint-Paul, Francis défonça littéralement la vieille porte de sa cabane faisant sursauter ses femmes à l'intérieur, qui le dévisagèrent :

— Simonac, chérie ! C't'un maudit angliche qui a acheté notre seigneurie. Y'attend à Québec avec sa gribiche ! Tu t'rends-tu compte, caliboire ! Après tout ce qu'y nous ont fait, va falloir qu'on leur paye le cens juste pour rester chez nous !

— Voyons, Francis, calme-toi ! Les filles sont là.

— Ben oui ! C'pas toé qui va devoir licher l'cul d'un angliche pendant mes trois jours de labeur gratisse ou à chaque fois qu'on va fariner le blé à son moulin.

— Gertrude, ma grande, amène tes sœurs pis allez jouer dans votre chambre, s'il te plaît.

— Mais, Mômaaaaan ! J'apprends plein de nouveaux mots...

La patronne crucifia sa fille des yeux tout en lui pointant sans équivoque l'escalier vers le deuxième. Une fois les petites oreilles protégées, Marie-Catherine en furie se tourna vers son homme.

— T'as raison, chéri, ça va me prendre une nouvelle robe!

— Quoi?!

— Si tu crois que, pendant que tu farines, moi, j'vais prendre le *tea* fringuée en paysanne avec Miss La-Seigneure-du-Gouffre!

— Marie!... Où tu t'en vas avec ta théière, joualver? Écoute-moé! Y parait même que c'est un ancien troufion qu'y a bataillé su'les Plaines. Un sergent, de ouï-dire. D'après toé, comment qu'ça s'fait qu'un sergent à marde a connaissance de notre seigneurie perdue..., si y est pas déjà venu fouiner dans le coin... calvâsse? Si c'est un des lâches qui t'ont souillée, j'l'attelle par les couilles. Chus sûre qu'Harry a encore assez de cœur pour les déraciner!

— Francis! Francis! Pas besoin de l'esquinter. Dis-le plutôt à sa gribiche! Puis, s'il respire encore, tu l'achèveras en lui rappelant que même à deux Anglais, ils n'ont même pas été foutus de faire jouir une Française brûlante!

Francis figea devant les propos absurdes de sa femme, lorsque celle-ci s'approcha de lui et déposa les mains sur ses avant-bras.

— Chéri, c'est du passé, c'était la guerre. C'est bien de valeur, mais on l'a perdue. Mais j'ai survécu. T'as survécu. On doit maintenant regarder en avant et charpenter un monde sans ces horreurs... pour nos filles et...

La femme trop heureuse pour gaspiller une si bonne nouvelle, captura les yeux déconcertés de son homme avant d'ajouter:

— ... et pour ton fils!

La colère de l'homme fit instantanément place à l'espoir.

— Mon *fils*? Tu veux-tu dire que t'es partie pour la famille?

— Oui, mon amour. Ton fils...

Avec un petit sourire en coin, elle compléta sa phrase:

— Ou... ta quatrième fille?

Francis emprisonna de toute son admiration la plus forte créature de Nouvelle-France, lorsqu'un doute – pardonnable – soudain l'assaillit:

— Marie! C'est vrai que t'as pas joui, hein?

— Évidemment, gros con!

Puis, la coquine posa son index sur la lèvre inférieure de son mari, et ajouta:

— Quoique... pour une belle robe neuve... peut-être que...

— Espèce de vilaine ratoureuse! Si... on monte à Québec au printemps prochain, tu pourrais PEUT-ÊTRE zyeuter un ou deux coupons... mais JUSTE SI tu me garantis que tu me bricoles un fils!

La femme sourit, lui déposa un coup de poing sur l'épaule:

— Espèce de rustre maître chanteur, que... je t'aime!

— Moé aussi... vilaine Française brûlante!

Les deux amants s'enlacèrent longuement. Cachée derrière l'épaule de son homme, les larmes de Marie-Catherine naquirent du souvenir putride des deux Rangers poignardant son sexe.

Fleuve Saint-Laurent – mai 1761

La grosse bedaine pointue de Marie-Catherine semblait tenir sa promesse de concocter un fils Gaulthier. Francis profita donc de quelques jours de répit, entre les semailles et les fenaisons, pour forcer la main au sort et au Bon Dieu en avançant leur rançon... la robe neuve!

C'est ainsi que par un vendredi trop chaud, la famille embarqua sur un bateau de pêche retournant vers Québec pour y passer leurs premières vacances à vie. Sur le pont, pieds et mains écartés, Francis et Gertrude tentaient de rester debout, trop amusés par le tangage du bateau. Nahima et Charlotte, qui ne partageaient aucunement leur enthousiasme pour le fleuve, s'ancrèrent plutôt aux cuisses de Maman, qui en avait déjà pourtant plein l'utérus. Aussitôt la passerelle de débarquement installée, Francis et Gertrude se ruèrent sur le quai, trop heureux d'agrandir leur terrain de jeux et d'expérimenter le roulis de la terre ferme. Par chance, la pauvre femme – avec un bébé sous le nombril, un autre sous son bras et une Amérindienne soudée à sa cuisse – trouva un beau grand matelot timide pour les aider à débarquer en toute sécurité pendant qu'elle s'écriait:

— As-tu besoin d'aide, Francis? Emmerde-toi surtout pas avec notre énorme sac à linge, chéri: il me reste encore un bras et une jambe disponibles!

Sans jamais s'arrêter de pourchasser Gertrude, qui riait aux éclats, Francis lui répondit:

— Merci, chérie. Apporte-le là-bas! Ma copine et moi, on va s'amuser un peu pendant que vous reprenez des couleurs!

Levant les yeux au ciel, la mère désespérée n'admirait pas moins ce formidable père.

L'expression *sac à linge* éveilla une idée saugrenue au père en sueur. Évidemment, Maman avait insisté pour que tous voyagent avec leur vieux linge, prenant soin d'apporter les habits du dimanche pour visiter la grande ville... et les boutiques ! La transpiration caniculaire, l'arôme tenace de la morue et leurs finances très limitées inspirèrent au fils du père Gaulthier un scénario digne de son mentor. Aussi immature que son père lorsque l'occasion d'amuser ses enfants se présentait, Francis enleva discrètement ses souliers pour marcher sur le bord du quai avec Gertrude. La mère, qui connaissait son grand bébé, lui dit d'un ton menaçant :

— Franciiiiis !

Le gamin de trente-quatre ans lui lança :

— Chus pacable, Môman !

Un certain hiver de 1729, la tête enfoncée dans la neige, son père Gaulthier lui avait enseigné comment fabriquer un héros.

Le boute-en-train se tourna de dos au fleuve et plaça les pieds sur le bord du quai. Il feignit de tomber à l'eau, tendant la main à Gertrude, qui la saisit aussitôt. Plus la sauveteuse tirait et plus le pauvre désespéré se penchait au-dessus de l'eau froide du fleuve. Les efforts héroïques de Gertrude furent finalement récompensés et l'homme fut sauvé in extremis. Lorsque le miraculé se releva après avoir embrassé son héros, il perdit pied – ... intentionnellement, mais ne le dites pas à Gertrude – pour tomber sur le dos, bras et jambes écartelés. Malgré l'eau qui ne lui arrivait qu'à la poitrine, le noyé burlesque demanda de nouveau l'aide de son héros.

— Gertrude ! Enlève vite tes galoches et viens me sauver !

La petite recula plutôt d'un pas et figea sur place.

— À l'aaaaaaide, Gertruuuuuuude !

— Mais Popâ, l'eau est trop froi...

Avant même qu'elle n'ait fini sa phrase, une ombre la croisa pour se jeter à l'eau. À leur grand étonnement, ils virent émerger Nahima, qui avait tout simplement ignoré... qu'elle ne savait pas nager ! L'Amérindienne toujours chaussée pataugeait frénétiquement pour respirer et atteindre son père en détresse. Aussi surpris qu'ému, Papa Francis agrippa sa sauveteuse pour la soulever et l'étreindre tendrement.

— Wow, tu m'as sauvé la vie... Merci, mon amour. J'pensais que t'aimais pas l'eau.

— Nahima pas aimer, mais Gertrude... pas sauter.

Il n'en fallut pas plus pour qu'un deuxième *PLOUC!* se fasse entendre dans la seconde. De l'autre bras, l'heureux père ramassa immédiatement sa deuxième grenouille.

— J'ai deux grandes filles courageuses. Popâ est très fier de vous.

Puis, il tournoya avec ses deux sauveteuses avant de les sortir du fleuve. Marie-Catherine, arrivée en trombe, s'empressa de prendre en charge ses filles tout en sermonnant son homme.

— Toi et tes jeux stupides !

Fier comme un paon, le père se pencha à l'oreille de sa femme.

— Stupides, peut-être, mais j'ai quand même faite une p'tite brassée... pis ç'a rien coûté!

Puis, avant de s'éloigner, il renifla le cou de sa douce et lui dit avec un sourire coquin:

— Ça sent ton beau grand matelot! J'comprends pourquoi t'as pas sauté à l'eau...

La femme accrocha le meilleur père du monde par le bras et l'écrasa contre sa laiterie et son futur fils, en lui lançant avec un gros accent exagérément canadien:

— Viens icitte, Francis Gaulthier, que j'me teigne de ton sentir!

Leurs beaux habits du dimanche sur le dos et le sac à linge qui dégoulinait, la petite famille déambulait joyeusement dans la basse ville de Québec. Avec la petite Charlotte sur son bras droit et la plus belle femme « en famille » soudée à l'autre, le fier colon recherchait tous les regards. Trop content d'être heureux, Francis se dépêcha de payer la rançon avant que sa Marie-Catherine n'explose d'une autre fille.

— Suis-moé, ma belle! J'vas t'débusquer un magasin de coupons au plus sacrant!

La mère cane lui sourit d'un air victorieux qui signifiait « oui, pis t'es ben mieux! »

Gertrude, emprisonnée par la main de Maman, n'avait d'yeux que pour les amuseurs publics et les poupées colorées dans les vitrines. Tout à coup, les deux billes de l'enfant sortirent de leur orbite. Elle s'évada de l'emprise maternelle pour entraîner Nahima vers une douzaine de merveilles.

— Nahima, Nahima, viens !

Gertrude se précipita, les paumes et le nez écrasés sur la vitrine qui exhibait des poupées fabuleuses aux têtes de tissu et aux robes colorées. Malgré leur aspect primitif, les jouets n'en étaient pas moins spectaculaires en comparaison des poupées de paille que les fillettes tenaient à la main.

— Popâ, Popâ, r'gârd. Y sont belles comme Charlotte !

Ignorant les jouets, Nahima avait la tête de côté. La voix excitée de sa sœur s'estompait à mesure que son regard balayait le vieux « quêteux » affalé sur le macadam. La fillette savait d'instinct que le vieil homme souillé avait le cœur encore plus affamé que son estomac. Était-ce la fourrure animale que l'homme portait au visage ? Était-ce la bonté qui émanait de sa gueule pourrie ou ses doigts amputés ? Ou étaient-ce les ailes de Nahima qui se déployaient de nouveau ? Peu importe ce qui effrita son emmurement, mais l'Amérindienne ancra son regard dans l'âme usée du clochard et lui sourit durant cinq interminables secondes avant que les deux visages ne faiblissent pour retrouver le vide...

À moins d'avoir une grande sœur qui avait trop grandi, avoir une robe « neuve » pour un habitant signifiait : acheter du tissu... et se fabriquer une robe neuve. Ses trois écus économisés à l'issue de grands sacrifices, solidement coincés entre les deux laitières, l'élue et sa suite entrèrent dans le magasin général. Ils furent « accueillis » par la nouvelle collection de chapeaux du nouveau fournisseur exclusif...

Londres ! Hypocritement, Marie-Catherine posa sur sa tête l'une de ces petites merveilles de paille finement tissées et ornées de plumes de paon. La milady regarda sa suite, l'air de dire : « C'est-y pas assez beau, ça ! », lorsque Gertrude résuma le chef-d'œuvre.

— Nahima, r'garde ! Un chapeau de foin avec tes plumes comme Mahigan...

Fort heureusement pour elles, les deux grandes filles détalaient déjà vers les jouets lorsque la matrone leur cria d'arrêter.

— Wôô, les filles !

Soudainement consciente qu'elle était dans un « grand magasin » de Québec, et non dans son champ, la milady se ressaisit et se pinça les lèvres en cul-de-poule.

— Doucement, les demoiselles. Des jeunes filles bien élevées ne doivent pas s'épivarder ainsi ! D'accord ?

Tels deux purs sangs sur la grille de départ, les deux fillettes, qui piétinaient dans l'attente du signal, répondirent en cœur :

— Oui, Mômaaaan...

Aussitôt les filles disparues de son champ de vision, la matrone lança littéralement la petite Charlotte au père pour plonger tête baissée dans les étalages de tissus. Écume à la bouche, elle saisit le premier tissu bleu divin à sa portée pour l'appuyer sur son plastron.

— Regarde, chéri, comme c'est joli ! Bleu comme ton garçon... Attends, attends ! Enligne celui-là ! Non, non... Ha, LA VAAAACHE !...

La fillette de trente-six ans plaça sa dernière trouvaille sur sa poitrine et sa taille et tourbillonna telle une princesse. Puis, elle fixa Francis de son regard de sainteté manipulatrice et lui dit :

— Un peu plus coûteux, mais avec ça... c'est sûr que « c't'un gars » !

Pour toute réponse, l'homme saisit un rouleau de dentelle affriolante et le plaça sur les seins, tout juste sous les deux tétines de son fils espéré.

— J'te conseille aussi de t'gréer un peu de ça, parc'que si t'as une fille, le prochain marchandage à grange va être pas mal plus dur !

La belle Française était de toute évidence extrêmement consciente de ses avantages en matière de négociation. Elle emboutit sa belle bedaine dans l'estomac de son adversaire jusqu'à le faire reculer et l'enfoncer dans l'étalage de manteaux de castor. Puis, sans le quitter des yeux, l'avocate du diable empoigna l'argument principal du pauvre homme tout en lui chuchotant à l'oreille :

— Quand ça sera le temps, on verra bien qui va encore porter les culottes ! Et qui va encore... les enlever !

Le sourire de l'homme déjà vaincu fut aussitôt interrompu par un boucan d'enfer provenant de l'extérieur.

Cinq soldats britanniques, baïonnette en avant, entouraient un Écossais aussi pouilleux et barbu que saoul et violent. L'épée dans la main gauche et le cruchon de whisky au pouce de l'autre, l'homme gardait les soldats à bonne distance en fouettant maladroitement l'air qui l'entourait. Le désespéré criait sa rage dans sa langue anglaise :

— Approchez-vous pis je vais vous montrer comment ma gauche est encore capable de vous raser la face !

Son épée visiblement mal à l'aise continuait de fouetter l'air pour appuyer ses propos. Le pauvre officier britannique tenta en vain de le raisonner.

— *Mister* Mackenzie, calmez-vous, s'il vous plait !

Mais il dut insister devant le manque de coopération.

— Caporal ! Donnez-moi cette épée ! C'est un ordre !

Alors que l'officier, les mains en l'air, tentait de s'approcher, l'Écossais fit siffler son arme près de son abdomen. Si bien que l'officier dut battre prestement en retraite et signifier à deux de ses soldats de charger leur arme. Trop heureux que les Anglais s'entretuent, la foule de badauds qui les encerclait hurlait leur condamnation à mort.

— Je n'ai plus d'ordre à recevoir de Sa Majesté. Chus plus un caporal ! Vous vous en rappelez, les gars ? Chus seulement un infirme inutile, nourri par la charité de Sa Majesté.

Voyant les deux soldats s'activer sur leur arme, l'homme suicidaire redoubla d'ardeur en s'adressant à eux.

— Bons petits soldats ! Obéissez à votre officier, tuez les pères et les fils ! Puis, survivez pour enterrer tous vos frères jusqu'au dernier ! C'est la seule chose à laquelle on est bon... tuer pis creuser ! Tirez, *God damned* ! Chus dangereux. Allez-y, mesdemoiselles, avant que j'vous tranche mince !

L'Écossais reprit son cruchon pour s'envoyer une solide lampée de courage. Francis, qui suivait la scène depuis le palier du magasin général, sursauta en apercevant la main sans doigts. Il scruta le visage en broussaille. Sans réfléchir, il bondit dans la rue et força son chemin à travers la foule. Il s'infiltra entre deux soldats pour se retrouver devant leurs baïonnettes. Sourd aux « Reculez ! » aboyés par l'officier, Francis s'adressa en français à l'Écossais, en prenant soin de parler assez fort pour que toute la foule l'entende.

— *Mister* Mackenzie, vous êtes pas un tueur ! Vous nous avez épargnés, moé pis mon père su' mon dos, à sortie des boisés Sainte-Geneviève. Vous vous êtes mené comme un grand seigneur là-bas.

Puis, il se retourna vers les baïonnettes qu'il abaissa d'un geste vif de la main. Tout en dévisageant les soldats, il ajouta :

— Vous n'êtes pas, Monsieur Mackenzie, d'agissement comme ces lâches, qui ont brûlé nos farmes pis souillé nos créatures.

Se tournant vers l'Écossais, il lui adressa un sourire amical. Mackenzie lui répondit dans sa langue de conquérant :

— Qu'est-ce que tu veux, *dammit ?* Ça ne te dérangerait pas de foutre le camp de mon exécution ?

L'homme pointa son épée si près du nez de Francis que celui-ci dut reculer. Mais le bruit des percuteurs qui s'armaient le pressa de trouver rapidement une solution. Il avait une dette d'honneur et il n'était pas question que cet homme « se fasse suicider » devant lui. Après quelques secondes de réflexion, il scruta la foule à la recherche de « son père ». Il se dirigea vers un ivrogne éméché en première ligne et lui dit :

— Je vous dois un verre.

— Vo...volonziers, m-m-mais p-p-pourquoi?

Pour toute réponse, Francis empoigna la chemise de l'ivrogne et lui balança un solide coup de poing à la mâchoire, puis il s'inclina pour cueillir la carcasse inanimée sur ses épaules.

Les soldats, la foule et même l'Écossais furent médusés devant un geste si inattendu. Francis repositionna l'ivrogne comme le fut jadis son père et s'agenouilla à la portée de l'Écossais toujours stupéfait, puis il pencha la tête. Après quelques secondes, il se leva, fixa Mackenzie et pointa l'index vers la poitrine de l'Écossais, puis la sienne et celle de son père, et enfin il pointa les boisés Sainte-Geneviève au loin. En silence, il souda son regard à celui du désespéré, comme ils l'avaient fait deux années auparavant.

Malgré son esprit embrouillé par le whisky, les images trouvèrent leur chemin jusqu'au jour de leur première rencontre. Baigné par le souvenir de son geste rédempteur, le visage de l'Écossais se détendit enfin. Francis acquiesça de la tête et fit une pause. Puis, il recula, déposa et réveilla l'ivrogne, qui ne comprit pas pourquoi Francis lui remettait dix centimes.

Francis s'approcha et, de sa main droite, il empoigna très lentement, mais fermement la lame tranchante tout en lui présentant une large poignée de main de la gauche. À cette seconde, le moindre mouvement de la lame lui aurait assurément sectionné tous les doigts. Les deux guerriers le savaient trop bien. Dans un de ces moments torturants entre l'abandon et l'espoir, la nuit et la lumière, l'homme inutile fixa la paume tendue, puis la lame tranchante, la paume, la lame... la paume, la paume. Lentement, sa main tremblante abandonna enfin sa canne tranchante, pour saisir la main tendue du père et du fils qu'il n'avait pas tué. Dans un silence parfait, les deux hommes ratifièrent l'annulation de l'exécution par un discret signe de la tête.

Francis retourna lentement l'épée et l'inséra délicatement dans le fourreau, puis il se tourna pour inviter Marie-Catherine et ses filles du regard. Il lui présenta d'abord sa femme ainsi que son futur fils. Mais avant même que l'Écossais ne comprenne ce qui lui arrivait, la femme l'avait enlacé en répétant sans cesse :

— *Thank you, thank you, thank you, Mister MacKenzie.*

Embarrassé, l'Écossais ne fit qu'un faible signe affirmatif de la tête. Vint la présentation de Charlotte et puis de Gertrude, qui lui offrit sa plus belle révérence. Le visage de l'homme émergeait de sa noirceur au fur et à mesure qu'il réalisait l'impact de sa clémence.

Francis chercha Nahima pour la retrouver face à la main estropiée. Sans mot, la petite retira délicatement le cruchon soudé au pouce et le déposa sur le sol. Le grand guerrier braquait la sauvageonne alors qu'elle parcourait de ses petits doigts chaque cicatrice qui traversait sa gigantesque main mutilée. Dans un geste mystique, la petite arracha l'avant-bras, puis un pied de sa précieuse poupée de paille et déposa le jouet handicapé dans la paume balafrée. Tendrement, elle referma le puissant pouce orphelin pour qu'il protège la petite poupée, elle aussi amputée... Puis, elle recouvrit le pouce protecteur de sa minuscule petite main pendant que les secondes s'écoulèrent aussi lentement que la larme d'espoir de l'homme sans mission. Sans n'avoir jamais regardé l'Écossais, elle se retourna face aux mousquets et enlaça l'énorme cuisse dénudée de sa petite aile protectrice.

Bouleversé, le grand guerrier fixa la minuscule poupée de paille encore plus impotente que sa propre main charcutée. Soudainement, ses yeux s'illuminèrent lorsqu'il comprit la mission que le petit ange lui avait confiée. Il se pencha pour remercier l'enfant qui, malheureusement, était de nouveau emmurée dans son propre handicap. Respectueux de la messagère, il lui prit alors délicatement les épaules et lui dit :

— Je t'ai entendu. Je vais prendre soin d'eux... J'te le promets... Merci, mon ange...

La foule émue honora la mission de leur silence religieux, alors que les soldats désamorcèrent leur percuteur. Sœur Eugénie qui avait assisté à toute la scène passa le bras sous le coude de Mackenzie et pointa l'hôpital Général de Québec en lui disant, dans son anglais du séminaire :

— C'est une excellente idée, *Mister* Mackenzie, mais, si vous voulez bien, on va prendre soin de vous en premier, d'accord ?

Voyant l'initiative de la sœur, Marie-Catherine plongea la main dans son corsage pourtant déjà trop rempli. L'Écossais timide – qui n'en était plus à une surprise près avec les Français – fut presque soulagé de voir apparaître quelques pièces d'or que la femme remit à la sœur. Son geste fut suivi spontanément par notre ivrogne titubant et quelques spectateurs, dont un généreux nouveau seigneur. Même les soldats laissèrent quelques pièces, recevant des remerciements forcés de Francis et Mackenzie.

Les militaires au garde-à-vous, suivis de la foule, ouvrirent une haie d'honneur vers l'hôpital. Francis s'apprêtait à lui serrer une dernière fois la main lorsque Mackenzie retira son le fourreau et l'épée. Il les souleva à l'horizontale, paume vers le haut. Le soldat l'examina avec émotion. Dans un geste symbolique sans retour, MacKenzie tendit les bras pour les remettre solennellement à Francis. Surpris, Francis fixa l'étui puis dévisagea l'Écossais qui hochait la tête pour qu'il l'accepte. Honoré pour la deuxième fois par la même épée, Francis recula d'un pas et sortit la lame de son fourreau. La pointe vers le haut, il appuya la poignée sur son cœur. Avec respect, il pencha la tête vers le sol, puis se rangea de côté en pointant l'épée vers l'hôpital et la liberté de l'Écossais.

Lui rendant sa grâce, le soldat baissa à son tour les yeux au sol, signe d'un respect et d'une gratitude qu'aucun mot ne pouvait témoigner. Pour la deuxième fois, deux grands guerriers devenus des hommes accordèrent cette liberté qu'ils ne pouvaient s'offrir eux-mêmes.

Enlacée, la famille Gaulthier regardait l'homme gracié s'éloigner sous les applaudissements de la foule. Sans jamais quitter MacKenzie des yeux, Marie-Catherine chuchota son admiration :

— Francis, t'es merveilleux... Je t'aime.

— Marie-Catherine... Je t'aime aussi...

Après une petite pause, il ajouta, par précaution :

— J'marchanderai pas l'épée pour t'gréer d'une robe neuve !

— Ha !...

Le couple était parfaitement conscient que son grand bonheur ne tenait nullement à un bout de tissu bleu. Ils resserrèrent leur étreinte tout en caressant leurs filles merveilleuses, qu'ils n'échangeraient contre nul garçon !

À l'écart de la foule, le nouveau seigneur anglais dit à sa milady :

— Tu vois, Elizabeth, je t'avais dit que les Canadiens avaient du cœur.

— Je n'en doute pas, Michael. J'espère juste qu'ils ne sont pas trop rancuniers...

Un mois plus tard – Terre des Gaulthier

Le soleil complétait tout juste l'escalade du flanc est du paradis et s'apprêtait à redescendre à l'ouest. La journée était magnifique, la rivière chantait le printemps, la terre exhalait le bonheur et les femmes étaient belles.

Aux abords du champ nord, cette perfection échappait amèrement à Francis, qui s'acharnait encore sur le gros Harry pendant que sa pauvre sœur Luna s'arrachait les épaules sur le vieux collier de cuir de la Duchesse. Malgré l'hiver de repos, malgré les trois années passées depuis la haute trahison de son maître, le cheval refusait toujours d'utiliser son potentiel phénoménal. En voyant la sœur s'épuiser, le colon savait que Mademoiselle France lui imposerait bientôt une grave décision : le vendre ou le bouffer !

Perdu dans son travail et ses pensées torturantes, Francis n'avait pas remarqué la calèche qui s'amenait sur le chemin poussiéreux qui longeait la clôture avachie. Rendue à sa hauteur, la voiturette s'immobilisa dans un nuage de poussière. Alors que la milady préféra ne pas entacher ses fines semelles, le seigneur descendit et admira les trois bêtes de somme immobilisées à une cinquantaine de mètres de la clôture. Malgré la tête d'Harry prosterné devant son abandon, Henderson savait reconnaître des chevaux exceptionnels. Impressionné, il s'écria dans son meilleur français :

— Quel beau *team* que vous as, *Mister* Gaulthier. J'aimerais vous embaucher !

Même si Francis attendait ce moment depuis plus de trois mois, son sang se glaça lorsqu'il entendit l'accent de la haine de retour sur sa terre. Pour la millième fois, les mêmes images horribles furent projetées sur ses paupières. Voulant encourager le Français à s'approcher de la clôture, le visiteur britannique risqua même un sourire contre nature.

— *Hi*, *Mister* Gaulthier, mon nom est Michael Henderson et elle est Elizabeth, mon épouse. Nous être les nouveaux seigneurs.

Le colon épuisé et enragé s'approcha du seigneur, poings fermés, dans l'espoir de reconnaître un des enfants de chienne anglaise. Il s'immobilisa en première ligne à moins de vingt-cinq petits mètres du Britannique. Puis, le milicien fulminant plongea son regard dans celui du soldat mal à l'aise. Après quelques secondes, c'est l'Anglais qui, pour une fois, tira en premier.

— *My God!* Je me rappelle où vous voir. *It's unbelievable!* Vous être le gentleman français de Québec… avec le *Scotchman*. Wow ! J'être très honoré, *Mister* Gaulthier.

Imperméable à l'enthousiasme de son visiteur, la figure du

Français se décontracta tout de même lorsqu'il constata que l'homme n'était pas de la même portée que ses violeurs pyromanes. Heureux de voir le Français se détendre un peu, Henderson lui sourit de nouveau et lui présenta une main tendue, dans une deuxième tentative d'inciter son habitant à s'approcher. En dépit du drapeau blanc, le Français asservi déchargea une salve de haine trop longtemps fermentée.

— Et vous, êtes-vous le trou-de-cul d'officier angliche qui a envoyé six maudits lâches brûler ma grange et souiller ma femme sous mes yeux et... et... et ceux de nos enfants ?

Et puis... rien ! Aucune autre parole ne fut tirée dans un silence de deux atroces minutes. Les images de ses filles en pleurs – qui tentaient de se libérer de son emprise désespérée pour sauver leur mère – ravageaient la mémoire du Français. Sur l'autre ligne, l'Anglais était torturé par le souvenir de l'adolescente violentée, les bras qui s'ouvrent et le poupon de porcelaine qui explose sur le sol.

Dans cette pause et cette proximité, les pions devenus des hommes pouvaient lire la peur et le désespoir dans les yeux de leurs bourreaux respectifs. Meurtri, le franc-tireur britannique baissa la tête et chargea sa voix tremblante espérant qu'elle traverse la ligne de front pour toucher le Français au cœur :

— Vous savez, Monsieur Gaulthier, j'ai lire ces mots cet hiver à *Quebec* :

« Les guerres ont ce pouvoir d'exhumer le pire du soldat et d'élever le meilleur de l'homme ! »

In Quebec, avec le *Scottish*, vous avoir montré le meilleur. Ici, vous et famille vivre le pire. J'être vraiment très désolé pour vous et Madame Gaulthier.

Le Français, perplexe, dévisagea son ennemi de toutes ses certitudes... incertaines ! Bon ! Peut-être qu'Harry ne lui arrachera pas les couilles... aujourd'hui. Mais il n'était pas question pour Francis de balancer une haine si nourricière pour quelques belles paroles mal prononcées par un... Anglais !

— Vous allez avouère vos impôts. Les onzièmes poches de blé et votre journée par mois de labeur sans écu... et pas une heure de mieux ! Gardez vos écus pour vous pourvoir des amis !

Puis, le milicien – au cœur vidé, mais pas plus léger – retraita sèchement vers son attelage, plombant les rêves d'Henderson plus douloureusement que trente grammes de plomb l'avaient déjà fait sur les Plaines. De retour à la carriole, l'Anglaise en colère fixait le vide devant leur cheval. Après un moment, elle lui dit :

— Du cœur, les Canadiens ? Si lui est comme ça, je crains ceux qui n'en ont point !

Assis dans la cuisine, Henderson était songeur. Elizabeth déposa une théière au centre de la table et s'assit. Elle versa deux tasses de thé, prit une gorgée puis déposa la porcelaine sans faire de bruit. Elle regarda son mari.

— Michael, je crois que tu ne m'as pas tout dit sur cette guerre et ton armée !

Henderson courba le dos et baissa la tête. Après un moment, il délivra enfin sa confession.

— Chérie, j'ai tué George… et je les ai laissés assassiner un poupon…

Elizabeth recouvrit les mains de l'homme qu'elle aimait et de celui qu'elle devait connaître.

Henderson la pénétra de son regard, puis libéra la digue de ses souvenirs. Pendant des heures, il confessa son plomb qui avait tué leur fils George, celui qui avait vidangé la tête du jeune Burton, puis l'horrible coup de crosse et le poupon de porcelaine éclatée… Le coup de crosse et la porcelaine éclatée… cette damnée porcelaine insomniaque ! Puis, sa renaissance à l'hôpital, la magnifique feuille d'érable de sœur Eugénie et l'espoir d'être conquis par la Nouvelle-France…

Le jour sombra au gré de la mémoire et de la théière qui se soulageait.

Quelques jours plus tard – Auberge de Baie-Saint-Paul

Dimanche après-midi au village, le curé comptait, les enfants couraient, les femmes respiraient et les hommes déblatéraient.

L'auberge accueillait les ignobles pécheurs de la région qui profitaient du long déplacement dominical – et des quelques écus cachés au curé et à leur créature – pour appliquer les préceptes de la bible. Si une joue est pleine… remplis l'autre joue ! Après deux gobelets de courage et un autre d'assurance, Francis vomissait sa servitude sur une douzaine de bons chrétiens.

— Que j'en voye pas un bâtard aller picosser les champs de l'angliche plusse que pour s'affranchir de ses impôts ! Un, on s'laissera pas manger la laine su'l dos. Pis deux, y aura pas un maudit colon qui va enrichir des criminels à notre Rivière-du-Gouffre ! Compris ?!

Armand Cyr se leva discrètement pour raisonner son bon ami.

— Voyons donc, Francis, t'as savoir que plusieurs icitte ont besoin des écus du seigneur.

— Vous ferez comme moé, vous boufferez votre joual !

— Voyons, Francis. Calme-toé.

— Y a personne qui voye plus loin que l'bacul icitte. Si vous besognez pour lui, y va s'enrichir. Pis y va s'élargir. Pis d'autres British vont débarquer. Pis dans trente ans, tes p'tits enfants, Armand, vont te parlurer juste en angliche.

D'autres esprits déjà colonisés approuvèrent, en commençant par Langevin.

— Francis a du raisonnement. *Mister* Henderson nous jase en français, mais on sache bien qu'on a d'affaire de jaser la parlure du seigneur pour ne pas l'offenser.

— Pis en plus, y s'présente pas à notre messe. On n'a pas de savoir pantoute de c'qui pense, pis de c'qui prie !

— Si t'as raison, Francis, Henderson s'enracinera pas ben des saisons avec nos seuls impôts. Ça l'air qu'y est pus ben, ben riche, le seigneur. Ça fait que, comme y a pas encore d'agrès, pis de joual, ses labours de c't'été sont quas'ment su'l diable.

Francis acquiesça et ajouta :

— Avec Rosaire Desjardins qui est pas icitte, Henderson a six habitants. À trois jours d'impôt chaque, ça fait juste...

Francis s'interrompit pour calculer sur ses doigts... et ceux du voisin, puis il lança, tout fier :

— Dix-sept journées de besogne. Y picossera pas loin avec ça. Si vous autres de la seigneurie de Beaupré êtes pas d'adon avec lui, y va ben vite sécher sur le trognon, le seigneur British.

— Ouais, pis s'il nous expulse ? Y pourrait ben... On est sur sa seigneurie à c't'heure !

— Je l'ai zyeuté jusque dans moelle. J'vous le dis, Henderson a pas de couilles. Pis de toute façon, y a ben besoin de chaque habitant et chaque poche de farine qu'on va lui laisser. Avez-vous vu ben des colons angliches courir pour s'établir par icitte vous autres ?

Constatant que les autres habitants de Beaupré acquiesçaient, Langevin se leva.

— Les habitants de Beaupré vireront pas leur capot de bord. Personne va apprendre la parlure anglish après tout c'qu'y nous ont faite. Mais on se fie sur vous autres pour nous rendre la pareille si un maudit Lord débarque de par chez nous un de ces quatre !

Devant les grands signes affirmatifs, Francis sourit en admirant sa haine qui embrasait ses disciples.

Soudain, Gertrude et Nahima, à bout de souffle, firent irruption dans l'auberge. Main dans la main, les fillettes localisèrent leur papa et s'en approchèrent avec précaution, sachant qu'il détestait être dérangé en pleine « discussion d'affaires » avec des messieurs. Prudente, Gertrude envoya plutôt sa sœur au front :

— Vas-y, Nahima, dis à Popâ.

Nahima, sans quitter le sol des yeux, murmura :

— Môman dit que vous veni...

Avant même qu'elle ne complète sa phrase, fort mal débutée en ces lieux macho, Francis l'interrompit :

— Ben va dire à ta mère de m'sacrer patience ! Popâ besogne !

— Oui, mais... Môman dit qu...

— Hey, les filles, quessé que Popâ a dit ?

Gertrude, à bout de patience, prit les choses en main. Elle s'avança et défigura son père du regard.

— Môman a dit : « HAAAAAAAA... PUTAIN ! Le bébé arrive... Allez chercher votre père ! »

— Quoi ? Mon gars arrive ? Ben là, les filles, fallait m'le dire avant !

Trop excité, le père se pencha devant les deux petites figures ahuries pour leur sourire à pleines dents. Il saisit un amour sous chaque bras et détala vers la maison du médecin. Durant le sprint, Gertrude, toute fière de son coup, s'adressa par saccades à sa sœur :

— Je... l'a l'a l'avais dit... que que les... gros gros mots... ça ma marche...

Le lundi matin, l'homme heureux était de retour au champ sud pour nourrir sa... quatrième fille ! Les images de la minuscule Antoinette, de la pureté et du bonheur de la veille s'évanouirent rapidement à respirer les gaz d'échappement de ses deux tracteurs.

Francis peinait à compléter ses labours du printemps malgré l'aide de Mahigan. Francis rageait après les guides alors que le Montagnais manœuvrait obstinément la charrue. Tout allait de travers. Dans l'indifférence la plus totale, Harry avait même abandonné le siège de gauche et sa position d'Alpha à... une fille ! Le palefrenier avait espéré qu'à défaut d'accepter l'autorité de l'homme, Harry accepterait au moins celle de sa race. Exacerbé par un autre échec, deux années de frustration et trois couches d'ampoules aux mains, le maître furieux se campa solidement face au cheval brisé. Il saisit son licou pour lui secouer violemment la tête. Francis hurlait sa colère et sa frustration dans les yeux éteints de l'animal. Mais aujourd'hui, les yeux de la bête s'allumèrent !

L'animal se cabra sur ses pattes avant et sectionna son bacul d'une puissante ruade explosive. Puis, dans le même geste instinctif qu'à ses sept mois, il se redressa sur ses pattes arrière trapues pour ventiler de ses sabots le visage de son... ancien maître. Surpris, Francis recula, sauvé que par la bonté innée de l'étalon. Les jets de révolte expulsés par les deux énormes narines et les oreilles révulsées en position de combat ne laissaient cependant planer aucun doute : la bête n'était plus un poids léger et l'homme ne gagnerait pas le quatrième round. Heureusement pour eux, le Montagnais se précipita juste à temps pour calmer les belligérants.

— Toi devoir accepter... Harry faire choix !

Le colon savait qu'il mettrait sa vie en danger en persévérant et celle de sa famille en abandonnant. Deux choix insensés ! Le moment cruel de la décision était venu. Le manger l'hiver prochain, l'échanger ou le vendre à perte.

Le manger ? Impossible ! Incapable ! Il avait encore l'arrière-goût de la Duchesse sur l'estomac. L'échanger ou le vendre ? À huit ans, il serait bientôt dans la force de l'âge, malheureusement les moqueries des habitants ne laissaient aucun doute sur la réputation du rejeton surdoué, mais sans cœur ! Dans ces conditions, même l'habile commerçant qu'il était ne pouvait espérer beaucoup plus que le prix de la viande pour son cheval défectueux. Bon d'accord, une seule cuisse d'Harry aurait pu nourrir la population de Baie-Saint-Paul pendant un mois et demi, mais se départir de l'animal exceptionnel qu'il aurait pu devenir pour la seule valeur de sa viande le rendait tout simplement fou de rage. La seule solution qui lui restait était de l'isoler et de le garder temporairement comme étalon de reproduction dans l'espoir de transmettre ses gènes, et non son satané abandon. Hélas, le cheval de trait contaminé devrait être séparé de ses propres rejetons, et surtout, ne jamais aller au combat avec eux !

Ainsi reclus dans l'enclos arrière, Harry et ses guéguerres incessantes quittèrent rapidement les pensées de son employeur. De toute façon, le chômeur sembla fort heureux de ne plus aller au champ ni de devoir obéir au maître infâme pour gagner son foin. Il sembla même apprécier ses vacances payées à brouter l'herbe labourée par d'autres.

Par chance, Francis avait pu acquérir à bon prix une jeune jument bien baraquée et prometteuse, Olga. Mais compte tenu de son jeune âge et des risques de perdre un poulain en hiver, il préféra attendre l'été suivant pour la faire monter par le chômeur.

De toute façon, avec Luna à gauche et Olga à droite, Francis avait enfin retrouvé le plaisir de diriger un attelage docile, bien qu'il dût se résoudre à diminuer considérablement leurs charges et leurs heures de travail.

Champs d'Henderson, juillet 1761

Sous la véranda, Elizabeth avait beau s'époumoner, son homme au loin ne voulait rien entendre. Une poche de graines à la hanche, l'apprenti fermier courait littéralement sous l'averse pour semer son blé.

— Michael ! J't'en prie, rentre !

Ses habits liquéfiés, son chapeau affalé, Henderson ignorait sa femme qui marchait vers lui. Elle retint doucement le bras de son courageux mari et lui dit de sa voix suppliante :

— Michael, mon amour. Arrête, s'il te plaît, rentre te sécher !

L'homme au visage pourpre dévisagea sa femme et lui cracha son désespoir et sa colère en ébullition.

— Arrêter ?! Comment veux-tu que j'arrête ? Il n'y a pas un maudit habitant qui peut... ou qui veut travailler pour nous. Ils sont apparemment tous trop occupés... Pis avec tous les imprévus et les retards, on n'a plus le temps ni l'argent pour faire venir des attelages et des hommes de plus loin.

La colère, la frustration et la désillusion eurent finalement raison du flegme génétique de l'Anglaise qui cracha le fond de ses pensées.

— T'aurais dû le savoir qu'ils ne voudraient pas travailler pour un Britannique – un militaire de surcroît – après toutes les horreurs que vous leur avez fait subir!

L'accusation libératrice de l'une n'emprisonna que davantage l'autre. L'âme d'Henderson, qui prenait déjà l'eau, rechercha désespérément le regret dans les yeux de sa femme. Aucune bouée ne vint. Le regard soutenu de l'Anglaise désillusionnée laissa plutôt couler le pécheur sans lui venir en aide. À bout de souffle, l'homme baissa la tête, libéra son coude, se retourna puis plongea la main dans la poche de blé pour se remettre au travail sous l'averse.

Quelques mètres plus loin, Henderson introduisit de nouveau la main dans les graines. Elle fut accueillie par la main trempée d'Elizabeth. Ses doigts exprimaient déjà ce que ses lèvres formulèrent inutilement:

— Je suis désolée, Michael.

L'homme s'immobilisa et leva la tête pour camoufler dans la pluie les évidences de sa noyade imminente. Il ouvrit la bouche béante pour goûter au pays qui le cuisinait depuis un an. Le naufragé ingurgita longuement la pluie pour se nourrir de la force de son ennemie. Puis, il regarda la femme et serra la main qui lui faisait l'amour.

L'Anglaise résiliente sortit une poignée de graines et avança pour la parsemer au sol. La chevelure dégoulinante et un léger sourire aux lèvres, elle se tourna la main vide tendue vers la poche de blé et l'homme extraordinaire qu'elle avait juré de suivre n'importe où.

Les semaines passèrent. Encouragé par le soleil et les prières, le blé naquit enfin de la terre. Chaque centimètre de croissance nourrissait le couple d'espoir, mais aussi d'appréhension face à la récolte annoncée. Bien sûr, Elizabeth avait raison : le seigneur aurait pu contraindre ses habitants à un impôt exceptionnel et, à défaut de paiement, en expulser un pour asseoir son autorité. Bien sûr, Elizabeth avait encore raison, le seigneur pouvait obtenir l'aide de son armée pour punir les mutins. Mais l'âme en rémission n'oubliera jamais les paroles de sœur Eugénie : « La guerre n'apporte que des questions. Vos réponses, vous ne les trouverez pas en conquérant la Nouvelle-France, mais peut-être en vous laissant conquérir par elle. »

Attablée pour souper, l'épouse inquiète demanda :

— Michael, crois-tu pouvoir trouver de l'aide pour la récolte ?

— Pour cette année ? Peut-être un ou deux amis du régiment. De toute façon, ça sera suffisant pour les trois malheureuses acres que l'on a pu semer. Pour l'an prochain, j'ai ma p'tite idée...

— Que veux-tu dire, chéri ?

— Bien... Tu sais que Père commerçait toutes sortes d'outils et de machines agricoles. Tu sais aussi qu'il nous imposait d'occuper un poste dans la haute gestion de l'entreprise. Tout travail manuel, même précédé d'une riche réflexion intellectuelle, était réservé aux employés et aux paysans, selon lui.

Chérie, je ne t'ai jamais avoué que je rêvais depuis toujours d'inventer de telles machines.

Les yeux du gamin, jusqu'alors éteint, scintillaient d'une vive passion ressuscitée. Surprise, Elizabeth lui demanda :

— Mon Michael, inventeur ! Et comment mon inventeur va-t-il remplacer quatre chevaux, huit hommes et six faux ?

— Avec deux chevaux, deux hommes et une faux énorme !

Galvanisé par le défi et l'espoir qu'il avait promis, Henderson embrassa sa belle et se rendit dans la grange pour l'embraser de la créativité légendaire du patenteux québécois. Il ouvrit les vieilles portes de bois aussi grisonnantes que lui et y recula son unique chariot de travail. Prenant soin de vérifier qu'aucun espion ne l'épiait, il referma les portes pour protéger son grand secret. Fusain à l'oreille et pied-de-roi à la bouche, il examina longuement le chariot sous tous ses angles. S'arrêtant à plusieurs reprises pour réfléchir, il le mesura méticuleusement. Puis, manipulant la faux, il étudia les rotations de son tronc et le déplacement de la lame dans le blé imaginaire.

Les idées jaillirent si rapidement que l'inventeur mourait d'envie de se jeter sur le chariot et de le désassembler sur le champ. Évidemment, avec les récoltes imminentes, il n'était pas question de risquer d'immobiliser son seul véhicule... Du moins, pas avant que les tâches d'automne soient terminées et que la boîte à bois ne déborde de sa réserve de chaleur.

Le lendemain soir dans la grange, dopé par une journée au champ à contenir son imagination, Henderson balaya de sa main tous les outils sur sa table de travail. Regardant les trois planches qui recelaient sa machine fabuleuse, il saisit une tige de fusain pour la libérer du bois et de sa tête. La fébrilité de trente-cinq années de génie refoulé traçait à toute vitesse les grandes lignes de sa « machine à faucher ». Lorsque les moyens de l'époque imposèrent leur impasse, l'inventeur en colère se leva d'un trait et projeta la table au sol. L'enragé tourna en rond, balayant de son imagination tout ce qu'il voyait. Puis, soudain, son regard croisa une roue déposée à plat sur l'établi. Il l'ausculta quelques secondes puis cria :

— *God damned!* Une roue couchée, plus petite, avec des dents...

Il se jeta sur la table graciée pour la remettre sur ses pattes et accoucher de son idée au plus vite comme s'il craignait qu'elle s'échappe de nouveau. Alertée par le vacarme, Elizabeth tenta d'ouvrir la porte verrouillée:

— Chéri est-ce que tout va bien ?

Henderson lui répondit sans s'arrêter de dessiner:

— Oh que oui *Sweetheart*! Oh que oui.

Après des heures en transe à griffonner pour construire et sabler pour démolir, l'inventeur enfin libéré déposa délicatement l'épave de son fusain. Tous ses muscles se détendirent, telle la mère délivrée de sa création.

L'adolescent redressa les épaules pour la première fois depuis trente-cinq ans et six heures. Inspirant une grande bouffée de fierté, l'homme au visage aussi noir que ses doigts contempla longuement sa fabuleuse machine à faucher.

— Tenez Père !

Vers 2 h 30 du matin, plein d'espoir, il souffla la dernière bougie et fila en paix vers la chaleur de sa belle Anglaise.

Enclos d'Harry, 8 août 1761

Le congé de maladie d'Harry se transforma au cours des semaines en véritable exil aliénant. Comme tout animal de troupeau, Harry devint de plus en plus perturbé par son isolement forcé. Pire encore, l'inutilité – ce véritable assassin – achevait silencieusement la bête de somme qui agonisait en lui.

L'animal échoué n'était maintenant plus que l'ombre du travailleur fier et admiré qu'il fut jadis. La tête basse, il restait des heures durant reclus dans le coin éloigné de l'enclos. Sa robe terne, sale et négligée reflétait évidemment l'intérêt porté aux ouvriers non rentables. Son appétit affligé par le rationnement et la déchéance, l'animal pénitent perdit une bonne soixantaine de livres... sur la centaine qu'il avait de trop!...

L'âme errante n'échappa pas à la petite Nahima maintenant âgée de cinq années éprouvantes. Pendant près d'une heure, la figure encastrée entre deux perches de la clôture de cèdre, la petite s'adressa à l'exclu au loin. Dans la langue de ses ancêtres, son monologue ignoré devenait une imploration antisuicide. Lorsqu'elle se tut, les yeux de l'Amérindienne suintaient sa peine et son impuissance.

Peut-être était-ce le silence ou encore la prière qui pénétrait enfin l'énorme carcasse, mais l'animal tourna la tête en sa direction pour rechercher son regard. Dans un moment divin de création, quatre yeux noirs et sans lumière se baignèrent dans les larmes de l'ange qui accepta courageusement la très longue croisade qui l'attendait.

Le lendemain matin, aussitôt le petit déjeuner englouti, Nahima demanda :

— Môman d'accord, moi aller voir Harry ?

— D'accord Nahima, mais t'avise pas d'entrer dans l'enclos. Harry n'est pas bien. Veux-tu que Gertrude s'amène avec toi ?

Gertrude répondit pour sa sœur :

— Non, j'aime pas Harry grognon. J'veux jouer à vaisselle.

Coiffée de ses deux tresses traditionnelles, Nahima courut au chevet d'Harry avec un délicieux bouquet de luzernes mauves et odorantes fraîchement cueillies. Véritable aïeul de la vallée, le vieil érable tricentenaire qui protégeait l'enclos offrit aussitôt son ombrage éphémère à la messagère de leur créateur. Témoin du don gaspillé par le cheval, l'aïeul de bois espérait ce sauvetage de toutes les fibres de son cœur.

En dépit des appels en montagnais de l'ange, l'animal demeura immobile et pénitent dans le coin opposé de sa cellule. Déterminée à aimer, la sauvageonne s'assit à l'indienne dans le long foin verdoyant qui bordait l'enclos, tenant son bouquet solidement entre ses doigts minuscules. Pendant plus de deux heures, elle respecta la réserve du cheval, qui ne lui rendit que quelques regards curieux. À l'appel du midi de sa mère, Nahima lança un dernier regard à Harry, puis accrocha son offrande sur la clôture de perche avant de s'en aller.

18 août 1761, 8 h

Malgré la pluie, Nahima apporta un nouveau bouquet de luzernes à Harry. Comme chaque journée précédente, déçue, elle constata que l'animal, toujours immobile au fond de l'enclos, n'avait pas touché à son offrande de la veille.

Qu'à cela ne tienne ! Assise dans la verdure grandissante, elle était résignée à respecter le rythme de l'étalon. Attendri, le vieil érable faisait de son mieux pour garder la petite au sec. Du haut des airs, l'intérêt grandissant d'Harry pour la fillette n'avait pas échappé à l'aïeul observateur. À l'appel de sa mère, Nahima, complètement détrempée, lança un dernier regard furtif à la bête. Avant de partir, elle accrocha son offrande avec les autres bouquets séchés.

3 septembre 1761, 8 h

Comme chaque matin depuis un mois, Nahima cueillit un bouquet de luzernes pour Harry. À quelques mètres de l'enclos, elle s'immobilisa, les yeux figés sur le poteau de cèdre.

Son sourire précieux confirma la disparition tant attendue de ses offrandes antérieures.

Pleine d'espoir, elle s'approcha en courant et lui tendit son bouquet du matin tout en l'interpellant en montagnais. Après plusieurs tentatives infructueuses, l'ange déchu s'assit au sol, son bouquet répudié entre les mains. À l'appel du midi, elle lança un dernier regard au cheval sans guide, puis, un peu triste, accrocha sa luzerne sur la clôture.

14 septembre 1761, 8 h

Nahima offrit un nouveau bouquet à Harry. Mais aujourd'hui, après un mois et demi à le soudoyer, la bête s'avança avec grande hésitation en longeant la clôture.

Mètre par mètre, millimètre par millimètre la bête couverte de sueur livrait bataille à sa servitude pour accepter la communion des mains tremblantes d'un humain. Les émotions à fleur d'écorce, l'aïeul l'encouragea en applaudissant de toutes ses feuilles d'automne. Aussitôt l'hostie saisie, le cheval recula, refusant le contact de la main tendue. À l'appel de sa mère, l'enfant fila avec un sourire naissant aux lèvres.

2 octobre 1761, 8 h

Harry avait indéniablement développé une petite faiblesse pour la luzerne, qui s'ajouta à ses autres penchants gastronomiques et « astronomiques » d'antan pour le foin, le blé, le soya, le mil, le gazon, les pissenlits, les pommes... en fait tout ce qui pousse... ou tombe par terre!

La discourtoisie avec laquelle le monstre sautait sur la luzerne franchement livrée rassura l'Amérindienne, qui reconnut la gourmandise renaissante. Une fois le pot-de-vin consommé, l'animal resta à proximité, mais hors de portée des ailes du petit ange.

---

17 octobre 1761, 8 h

Cependant les progrès de la semaine encouragèrent Nahima qui se hâtait plus que d'habitude vers l'enclos. Ses parents, qui la surveillaient à distance, respectèrent la promesse faite à Mahigan de la laisser fleurir en Montagnaise. Ils n'en admirèrent pas moins la bonté sincère et l'extraordinaire persévérance du petit être unique. Harry s'approcha, mais en ce matin divin, il ignora la luzerne tendue...

Le puissant tracteur, capable de déraciner un chêne, pencha la tête pour renifler délicatement la tignasse noire plus menue que son propre museau. Dans une telle proximité, la différence de gabarit entre ses deux êtres surdoués était tout simplement phénoménale. En fait, la fillette aurait pu gambader sous le ventre du monstre sans même s'incliner!

La force de la bête dominait la fragilité de l'ange, alors que la force de l'ange révélait la fragilité de la bête.

Sous les yeux embués de Marie-Catherine et de Francis qui l'épiaient, la petite chose leva de nouveau son bouquet mauve au-dessus de sa tête pour l'offrir à son nouvel ami, qui le mastiqua longuement pendant que l'autre petite main se perdait sur la gigantesque joue ruminante. Les deux orphelins biologiques brisèrent enfin leur emmurement respectif. Lorsque sa mère l'appela, tout sourire, elle caressa la joue une dernière fois et fila d'un pas enthousiaste.

1er novembre 1761, 8 h

Le déjeuner expédié, Nahima courut à l'enclos d'Harry qui l'attendait la tête étirée en sa direction. Aussitôt à sa portée, le cheval offrit son énorme nez moelleux aux caresses divines des petits doigts parfumés à la luzerne.

Les yeux entrouverts, Harry en oublia même son bouquet. Ses esprits retrouvés, il expédia la friandise sous sa molaire, question de ne pas froisser son invitée, bien entendu ! Après quelques caresses, il se retourna et s'immobilisa le long de la clôture pour grignoter les dernières graminées d'automne à ses pieds. Inspirée, Nahima escalada la première perche pour atteindre le flanc du cheval qu'elle put toucher pendant quelques minutes avant qu'il ne se déplace pour de bon.

13 novembre 1761, 8 h

En lui faisant promettre de ne pas traverser la clôture, Francis remit à Nahima la brosse ébouriffée du vieux Doc. L'instrument parut gigantesque dans la petite main. Pendant qu'elle se dirigeait vers l'enclos, Francis enveloppa la taille de Marie-Catherine et lui dit :

— Chérie, notre p'tite squaw est vraiment pas commune.

Comblée d'une fierté pourtant redevable à une autre mère, la maman lui répondit :

— Je sais... Je sais !

Francis savait qu'il avait échoué avec Harry et qu'il devait son dernier espoir à ce petit ange.

— Harry est dur de comprenure, mais la p'tite est en train d'y faire changer son capot de bord ! Antéka, y s'emmieute pour à c't'heure, pis moé, chus peut-être mieux d'y sacrer patience !

Admirant cet homme, Marie-Catherine appuya la tête sur son épaule.

— Vous vous emmieutez tous les trois, mon amour.

Sans que les parents ne puissent en comprendre les fondements, sa routine quotidienne avec Harry avait donné de l'assurance à Nahima. Mystérieusement, les deux êtres se soignaient l'un l'autre.

Juste avant qu'elle n'arrive à l'enclos, Harry accueillit Nahima avec le léger grognement de l'affamé. La fillette découvrit alors avec ravissement le mignon petit escabeau à deux marches fabriqué par super Papa. Sachant très bien qu'Harry était tout simplement trop gros pour sauter, super Papa avait aussi retiré la perche supérieure d'une des sections de la clôture. Nahima s'empressa d'escalader le banc pour saisir le museau géant de ses menottes et embrasser le gros nez moelleux qui l'attendait.

La petite futée accrocha au poteau de côté son bouquet de luzernes sèches et brunâtres, fraîchement triées de la réserve hivernale de foin. Ainsi, l'animal affamé lui présenta tout naturellement son flanc. Tenant la brosse à deux mains, elle le brossa avec délicatesse pour étriller la fourrure en mutation. Plus boue que brun, plus emprisonnée que libre, la robe tout entière de l'animal reflétait plus que jamais son inutilité. Bougeant constamment pour suivre les déplacements du cheval, Nahima travailla sans relâche. À l'appel de sa mère, elle monta le banc magique pour embrasser une dernière fois Harry et le quitta un beau sourire aux lèvres.

2 décembre 1761, 8 h

Au signal des assiettes du petit déjeuner qui tombait dans la bassine à vaisselle, Harry collait maintenant son large poitrail sur la clôture et attendait sa petite poupoune, ses caresses et sa collation. Ses nasaux expiraient leur fumée hivernale pendant que Nahima accourait vers lui, vêtue de son beau chandail de laine et d'amour maternel.

Aussitôt la luzerne attachée à la clôture, la Montagnaise se remit au travail sur le flanc gauche. Ses doigts s'esquintaient à retirer la boue et dénouer la longue crinière noire. Témoin de cette communion divine, l'aïeul frémissait à en perdre ses dernières feuilles brunâtres. Inlassablement, la coiffeuse devait descendre, replacer son client et remonter pour atteindre quelques centimètres supplémentaires à décrasser. Descendre, déplacer le banc, remonter, descendre, déplacer le banc, remonter, descendre, remonter, descendre... Au gré des pas du client indiscipliné, le petit manège continua sans relâche.

5 janvier 1762, 8 h

Le soleil de janvier avait beau rester au lit quelques heures de plus, Harry n'était jamais en retard... ni Nahima d'ailleurs. Malgré l'hiver cloîtrant qui arborait fièrement son premier mètre de neige canadienne, les deux tignasses noires continuaient de s'apprivoiser, beau temps, mauvais temps.

Harry savait maintenant qu'il devait approcher son flanc de la clôture et y rester pour profiter des délices de leur routine. Il comprit aussi qu'il devait s'immobiliser pendant que les petits doigts gelés se réchauffaient sous son épaisse crinière. Le ballet incessant de Nahima sur le banc de neige compacté n'était interrompu que par la petite poussée pour qu'Harry change de flanc.

1er mai 1762, 8 h

Mademoiselle France avait confié son épais manteau blanc au fleuve Saint-Laurent pour qu'il le remise dans l'Atlantique pour l'été. Après un hiver à dormir et un printemps à pisser dans sa chaudière, l'aïeul espérait sa 301e poussée de boutons.

La luzerne fraîche et goûteuse était de nouveau au menu et l'utérus de Marie-Catherine s'était aisément négocié un nouveau locataire depuis huit mois. En fait, la juriste coquine avait même lancé le nouveau projet vêtu de sa belle toge... bleue ! Peut-être pour conjurer le sort ? Peut-être pour rembourser une dette ? Peu importe, la nouvelle entente hors cour était claire. Ça prenait un fils !

Profitant de cette magnifique journée, Francis confia à Nahima un précieux savon de potasse et un petit seau de bois rempli d'eau tiède. Résistant à la tentation de le transporter pour elle, il la regarda s'éloigner clopin-clopant avec « l'énorme » seau entre les jambes. Résultat : un seau à moitié vide, une sauvage à moitié trempée, mais totalement fière ! Après trois mois d'hiver sans nouvelle particulière d'Harry, les parents étaient curieux d'espionner leur petite abeille et d'évaluer les progrès espérés du cheval. Ils la suivirent donc discrètement.

Le père espiègle – qui s'était soigneusement incliné vers l'avant – plaça une main en éclaireur sur son front tout en avançant à pas feutrés.

À sa suite, la mère piégée – qui était dangereusement inclinée vers l'arrière – plaça une main en appui sur son rein tout en se dandinant à pas de canard !

Francis aida sa belle cane à s'asseoir sur l'arrière du chariot en retrait pour assister à la grande première printanière. Au prix d'un autre demi-litre d'eau sacrifié, Nahima accrocha son seau à la clôture puis se jucha sur son banc installé au centre de l'ouverture. Pleine d'assurance, elle attendait en silence la star qui s'approcha et immobilisa sa truffe directement sur la minuscule trompette, qui disparut. Dans un ralenti divin, les plumes paternelles de l'enfant aux yeux clos dansaient avec le souffle de l'énorme bête. Après quatre, peut-être cinq envolées, Harry se tourna de côté, s'approcha et s'immobilisa, l'oreille gauche face à son âme sœur. La petite trempa sa brosse dans le seau et commença le toilettage.

Aussitôt la tête terminée, Harry s'avança d'un pas et s'immobilisa le temps du brossage. Puis, un autre pas, une autre pause. Puis, un autre et un dernier. Rendue à la queue, la ballerine de trois quarts de tonne pivota de quatre-vingt-dix degrés en appui sur ses pattes arrière pour lui présenter sa queue-de-cheval. Une fois la queue restaurée, le jeune premier performa une deuxième pirouette de quatre-vingt-dix degrés, puis recula d'un pas pour présenter... sa fesse droite!

N'eût été la chair de poule qui courait le long de leur épiderme, les parents incrédules n'en auraient pas cru leurs yeux. La mâchoire pendante, le spectacle grandiose arracha un espoir au chrétien désabusé :

— Chérie, je crois que le Bon Dieu existe vraiment!

Le cheval recula d'un autre pas et fit une autre pause, puis un autre pas et une autre pause. Vint la crinière, et finalement l'oreille droite. Dans ce ballet d'affection mutuelle chorégraphié depuis des mois, Harry prit appui sur ses pattes avant et déplaça son gros derrière vers la gauche de façon à faire face au petit nez qu'il effleura du sien à l'arrêt. L'eau et les petites mains rugueuses avaient si bien restauré la robe qu'elle brillait divinement sous le soleil de mai. Comblé, le colosse pencha la tête et s'approcha pour recevoir et donner sa récompense. L'ange déploya ses ailes pour accueillir le front de l'animal, qu'elle enveloppa de ses bras trop courts. Le cœur chaviré et la mémoire coupable, Francis marmonna péniblement sa confession :

— Mais... comment j'ai faite pour ruiner une si belle créature?

Nahima libéra le museau et saisit le bouquet de luzernes – pourtant déjà à la portée du cheval – et le lui tendit. Prenant soin de ne pas l'arracher d'un trait des mains fragilisées, Harry resta sur place pour savourer son petit déjeuner avec la messagère de son créateur.

Lorsque le couple, bouleversé, s'approcha, pourtant avec précautions, Harry recula. Francis, qui crut avoir surpris l'animal, s'avança, les paumes face au cheval. Ses mots trahissaient cependant ses craintes.

— Voyons, Harry, calme-toé... S'il te plaît... Hooo...

Les oreilles couchées dans le crin pour se préparer à attaquer, la bête furieuse se braqua sur ses pattes arrière et provoqua Francis pour la troisième fois. La bête n'était pas surprise ni furieuse, elle était protectrice! Elle protégeait son âme sœur contre le mal, contre la mort. Contre l'homme... contre Francis!

Stupéfaits, les parents comprirent trop tard que non seulement Harry ne reprendrait jamais le collier, mais qu'il réédifierait l'emmurement de la petite, le moment de la douloureuse séparation venu.

Le vieil érable comprit que son ombre serait bientôt inutile. Ses espoirs déchiquetés, son cœur en copeaux, l'ancêtre avait mal à l'aïeul...

Début mai 1762

Henderson passa ses longues soirées d'hiver à fabriquer toutes les pièces de bois et la ferraille à la portée de son outillage de fortune.

Avec sa petite roue horizontale et sa roue arrière-gauche dentelée, ses deux longues poutres de bois qui excédaient sur la gauche, son chariot avait déjà l'allure d'un « chariot-à-quelque-chose ». Malheureusement pour son secret et son orgueil, plusieurs pièces et raccords cruciaux devaient être fabriqués en métal et, à défaut de posséder un feu de forge et l'outillage nécessaire, l'inventeur dut se résoudre à livrer son secret au forgeron de Baie-Saint-Paul. Il embarqua la lame de faux gigantesque et toutes les pièces, attela sa vieille picouille et prit son courage à deux mains. Aussitôt entré dans le village, le chariot attira évidemment l'attention et... la risée des passants avant même que l'attirail y soit installé.

En ingénieux complices, le forgeron et Henderson rivalisèrent d'imagination pour résoudre les derniers petits détails d'assemblage, dont l'ajout d'un système de débrayage de la faux pour en faciliter le transport sécuritaire. Cinq jours plus tard, la curiosité avait gagné la moitié du village, qui s'était réuni pour l'ouverture annoncée des portes. Lorsque la machine à faucher sortit de la forge, les rires moqueurs devinrent muets et les mâchoires... pendantes. La foule s'ouvrit pour laisser passer l'incroyable machine agricole. Avec ses deux énormes poutres qui excédaient de deux mètres sur la gauche, son pivot vertical à leur extrémité et sa lame de faux géante, la machine agricole semblait fabuleuse.

Deux longues cames et une petite roue de bois dentelées transformaient la rotation de la roue arrière gauche du chariot en un mouvement oscillatoire, interrompu que par le mécanisme de débrayage. Tout au long de son passage sur la rue principale, la machine fit sortir l'autre moitié des villageois. Les fermiers, au dos et aux mains ravagés par leur faux, admiraient l'invention fort prometteuse, pendant que son auteur priait pour qu'elle fonctionne.

De retour à la seigneurie, l'inventeur anxieux se rendit directement dans son champ pour valider un don plus que pour tester une invention. Après avoir déployé et embrayé l'énorme faux, il ferma les yeux, pria, et commanda à sa picouille d'avancer dans le foin naissant. Dans une symphonie de craquements et de vibrations inconnues de Mademoiselle France, la roue dentelée agrippa la terre, alors que la petite roue lança la faux dans un mouvement oscillatoire spectaculaire. Plus il accélérait, et plus la faux surpassait la capacité d'un homme, puis de deux, et même sûrement de trois hommes juste avant que sa picouille s'essouffle. Certes, la lame roulait presque à vide et deux chevaux-vapeur seraient nécessaires... mais ça marchait! L'inventeur sautait et criait, comblé d'une joie et d'une fierté réprimée depuis beaucoup trop longtemps. Au loin, Elizabeth, qui s'approchait, assista à la naissance.

— Félicitations, Monsieur l'Inventeur!

Henderson courut chercher sa belle associée, lui saisit la main et l'entraîna vers la fabuleuse machine. Après avoir relancé la picouille pour une représentation privée d'une dizaine de mètres, il la stoppa à la grande satisfaction de la jument. Puis, il sauta au sol et présenta personnellement toutes les pièces et les mécanismes à Elizabeth. La femme attentive n'avait pourtant aucun intérêt pour cette mécanique sans épices ni tissu.

Malgré les bras et les lèvres de l'inventeur, qui s'agitaient frénétiquement, le son de ses mots s'estompait dans l'esprit de la femme amoureuse à mesure qu'elle se délectait du visage rayonnant de son homme. Feignant occasionnellement l'intérêt par un « Ah oui ! » admiratif, Elizabeth buvait tout simplement le bonheur de son beau Michael.

Elle sortit de son hypnose lorsqu'elle entendit le mot « acheter ». Elizabeth perdit son sourire.

— Acheter quoi ?

— Un deuxième cheval. C'est trop dur pour une seule bête.

— Même pour une autre picouille, nos derniers écus vont y passer !

— Je sais Elizabeth ! Il va valoir vendre la calèche aussi. Mais ça... c'est pas une machine-à-faucher, c'est une « machine-à-sauver-une-seigneurie ! »

Fin mai 1762

Les épaules tombantes et la tête oscillante, Francis se traîna à la table pour souper. Profitant du fait que les grandes filles jouaient à l'extérieur, le colon vidangea sa frustration.

— Marie, j'sais pu quoi faire ! Harry veut même pas monter Olga, calvâsse ! J'ai mon voyage de lui. J'le traîne à l'encan demain.

— T'es mieux d'être certain. La petite va être anéantie.

— Oué, mais Marie, Harry c'pas un gros toutou de compagnie, même débiné, y bouffe comme deux jouals... pis y chie comme trois ! C't'assez ! Y sacre son camp. À la revoyure !

Aussitôt le rituel matinal de Nahima et Harry terminé, Marie-Catherine organisa une cueillette d'ail des bois pour éloigner les filles pendant quelques heures. Sachant que Harry n'avait plus d'ange à protéger, Francis pénétra dans l'enclos. Sans être agressif, Harry coopéra peu lorsqu'il lui passa son licou. L'énorme bête redressa la tête, si bien que Francis dut se mettre sur la pointe des pieds pour placer la ganse derrière les oreilles. La scène mit cruellement en valeur le gabarit exceptionnel de la bête qu'il s'apprêtait à abandonner. Sa robe brillait au soleil, à l'image de son épaisse queue noire qui touchait littéralement ses jambières assorties.

Francis saisit délicatement le licou.

— J'te demande le pardon, Garçon. J'sais que dans le fond, t'es un sapré bon joual. Tu m'as fourni ma chance, pis j'l'ai foirée. C't à moé de te fournir la tienne. Tu vas avouère un nouveau maître.

On aurait pu croire que le cheval était prêt à partir lorsqu'il tourna la tête de côté pour se libérer et se diriger vers la porte pourtant fermée de l'enclos.

À l'encan, tous affichèrent une tête d'enterrement en voyant Francis inscrire le fils répudié de Doc. Le village et même les seigneuries environnantes colportaient encore les exploits du père surdoué. L'histoire du perron de la chapelle faisait toujours rire. Mais aujourd'hui, personne ne riait. Tous connaissaient la mésaventure du fils déchu et son terrible abandon. Son ami Jorys Boleduc s'approcha et dit :

— T'es ben sûr de c'que tu fais, Francis ? Tu veux pas le commercer pour la viande, toujours ?

— J'espère que non, bout de crisse !

— T'as savoir que tu peux pas r'fuser les écus, une fois l'animal adjugé. Pis le boucher du village qui charche d'la viande en plus de ça.

— J'ai plus les avoirs pour le garder, Jorys.

Ses yeux transpiraient sa prière, sa peine et... sa honte.

Les enchères allaient bon train. Des chevaux au gabarit bien inférieur à celui d'Harry avaient été vendus deux cent quatre-vingts écus, et une « picouille » avait été achetée par le boucher pour trente-deux écus. Peut-être que le hachoir avait assez de viande maintenant et que Harry aurait sa chance ? La réponse ne tardera pas à venir alors que l'encanteur annonçait :

— Un beau joual de neuf ans et presque sept cent kilos, dans la force de l'âge. Un héritier d'une légende de chez nous. Alors, qui commence ?

À droite, j'ai... trente écus. S'il vous plait, messieurs, un effort...

À ma gauche... quarante écus. Voyons, zyeutez le gabarit de cette bête. Allons ! Qui dit mieux ?

Le boucher cria haut et fort :

— Cinquante-cinq écus !

— Merci, Monsieur Gagnon. Mais quand je dis *gabarit*, j'parlas pas d'portion ! Messieurs ! On est toute dans le savoir que ce joual a filé un mauvais coton, mais y pourrait ben changer son capot de bord avec un nouveau ménage. Y'est l'héritier de Doc... le perron de la chapelle s'en rappelle encore, lui... Y a valeur de quatre cents écus...

— Soixante écus!

Dans la foule, l'offre du nouveau seigneur Henderson avait surpris tout le monde. Harry n'était certes pas le cheval d'un seigneur, mais Henderson, qui s'était fait conter sa légende, avait bien examiné le fils célèbre. Le fermier en lui apprécia la carrure d'un tracteur exceptionnel. L'officier de carrière reconnut le regard abandonné du dernier survivant. Le fils décevant qu'il avait été lui-même comprenait l'épuisante responsabilité d'être le fils d'un père adulé. De toute façon... son budget étant serré, c'était le meilleur «joual» qu'il pouvait lui offrir.

— *Thank you, Mister Henderson*. Alors, qui dit mieux? Soixante, une fois... Soixante, deux fois... Soixante, trois fois... Adjugé au seigneur Henderson pour soixante écus!

La foule ne comprenait tout simplement pas l'affront du seigneur. Manger Harry... le cheval de son habitant! Après le Père Gaulthier, un deuxième frère d'armes de Francis allait se faire décapiter par un Anglais?

Francis ne quitta pas des yeux son frère abandonné qui libérait la piste, le regard toujours au sol. Les images de cette grande douceur de la nature cajolant Nahima le torturait depuis la sublime représentation. Il ramassa ses écus et fila à l'auberge.

Son quatrième verre d'oubli était à peine entamé lorsque Henderson se pointa dans l'embrasure de la porte, cherchant Gaulthier du regard pour lui fournir une explication. L'apercevant, Gaulthier se leva si vite que sa chaise se renversa dans un fracas qui lui valut toute l'attention. S'avançant vers le seigneur, le colon en deuil lui balança sa haine en plein visage, pour la deuxième fois.

— Maudit Angliche ! C'pas assez de tuer nos pères, d'brûler nos avoirs pis d'souiller nos créatures, y faut que vous mangiez nos jouals en plus de ça !

Avant que Henderson ne puisse répondre de ses projets pour Harry, Gaulthier le repoussa si violemment, qu'il en déboula les deux marches pour s'échoir dans la rue poussiéreuse. Les acclamations des autres soûlons et la chute du seigneur anglais attirèrent l'attention des militaires britanniques qui patrouillaient. Les soldats aidèrent leur compatriote à se relever et pénétrèrent dans l'auberge pour appréhender l'assaillant. En descendant les marches de l'auberge, flanqué des deux gardes armés, Gaulthier prit conscience – trop tard – des conséquences de son geste. La loi du conquérant pouvait maintenant le faire emprisonner pour l'agression d'un des leurs... un seigneur de surcroît. Lorsqu'il croisa Henderson, le caporal lui demanda s'il s'agissait bien de son agresseur. Henderson fixa longuement Gaulthier droit dans les yeux, puis se tourna vers le capitaine et lui dit :

— Oui, Caporal, c'est lui...

Après une profonde inspiration, il baissa les yeux et compléta sa phrase :

— ...oui, mais... c'est nous qui avons commencé... S'il vous plaît, Caporal, relâchez-le.

Puis, le seigneur prit congé en conquérant honteux.

Les yeux au sol, Gaulthier, Henderson et Harry quittèrent la place traînant la haine, la honte et l'abandon. Incapables de se délivrer seuls de leur servitude asphyxiante, les trois mâles avaient désespérément besoin d'un coup de pouce de Mademoiselle France pour leur forcer la main...

La petite futée ne se fit pas prier longtemps...

TROISIÈME

PARTIE

LA NATION

Septembre 1762

Sentier forestier à six kilomètres de Baie-Saint-Paul

Dans un silence et un ralenti surréalistes...

Les deux hommes au tapis, le silence reconquis, les bras de la mère n'arrivent plus à retenir les ailes de l'ange qui se déploie.

L'esprit quitte doucement la peau perlée du petit chevreuil transpercé qui se prépare à mourir pour la seconde fois. À chaque battement d'ailes qui la rapproche de ses ancêtres, l'image de son corps et de sa mère rétrécit.

Voilà que Nahima aperçoit le chariot tout entier, puis les deux hommes sur le dos, immobiles. Luna sur le flanc l'inquiète aussi, mais elle sait au moins que ses amis n'auront plus à souffrir pour elle.

La cime des érables dépassée, l'ange troublé aperçoit à l'arrière du chariot les traces d'amour et de sacrifice qui s'étirent sans fin dans le sentier de boue. Plus elle monte, et plus le long sentier à l'avant du chariot lui expose l'ampleur des efforts à venir, qu'elle ne mérite pas.

Juste avant de franchir les nuages, la vue de Baie-Saint-Paul et du majestueux fleuve Saint-Laurent guide ses ailes vers les plaines d'Abraham et Anadabi, son premier Papa!

VI. LES CHOIX

24 juin 1762

La mère increvable s'était enfin résignée à confier son zoo à Mahigan et ses eaux à la Sage-femme. Depuis trois heures, les ordres de l'accoucheuse raisonnaient à travers les murs de la chambre, terrorisant le grand gaillard assis à la cuisine.

— Poussez, Madame. Poussez !

À chaque mise bas, pendant que Marie-Catherine se réincarnait en véritable tigresse infatigable, le père se transformait en Roméo prêt à mourir pour retrouver sa Juliette en vie !

Lorsque les cris de la douleur s'étouffèrent dans un long silence morbide et que celui de la vie retentit enfin, Francis courut à la porte interdite. Appuyant ses mains sur le haut, il implora sa femme.

— Marie, jase-moé !

Mais seul le nouveau-né lui répondit.

— Marie, jase-moé, s'te plaît ! MARIIIIIIE !

Poussant de toutes ses forces dans la porte verrouillée, l'amoureux aveuglé recula et la fit voler d'un violent coup de pied. Surgissant dans la pièce, il s'immobilisa foudroyé par la mare de sang qui recouvrait le lit et la robe de la sage-femme. Tout son être ne voyait que le boucher qui le dévisageait et exhibait entre ses mains les lambeaux d'entrailles de sa femme. Au prix d'un courage qu'il n'avait plus, son regard implorant se posa sur les yeux exorbités et la bouche entrouverte de sa femme restée silencieuse...

Chaque pas qui l'approchait du visage inerte promettait une nouvelle dîme au Dieu négligé. Les genoux au sol, les mains jointes, le père paniqué suivit le regard de sa femme pour trouver une minuscule petite chose rose et blanc camouflée dans la couverture déposée à la naissance du ventre dégonflé. En y regardant de nouveau, il réalisa que les yeux de la mère ébahie fixaient plutôt un minuscule petit bout de chair qui pendouillait entre les cuisses de... son fils !

Lentement, la tête des nouveaux parents se tourna l'une vers l'autre comme pour en obtenir la confirmation. Les deux plus beaux sourires de Nouvelle-France illuminèrent leur visage avant de fusionner dans le baiser des baisers.

— Merci, mon amour ! Merci ! Merci ! Merci ! Je t'aime !

Marie, qui pleurait de joie et d'épuisement, souleva délicatement son fils exténué et le tourna vers le père. Après une pause solennelle, elle lui dit :

— Chéri, je te présente *Albert*.

Le père prit son fils maladroitement dans le creux de son avant-bras pour l'admirer. Sa tête fut assaillie par trente-trois années de souvenirs extraordinaires façonnés par son superhéros... mais aussi par le moment atroce où il cessa de s'appeler «Fils». Cette petite graine de Popâ le plongea dans toutes les fibres de son corps pour y cueillir la première bénédiction paternelle qui ruissela de sa joue pour trouver d'instinct la petite main fripée de l'héritier. Après une douloureuse, mais magnifique minute de recueillement, le père glissa son index sur le minuscule petit nez et sourit de toute sa sérénité.

— Bonjour... Fils.

Il l'embrassa et le remit à sa mère... pour les cinq prochaines années...

Consciente des pensées de son homme, Marie-Catherine ajouta :

— J'aurais tant aimé, moi aussi, qu'il connaisse ton père.

L'homme hocha la tête sans se risquer à quitter Fils des yeux.

— Y va le connaître... J'vas aller m'planter la tête dans neige... pis c'est Fils qui va me sauver.

— Avant, tu pourrais peut-être lui montrer à rafistoler une porte de chambre...

Roméo dévisagea Juliette et lui dit :

— C't'idée d'la barrer !

— Elle n'était pas barrée.

— J'ai poussé comme un joual, baptême !

— Chéri... T'avais juste à tirer... elle s'ouvre vers la cuisine !

— ...'stie !

La sage-femme, qui avait fini de retirer le placenta et d'éponger les minuscules taches de sang sur le lit et son tablier, regarda le Roméo penaud, puis leva les yeux au ciel et inspira profondément par le nez...

Juillet 1762

Les rudes nécessités de la vie en Nouvelle-France finirent par imposer leur agenda. Les mois passaient et les Anglais n'étaient toujours pas les bienvenus en Nouvelle-France, mais tolérés, sinon craints. Le froid et la faim étaient redevenus les seuls vrais maîtres des Canadiens français.

Calmé, Francis avait compris, entretemps, qu'Harry avait été acheté pour tirer la machine à faucher et non pour être digéré. Malgré tout, à l'instar des autres habitants, Francis ne labourait les champs d'Henderson que pour acquitter son impôt. Tous évitaient les contacts superflus avec les deux seigneurs.

Contraint sous la torture de son harem, Gaulthier s'était résigné à quémander au seigneur la permission de visiter Harry. Henderson avait perdu l'espoir d'être « conquis » par les Canadiens français, mais il accepta tout de même, sans grand enthousiasme. Aussitôt arrivée, Gertrude agrippa Nahima et l'entraina en courant vers Harry. Pendu à la clôture, Gertrude incita sa sœur :

— Vas-y Nahima, appelle-le !

Les yeux de la petite quittèrent le vide :

— Harry ?

La grande crinière noire s'éleva au premier son, les oreilles complètement affolées. Tous ses sens cherchaient frénétiquement l'âme sœur. Aussitôt à sa portée, dans un geste chorégraphié d'une profonde affection, la bête porta son gros nez poilu sur la truffe amérindienne. Témoin bouleversé de la scène, Henderson ne put les quitter des yeux. Comme si leur ballet n'avait jamais cessé, la petite déposa son bouquet de luzernes sur la clôture et grimpa sur la première perche de cèdre pendant que son partenaire se tourna de côté pour recevoir ses caresses vitales. Au moment parfait, il avança d'un pas, pivota pour présenter sa queue, puis l'autre côté, et il recula, toujours en parfaite synchronie avec l'ange. Pour la grande finale, il pencha la tête et s'enveloppa des ailes rédemptrices. La chorégraphie terminée, la bête apaisée dégusta le bouquet de la star.

Sous le charme, Henderson tenta d'approcher les fillettes. Mais la peur des Anglais – parfaitement enseignée par leur père – fit réagir Gertrude, qui empoigna sa sœur par le bras pour décamper à toutes jambes devant l'homme meurtri.

La scène se répéta chaque jour d'impôt et de farinage estival de Gaulthier : les fillettes se poussaient à l'approche de l'un ou l'autre des seigneurs. Le rejet récurrent des enfants – davantage que celui des adultes – réussit son œuvre malicieuse sur les conquérants. Ils développèrent à leur tour un mépris pernicieux pour leurs habitants et la Nouvelle-France. Ils étaient piégés par leur dette d'acquisition et leur déficit d'opération, et même la main-d'œuvre de Québec leur était rendue inaccessible. Seules la productivité promise de la machine à faucher et l'implantation rapide de nouveaux habitants pourraient vraisemblablement leur éviter de perdre la seigneurie.

Heureusement, la terre, le soleil et la pluie furent aussi efficaces que la fabuleuse machine. Mieux encore, les performances évidentes de la machine agricole, la relative coopération d'Harry et l'acharnement au travail du seigneur lui méritèrent la considération de ses habitants. Elizabeth reprit enfin espoir. Avec une bonne récolte automnale et une machine à faucher qui tient le coup, un quartier malfamé d'Angleterre n'accueillera pas, l'an prochain, deux seigneurs... fauchés!

Connaissant le faible d'Harry pour les magnifiques pommes de Madame Henderson, Gertrude s'était donné comme mission d'en chaparder trois à chaque visite. Une pomme pour elle (la plus belle), une pour Nahima (la plus petite) et une pour Harry (la plus grosse).

À leur visite, en août, Elizabeth surprit Gertrude en plein larcin. La femme aigrie enguirlanda sévèrement la petite. Le mois suivant, la petite futée attendit patiemment que la vieille chipie soit au jardin, à l'arrière, avant de réaliser sa collecte. Fière d'elle, elle partagea son butin avec Harry, qui le recela sans vergogne. Trop occupée au toilettage, Nahima dissimula plutôt sa part dans la poche de sa robe.

Le soir venu, en s'approchant de son hamac de jute, Henderson fut surpris de trouver une autre belle pomme au centre du hamac. Croyant à une attention d'Elizabeth, il s'écria en direction de la maison:

— Merci, mon amour!

Durant leur visite de septembre des Gaulthier, aussi stupéfait qu'ému, Henderson surprit Nahima qui déposait discrètement sa part du butin sur le hamac seigneurial. Mal préparé à une telle marque de contrition ou d'affection, le vieil Anglais lui dit de sa voix la moins menaçante:

— Merci, Nahima...

Prise en flagrant délit, la petite sursauta et s'immobilisa en regardant le sol. Le père en manque répéta doucement:

— Merci, Nahima. J'adore le pomme.

Les yeux maintenus au sol, la petite leva doucement son joli visage face à l'autre handicapé. Sous l'effet de la douce brise de septembre, les cheveux libres de l'Amérindienne captive dansaient sur ses épaules bronzées. Courageusement, au prix de plusieurs détours, les pupilles montagnaises quittèrent le pourtour de son champ de vision et la sécurité du vide pour atteindre le visage de l'homme. La fillette emmurée ne put atteindre les yeux d'Henderson, mais deux sourires rarissimes et inestimables naquirent du moment divin. L'ange s'envola en courant, laissant une infime lueur d'espoir au nouveau Canadien en mal d'adoption.

Puis, vint enfin la période fatidique de la récolte de l'or sur pied. De toutes les graminées et les céréales, le blé trône au sommet, en seigneur des seigneurs. Tel un monarque, la qualité et la quantité de sa récolte imposeront la faim ou l'abondance, la pauvreté ou la sécurité. Récolté trop tôt, il sera immature et peu abondant. Trop tard, les graines vétustes tomberont pour se perdre dans la terre. Entre les deux, il y a une minuscule fenêtre d'une à deux semaines, épiée par les pluies d'automne hâtives et ravageuses. Avec leurs champs providentiellement riches qui tardaient à redonner l'eau à la rivière, l'automne pluvieux de 1762 justifierait malheureusement la hantise des cultivateurs de la vallée.

La première semaine de récolte connut des pluies si diluviennes que nul ne put monter aux champs. Même le chemin de terre vers Baie-Saint-Paul devint presque impraticable. Impuissants, priant pour que le grain s'accroche, Francis et Mahigan se résignèrent à partir quelques jours avec Olga sur les hautes terres de sa tribu afin d'éclaircir son territoire et lui bûcher un peu de bois pour l'hiver.

Marie-Catherine portait sa fameuse robe bleue et préparait la marmaille en prévision de l'office du dimanche lorsque Francis et Mahigan entrèrent. Francis annonça d'un ton faussement déçu :

— Tu peux enlever ta belle robe, les ch'mins sont défoncés, on pourrâ « malheureusement » pas aller à messe aujourd'hui.

La mère sermonna son homme des yeux. Sous la torture, tous récitèrent un petit *Je vous salue Marie* déculpabilisant. La procédure expédiée, Marie-Catherine se pressa de donner le sein au petit Albert, toujours affamé. Admirant avec tendresse le couple d'amoureux, le père s'adressa au fils qui siphonnait à s'en encaver les joues.

— Hey, p'tit veau, laisse-moé un peu d'chair !

— Chéri... les filles...

Le paternel se rua sur ses quatre filles sagement assises pour les emprisonner des bras les plus forts du monde. Il les chatouilla, au grand rire des filles... les plus belles du monde !

— Comment ça, mes filles ?... Mes filles, y ont eu leur tour : c't à moé après.

La mère découragée gronda encore son plus vieux.

— Francis...

Il se leva, tourna la tête et feignit être bafoué dans son honneur.

— C'est ça ! Comme tu m'as déjà troqué pour un plus

jeune... pis que j'ai fini de placer le foin dans grange... j'vas partir bûcher tout'suite, debord. Viens-t'en, Mahigan... On est pus les bienvenus icitte!

Devant la moue enfantine des hommes, la mère ajouta:

— Ben oui! Môman a vu plein de foin foin pilé jusqu'au deuxième étage. Maman est pas mal fière de ses ti-gars.

Francis s'approcha, pinça la cuisse joufflue de Fils.

— Moéssi, chus pas mal fier de ma ti-fille!

Puis, il embrassa tendrement la mère devant leurs filles qui grimacèrent.

— Bon ben, on part avec le chariot pis Olga. On t'laisse Luna. A pas l'air dans son assiette. A râle au boute depuis que'ques jours.

— T'inquiète pas, mon amour. Je vais la surveiller.

— On va reviendre après deux jours sans flotte. J'pense que la terre va être porteuse à c'moment-là.

Marie-Catherine prit un gros accent du terroir canadien et lança:

— Tiguidou, mon beau colon. Ha, Francis! Laisse-moi donc une hache. Du coup, j'vais fendre quelques cordes de p'tit bois cette semaine.

— T'es toute une créature, toé!

Effectivement! Son homme parti, il ne restait plus que quelques bricoles pour l'occuper: l'éducation des enfants, le lavage à la main, le feu à entretenir, le lin à effilocher, les vêtements à tricoter, l'eau à pomper et à chauffer, la traite matin et soir, le foin des bêtes, le fumier, la porte de chambre à réparer, le lait à baratter et ses quarante-quatre tétées journalières... Alors, elle aura amplement le temps de fendre quatre ou cinq cordes de bois d'allumage avec Albert sur son dos pendant que Gertrude fait manger en cachette des vers de terre à Charlotte ! La routine quoi !

Jamais à court d'idées pendables, la grande sœur n'avait d'ailleurs pas manqué le « plein de foin foin pilé jusqu'au deuxième étage ». Aussitôt son père disparu, l'image sainte courut chercher sa sœur pour lui montrer un nouveau jeu.

— Môman, on va aller voir Luna.

— D'accord, les filles, mais n'allez pas batifoler dans les agrès à votre père.

— Non, Mômannnn !

Luna avait beau avoir la mine basse, ce n'était ni elle ni l'écurie qui intéressaient Gertrude. Lorsque Nahima comprit que sa complice l'avait poussée dans la grange interdite, la porte était déjà refermée derrière elles. Faisant face à sa geôlière qui lui bloquait la porte, Nahima lui dit, en regardant le sol :

— Gertrude pas fine. Nahima pas être ici !

Restée sourde, Gertrude ouvrait grand les yeux à mesure qu'elle apercevait l'Everest de foin. La bouche ouverte, elle pointa le sommet à sa sœur.

— R'garde !

En dépit de son emmurement, Nahima ressentait certains des mêmes besoins et envies qu'une fillette de son âge. Et sans s'en rendre vraiment compte, Gertrude l'aidait à les extérioriser. En tendant son amitié comme toute bonne copine de jeu, la grande sœur lui apprenait à jouer... et à désobéir !

Nahima fut si impressionnée par le fabuleux terrain de jeux qu'elle en oublia l'interdit. Sa sœur se jeta dans le foin meuble et s'en recouvrit en criant :

— Trouve-moi...

Dès que Nahima s'enfonça dans la noirceur, les lignes de perles multicolores sur sa robe traditionnelle s'illuminèrent de l'éclairage matinal qui filtrait au travers les planches ajourées. Jaloux de la lumière de l'ange, l'attirail agricole diaboliquement affûté et crucifié ici et là brillait de toute sa noirceur.

— Trouve-moi, Nahima !

Les filles se lançaient des gerbes de foin dans une pluie de brindilles. Gertrude riait à cœur joie. L'odeur inoubliable du fourrage d'automne s'ajoutait à la féérie du moment. Le foin qui pénétrait leurs vêtements et leurs cheveux les transforma en mignons petits épouvantails. Les rires de Gertrude, plus agréables qu'épouvantables, arrachèrent la naissance d'un sourire à Nahima. Ragaillardies, elles montèrent sur les poches de farine et sautèrent sur le tas qui les accueillit confortablement. Soudain, le regard de la grande sœur, aussi aventureuse qu'orgueilleuse, fixa le deuxième étage. En moins de deux, Gertrude déplaça l'échelle de bois et l'escalada pour se retrouver à plus de trois mètres du sol et quelques centimètres du sommet de l'Everest.

— R'garde-moi ! Je vole...

Avant même que Nahima puisse s'objecter, l'oiseau s'envola pour flotter entre le toit du monde et celui de la grange. Elle atterrit assise sur l'Everest moelleux dans un grand éclat de rire. Du même élan, elle glissa si rapidement vers le sol qu'elle en heurta légèrement le mur et les fourches accrochées. Empressée de rejoindre sa sœur, Gertrude ne remarqua pas la fourche de bois qu'elle avait décrochée et qui reposait au sol en équilibre précaire sur son long manche. Fabriquées à même un arbrisseau et ses trois branches formées et durcies à la flamme, ses trois fourchons parallèles pouvaient aisément soulever plus de vingt kilos de foin sans se rompre.

La dualité entre l'outil de l'homme et le sceptre du diable rompit l'équilibre. Dans la pénombre morbide, la fourche s'inclina vers son côté sombre pour atterrir silencieusement dans la glissade des enfants.

— À toi, Nahima.

— Non pas Nahima !

Évidemment, la provocation assassine de Gertrude vint sans attendre.

— Nahima pas capable de voler !

Se rappelant la leçon d'équitation, Nahima savait d'instinct qu'elle n'avait pas plus peur des chevaux que des hauteurs... et le moment était parfait pour clouer le bec de nouveau à sa grande sœur blanche.

Nahima grimpa l'échelle aussi vite qu'elle avait jadis monté sur le dos de son père. Tel un fauve camouflé et guettant sa proie, l'« empaleuse » attendait son hémoglobine, les dents affûtées pointées en direction de l'ange qui s'apprêtait à s'envoler.

Marie-Catherine terminait la vaisselle du petit déjeuner lorsqu'un cri glacial retentit :

— MÔMAN ! MÔMAAAAAAN !

Les mains de la mère s'ouvrirent instinctivement. Abandonnée, l'assiette longea la belle robe bleue vers sa rencontre fracassante du plancher. Le cri de panique de Gertrude ne laissait aucun doute dans le cœur de mère : sa vie venait de basculer.

Vêtu de ses habits du dimanche, le seigneur sortit sur le porche, son regard scrutant sa longue allée à la recherche d'un murmure. Il aperçut au loin ce qui lui sembla être Madame Gaulthier portant un enfant. Sous la pluie, l'appel de la mère ensanglantée et exténuée le paralysa.

— Monsieur Henderson, aidez-nous, *please* !

L'instinct du sergent reprit rapidement le dessus. Il se retourna vers la maison et cria son ordre à sa femme :

— Elizabeth, viens ici ! Maintenant !

Puis, il courut vers la mère époumonée. Même pour le vieux soldat qu'il était, rien ne pouvait le préparer à cette vision d'horreur : pas celle d'un vétéran usé ni même un puceau fraîchement enrôlé, mais un tout petit ange empalé, transpercé de part en part par trois flèches complices. Avant de libérer les bras épuisés de la mère, le sergent examina rapidement les blessures. Deux fourchons de vingt centimètres émergeaient de chaque côté du ventre et un troisième traversait le bras. Dans le dos, le manche était brisé à peu près à la même longueur.

— Elizabeth, emporte mon couteau et le whisky !

Aussitôt l'arme en main, il courut vers son hamac tout en faisant signe à la mère de le suivre. D'un coup sec et précis, le chirurgien de campagne entailla dix centimètres de la jute et saisit l'enfant pour l'y déposer, le manche de la fourche libre de traverser le hamac. Aussitôt délestée, la mère s'effondra à genoux.

Henderson examina les blessures qui lui avaient trop souvent coûté ses fistons. Le sergent savait qu'il n'était pas question de retirer les fourchons sans la présence d'un chirurgien. Il savait aussi que la position des perforations était plus critique à la survie que leur diamètre ou leur nombre. De son couteau, il ouvrit la robe de cerf perlé. L'absence de plaques violacées le rassura, mais du sang s'égouttait par les deux trous de fourchon. Du fait qu'elle soit toujours vivante, il en conclut que les blessures internes étaient légères ou que les fourchons obstruaient miraculeusement l'écoulement.

Il examina le bras trop blanc sous le garrot pratiqué par la mère. Aussitôt la pression du garrot diminuée, le sang gicla de la blessure à chaque pulsation sans pour autant redonner la couleur au petit membre. Henderson resserra aussitôt le garrot et grimaça. Des puceaux avaient perdu un membre pour moins que ça. Il prit la bouteille de whisky et profita de la perte de conscience de la petite pour asperger les plaies du seul antiseptique qu'il avait sous la main. Il se retourna vers la mère et dit :

— *Madam* Gaulthier, je penser que pas de *vital organ* touché, mais son gros veine percée dans le bras. Pas bon, *sweetheart*, pas bon... Nahima besoin un *surgeon*... docteur, *fast* ! Vous avoir un chariot ?

— Non, Francis est parti avec. J'ai juste Luna à l'écurie.

— *Shit!* Nous avoir Harry et seulement machine à faucher. Trop de boue vers Baie-Saint-Paul. Chariot trop large, trop lourd et Harry trop... trop Harry. Petite voiture vendue et les autres habitants *up north* encore bloqués par le boue, beaucoup le boue. *Shit! SHIT!* Ta jument accepter cavalier sur son dos pour chercher docteur?

— Impossible, *Mister* Henderson.

— *I know*, moi avoir déjà essayé Harry, mais... impossible aussi. Et mon vieille jument trop faible beaucoup. Impossible de marcher dix kilomètres dans le boue avec le fourche... si tombée, la petite... On devoir trouver solution. On trouver solution. Pour maintenant, aider pour apporter le hamac dans le maison.

Aussitôt, Nahima installée à l'intérieur, Marie-Catherine quitta les lieux en ajoutant:

— Je dois aller chercher mes enfants. Francis est parti bûcher pour quelques jours.

— *Don't worry*, Madame Gaulthier, restez avec Nahima. Moi j'aller avec Harry et ma jument. Chemin assez large pis solide pour mon chariot. Je revenir aussi Luna et peut-être trouver le solution chez vous?

Henderson se réfugia dans l'écurie pour préparer Harry, mais surtout pour camoufler et masser ses foutues mains tremblantes.

Aussitôt arrivée chez Gaulthier, Gertrude, en pleurs, se jeta sur la cuisse du curé de fortune pour se confesser.

— C'est ma faute à moi. Je fais mourir ma sœur! *Please* sauver Nahima pis je plus jamais piquer de la pomme à Madame Derson! Promis craché.

La petite aspira le nécessaire pour sceller sa promesse solennelle qu'elle laissa tomber maladroitement au sol entre deux sanglots. Pour le vieil homme torturé, il n'était pas question que la jeune fille soit asservie sa vie durant à la même honte culpabilisante que lui. Deux poupées brisées par la même fourche... c'était trop! Il se ressaisit, se retourna et dit:

— *Sweetheart*, c'est seulement l'accident. Plus pleurer. *Mister* Henderson va réparer si la pluie arrêtée.

La petite fille courageuse essuya ses larmes et entre deux sanglots lui répondit, en bonne petite colonisée:

— Tainque... tainquiou, Misteur Derson.

À son retour au manoir, vers 11 h, Henderson réexamina Nahima. La pression douloureuse lui fit enfin reprendre connaissance. Sa mère se jeta sur elle pour l'embrasser, mais la petite à l'esprit vaporeux n'avait d'yeux que pour le hamac qui la bordait. Elle regarda l'homme terrassé devant elle et dit:

— Ton lit, Monsieur Derson!

— *Don't worry, baby*. Je vous prête pour les belles pommes.

La petite esquissa un léger sourire, grimaça et s'évanouit de nouveau.

Henderson se rendit auprès de sa femme qui finissait tout juste de changer la couche de lin de bébé Albert au salon.

— Chérie, la petite ne passera pas la nuit. Elle doit absolument rester allongée. Il faut la transporter au village directement dans le hamac.

— On a seulement ta machine à faucher, Michael !

Dans un silence abyssal sans équivoque, l'homme planta son regard apeuré au travers de la pitié arctique de sa femme.

— Non, Michael Henderson, tu ne détruiras pas ta machine pour une petite squaw, aussi spéciale soit-elle. Sans ta machine, tu ne pourras jamais récolter assez de blé après cette maudite pluie. Je ne perdrai pas notre seigneurie et les économies d'une vie pour une... Canadienne.

L'homme baissa la tête devant les paroles de la femme aussi brisée que lui.

— Chérie, on doit faire quelque chose. Ces gens ont besoin de nous.

— Michael... Ils veulent notre seigneurie, mais pas nous.

La double condamnation à mort chuchotée par la femme lui arracha les tympans et le cœur.

— Attends, Michael... Attends, tout simplement...

Le Britannique regarda sa femme pourtant magnifique avec un bébé dans les bras. Il flatta la joue du petit Canadien et sourit à la mère porteuse. Puis, l'homme honteux sortit de la maison.

Elizabeth berçait froidement bébé Albert lorsqu'elle entendit les impacts d'une hache furieuse. Elle tendit l'oreille curieuse. Soudain, elle ouvrit grand les yeux, se leva et sortit en criant :

— Michael !

Elle regarda vers la grange et aperçut son homme de dos qui tentait d'estropier sa machine. Elle courut et s'immobilisa trois mètres derrière lui.

— Michael, arrête !

Sans se tourner vers son général, le sergent à bout de souffle s'exécuta, relâchant lentement les épaules et la hache impuissantes vers le sol. L'homme bon n'était définitivement pas doué pour la destruction. Lourdes de réflexion, les secondes s'égrainèrent sur le couple immobile. D'abord imperceptible, la tête de l'homme se mit à sautiller, entraînant les épaules en pleurs dans un tressaillement sismique retenu bien courageusement, mais en vain !

Lorsque la femme posa avec tendresse la main sur l'épaulette, Michael se retourna, lui exposant – pour la seconde fois – son âme asservie à sa honte suffocante !

Dans un silence d'une grande lucidité, les regards négociaient le paradis ou l'enfer d'un homme, la vie ou la mort d'un couple !

La Britannique – héritière de la résilience et de la gouvernance de ses fiers ancêtres – recula son mari de quelques mètres et lui remis le petit Albert. Le regard déterminé, elle souleva sa robe de satin, posa sa chaussure londonienne sur la roue et sauta sur le banc du chariot. Puis, elle saisit les guides et explosa un ordre « non négociable » en fouettant violemment la croupe d'Harry et Luna.

Plus surprises qu'obéissantes, les bêtes s'exécutèrent dans un coup de collier enfin digne de leur sang. L'aristocrate dirigea le chariot en ligne droite, directement entre ses deux magnifiques pommiers. L'arbre mature de gauche refusa de laisser passer le bras horizontal de la machine. Le bras et l'arbre se disloquèrent dans un vacarme assourdissant alors que le chariot s'immobilisa en plein centre de l'aménagement paysager détruit. Fouettée par l'élan et la chute de l'arbre, une pluie grandiose de belles pommes mûres arrosa le chariot, les bêtes, la belle et les dix mètres à la ronde. La Britannique, imperturbable aux boulets de fruits, descendit et s'avança vers l'homme à la mâchoire béante pour y reprendre bébé Albert. Puis, elle l'embrassa et lui dit :

— Je te demande pardon, mon amour ! Va sauver ton poupon de porcelaine.

La femme amoureuse avait compris. Elle avait compris qu'en sauvant Nahima, son homme sauvait aussi son poupon éclaté à Saint-Joachim. L'espoir d'une rédemption enfin possible, l'homme renaissant et reconnaissant l'embrassa tendrement et courut préparer le chariot afin d'y suspendre le hamac.

Témoin de la scène inespérée, Marie-Catherine rejoignit Elizabeth au pied du magnifique pommier sacrifié.

— *Thank you*... Merci... Merci, Madame Henderson.

La femme honteuse lui sourit timidement puis détourna les yeux sur les pommes, de peur que la Canadienne ne perce sa douleur. Conscientes du malaise, toutes deux regardèrent longuement les centaines de fruits au sol. Marie-Catherine lui dit :

— Chus vraiment peinée pour votre magnifique pommier Madame.

— Vous faire faveur à moi, Madame Gaulthier ?

— Bien sûr, tout ce que vous voulez Madame.

— Donnez à moi toutes vos recettes avec le pommes !

Après un silence incertain, les deux femmes affichèrent un sourire libérateur. Mais, à peine le coin des lèvres eurent-elles achevé leur montée que Mademoiselle France s'empressa de rappeler son abominable réalité du jour.

Hésitante, Marie-Catherine posa la main sur le bras ennemi qui portait son fils. Pendant quelques secondes, la mère – bénie de sa grande fécondité – admira fièrement son cinquième enfant. Puis, levant les yeux vers les larmes britanniques, la Française prit soudainement conscience de l'effroyable condamnation de la mère sans eaux. Ignorant les titres, les conventions, la Française enlaça spontanément la Britannique. Les murailles effondrées, leurs sanglots pleuraient une langue commune. Pas le français ni l'anglais ni même le montagnais. Pas celle d'un drapeau, d'un roi ou d'un dieu, mais la langue qui partage l'abominable souffrance de deux instincts maternels torturés.

Lorsqu'elles se retournèrent vers le chariot, le père adoptif immobile leur sourit des yeux autant que des lèvres. Il leur fit signe qu'il était temps de partir. La Britannique épongea ses larmes de son mouchoir finement brodé puis intima son ordre :

— Vous partir avec Michael. Je soigner vos petits Canadiens. *Don't worry*, mon vache avoir de la bon lait chaud pour *baby Albert*. Allez, partir... Partir !

Ne pouvant de toute façon la remercier suffisamment, Marie-Catherine lui sourit tendrement et l'embrassa sur la joue. Elle se pencha ensuite sur bébé Albert, posa ses lèvres sur son front et chuchota une demande à l'oreille du poupon. Rendue à l'intérieur, elle s'adressa à Gertrude, soudée au hamac, pour lui demander de bien prendre soin de ses sœurs et de son frère, et d'obéir à Madame Henderson.

Il fallait maintenant préparer Nahima pour le transport. La petite était miraculeusement toujours en vie. Par expérience, le sergent savait que le moindre déplacement des fourchons pourrait contrarier ce miracle, il ne sectionna donc que les pointes à huit centimètres au-dessus du petit ventre. Voyant Henderson entamer les bandages, la mère s'exclama :

— Pour l'amour de Dieu, coupez ces fourchons et ce manche horribles !

— Pas devoir. Le manche... *stabilized* les fourchons et les fourchons boucher les trous. Devoir garder fourchons longs pour pas libérer trous... Besoin d'autres bandages, Madame Gaulthier.

Marie-Catherine retint ses larmes et s'empressa de déchirer les beaux draps de coton du seigneur. Une fois terminé, la maman bien intentionnée voulut l'envelopper dans une couverture de laine, le sergent l'interrompit délicatement.

— Pas bon, Madame Gaulthier. Le froid est meilleur pour ralentir sang qui sort... *and infections.*

La mère fit signe de la tête et se tourna vers les amarres du hamac alors que Henderson se préparait à soulever la petite. Rendus au chariot, ils arrimèrent solidement les cordages aux deux bancs, laissant une vingtaine de centimètres entre le manche et le plancher du chariot. Trop occupé à se gaver de pommes, Harry ne se rendait pas compte de la nature de sa précieuse cargaison. Henderson aux guides et la mère au hamac, ils s'apprêtèrent à partir quand Gertrude courut vers le chariot. Elle remit à sa sœur inconsciente un bouquet malmené de luzernes vertes et mauves puis elle pénétra le géant britannique de ses grands yeux de poupée et lui rappela cruellement ces paroles :

— Ça pluie pus. Monsieur Derson sauver ma sœur, hein ?

L'homme galvanisé lui fit alors une promesse interdite :

— Nahima va pas mourir, *Mister* Henderson promet.

Elizabeth recueillit la grande fille contre sa cuisse pendant que deux grosses gouttes de peine glissaient sur les petites joues culpabilisées.

Les nuages crachaient de nouveau leur venin. Le « chariot à sauver deux vies » avançait péniblement sur le chemin principal reliant Baie-Saint-Paul. La voie boueuse aspirait littéralement les roues, imposant un effort supplémentaire aux chevaux. Harry ne tarda pas à ralentir, mais les encouragements du sergent gardèrent le chariot en mouvement. Tous les espoirs étaient permis. Après vingt-cinq minutes d'efforts, le ruisseau qui croisait le chemin était enfin à portée d'oreille. Arrivé au cours d'eau, le couple vit avec stupéfaction que la colère des montagnes environnantes avait arraché le pont de bois dont les débris étaient coincés en aval. Henderson leva la tête vers les nuages et les dieux hostiles.

— *God damned !* Foutez le camp !

Furieux, Henderson sauta au sol pour mieux juger de la situation. Le ruisseau faisait maintenant huit bons mètres de largeur et au moins deux de profondeur. Impossible de le traverser à gué. Qui plus est, la forêt dense ne permettait aucune autre solution immédiate en amont ou en aval.

— Monsieur Henderson, on doit remonter le sentier forestier qui longe le ruisseau et puis traverser à gué plus au nord. En haut, c'est plus large et moins profond.

Elle se retourna et fixa le visage serein de Nahima :

— Dix kilomètres infernaux et pas une âme qui vive, mais c'est sa seule chance...

La montée du sentier fut sans histoire, moyennant une petite pause syndicale aux cent mètres, pour Monsieur Harry. Arrivé au passage à gué, Henderson grimaça en constatant que la berge opposée avait été grugée par le courant et le vilain remous qui s'y était formé. Incertain, le sergent se retourna vers la mère qui n'attendit pas la question pour y répondre :

— Faut essayer, Monsieur Henderson : la p'tite blanchit à vue d'œil !

Tentant de dissimuler sa frayeur, Henderson fixa le torrent.

— *I know...*

Il inspira profondément et lança :

— *Alright*. Tenir vous deux !

Marie-Catherine coinça ses jambes sous le banc puis enveloppa la petite poitrine et le hamac de deux bras d'acier maternel. Elle embrassa Nahima tendrement sur le front et fit signe à Henderson qu'elles étaient prêtes. L'aristocrate pointa le nez des chevaux vers la pente opposée la plus douce et commanda aux bêtes d'avancer. Malgré les bons mots et le leadership de sa sœur, Monsieur Harry n'était aucunement disposé à affronter la menace. Henderson saisit le fouet à sa droite. Il le regarda longuement dans sa main. Sa tête faisait signe que non, mais sa colère emprisonnée s'échappa pour jaillir de sa figure et rejoindre sa main. L'homme en transe déchaîna ses années d'enfer sur le dos d'Harry, qui finit par avancer. L'attelage pénétra lentement dans l'eau tourbillonnante. Au grand soulagement des parents adoptifs, les sabots semblaient sûrs malgré les quatre-vingt centimètres d'eau furieuse.

Insatisfaite d'offrir une chance de rédemption à Henderson, Mademoiselle France décida que le moment était aussi venu de sauver Harry!

La glaise dénudée par l'érosion n'offrit aucune prise aux bêtes qui perdirent subitement pied, reculant le chariot directement dans le courant. Soumis à la poussée latérale de l'eau et abandonné par la traction animale, le chariot dériva de deux bons mètres pour enfoncer la roue arrière droite dans trou creusé par le remous. Le chariot s'inclinait de plus en plus vers son renversement imminent. Le sergent jeta ses cent vingt kilogrammes sur sa droite au moment où la roue avant commença à se soulever. Par miracle, le coup de collier providentiel de Luna redressa et stabilisa l'ambulance.

Le sergent en déséquilibre aboyait son ordre d'avancer pendant qu'il claquait son fouet sur la croupe lacérée du cheval-vapeur défectueux. À chaque tentative, la roue arrière refusait de s'évader de son tourbillon. Après le deuxième assaut manqué, Harry s'immobilisa en dépit de sa robe qui tressaillait sous chaque coup de fouet.

La colère retourna lentement dans son cachot. Pénitent, Henderson se résolut à descendre et laisser les chevaux souffler quelques minutes. Il se dirigea vers la mère et lui demanda :

— Comment va elle ?

— Elle tient le coup.

Henderson examina le chariot. La partie inférieure de la roue arrière était submergée dans un tourbillon opaque. Pour le reste, le chariot ne lui semblait pas impossible à extraire par deux bons chevaux. Le sergent caressa le front de Luna.

— *Good girl.*

Lorsqu'il tenta un échange visuel avec Harry, un frisson lui parcourut l'échine. Le sergent connaissait le regard fuyant du déserteur. En fouettant un soldat pour la première fois, l'officier lui avait certainement imposé l'obéissance, mais au prix d'un sacrifice volontaire que l'officier ne mériterait plus.

Espérant avoir tort, il ficela littéralement Nahima dans le hamac à l'aide d'une corde et confia les guides à Marie-Catherine pendant qu'il s'accrochait à la roue avant gauche qui parut toute menue entre ses mains trapues.

Le hurlement de la mère lança la charge époumonée de Luna et Henderson. Les poussées effrénées de la sœur courageuse reculaient le bacul déserté du gros mâle sans orgueil. Cinq, six, sept nouveaux essais sans trop d'enthousiasme de l'étalon eurent raison de la jument qui tomba et resta affalée dans la boue. L'Amazone en colère jeta les guides et sauta du chariot pour faire face au mâle sans couilles. Lorsqu'Harry abaissa le regard et la tête au sol, la mère en furie empoigna le licou de la main gauche et lui vociféra sa rage au rythme de solides coups de poing au museau :

— Gros sans-cœur... *paf*! ... tu mérites même pas... *paf*! ... le sang de ton père... *paf*!

Puis, elle saisit le licou de ses deux mains et brassa l'animal immobile.

— Putain, réagis, Harry !

À bout de souffle, le sergent intervint pour protéger la pauvre bête de sept cent kilogrammes contre soixante kilogrammes de rage maternelle.

— Arrêtez, Madame Gaulthier. Ici est plus sa bataille.

Pour toute réponse, la bête châtiée abaissa son nez ensanglanté vers son abandon.

Au même moment, un sifflement caverneux attira l'attention d'Henderson vers Luna.

— *Oh no !*

L'écume à la bouche et la respiration bruyante de la jument restée au sol lui firent immédiatement comprendre que ses deux tracteurs étaient... hors d'usage ! Les épaules détrempées du sergent tombèrent en même temps que son regard s'éleva pour fusiller les nuages.

— *What do You want from me ?* Tue-moi une bonne fois pour toutes, mais laisse les enfants tranquilles !

L'homme taillé dans la guerre et le sacrifice inspira profondément. Même Dieu n'empêcherait pas le père adoptif de sauver cette enfant. Déterminé à tenir sa promesse à Gertrude, il se retourna vers Marie-Catherine.

— Luna est épuisée, son souffle est difficile. Harry est inutile. Nous devoir porter Nahima. *Now!* Quelqu'un venir chercher chevals plus tard. *Go, go!*

L'horreur dans les yeux de la mère exprimait la tâche impossible qui les attendait. Neuf kilomètres de souche, de pierre et de boue, et un enfant empalé à transporter à bout de bras alors qu'une seule chute sur le manche saillant pourrait lui être fatale. La mère baissa les yeux, respira un grand coup et marcha courageusement vers le chariot pour soulever sa fille et la remettre au père. Restée coincée dans les mailles du hamac, la plume ensanglantée de Nahima l'abandonna pour la toute première fois. Même Anadabi ne pourrait plus veiller sur elle. Dans les bras d'Henderson, l'ange parut si fragile.

Ils se mirent aussitôt en route. Lorsqu'ils croisèrent Harry, l'excommunié avait la tête au sol et tournée pour les ignorer. Le couple avait parcouru à peine une quinzaine de mètres lorsque la boue leur fit perdre pied pour la première fois. Hors de la vue d'Harry, Henderson tomba lourdement. Ses avant-bras et le dos de la petite s'enfoncèrent dans la terre pâteuse. Nahima émit un faible gémissement de douleur.

La voix de son ange réanima Harry, qui releva son nez ensanglanté. Ses yeux et ses oreilles affolées tournoyèrent dans tous les sens pendant un long moment dans l'espoir de confirmer la présence de son âme sœur. Abandonné, il replongea la tête au sol.

Henderson et Marie-Catherine soulevèrent la petite avec précaution pour constater que le manche de la fourche avait miraculeusement évité les roches pour laisser son empreinte dans la boue. Maintenant face à face pour soutenir la petite, les deux brancardiers méritaient péniblement chaque pas arraché à la mort. Le manche qui pointait vers l'enfer ne permettait aucune erreur.

Tous les vingt mètres, l'un des deux glissait sur le sol détrempé ou accidenté pour être retenu in extremis par l'autre.

Le manche de sa hache dans une main et le biseau métallique cassé dans l'autre, Francis arriva à pied à la cabane en maugréant, frustré d'avoir laissé sa deuxième hache à Marie-Catherine.

— Marie, chus là!

Surpris en apercevant la traînée de sang provenant de la grange, il lança:

— Marie, tu m'avais pas jasé que tu ferais boucherie.

Une vision cauchemardesque l'assaillit en ouvrant la porte de sa cabane. Ses jambes faiblirent si bien qu'il recula pour s'adosser au cadre de porte. La table de cuisine couverte de sang... L'assiette brisée sur le plancher... Son esprit affolé mendiait un scénario plus tolérable qu'un massacre iroquois.

— MARIE, t'es où?

Le père paniqué courut de chambre en chambre en regardant sous les lits.

— Les FILLES, sortez !

Sans réponse, il s'élança à l'extérieur pour suivre les traces de sang vers la grange. L'échelle placée vers le deuxième étage... Les traces de glissade dans le foin... Le manche brisé et ensanglanté de la fourche...

— Oh non ! Les filles ?

Il sortit en courant pour suivre sous la pluie, les traces qui s'effaçaient vers le chemin Saint-Laurent.

Presque arrivé chez le seigneur, le père, à bout de souffle et déraisonné, criait toujours sa prière :

— Nahima ! Gertrude !

Gertrude courut à sa rencontre. Le père suffocant s'agenouilla pour écraser sa fille dans ses bras. Après un court bonheur incommensurable, il la saisit tendrement par les épaules et la supplia :

— Mon cœur, où est Nahima ?

Le sol s'ouvrit sous ses genoux lorsque le visage de Gertrude se déforma pour retenir un déluge de pleurs.

Le souffle court, Francis appuyait sa paume sur sa taille espérant repousser une autre crampe. Face à lui, de l'autre côté du ruisseau colérique, la vue d'un cauchemar qui n'en finissait plus.

Un chariot vide et ensanglanté à l'arrière immergé, une jument affalée et une machine à faucher détruite. Traversant le torrent avec grande difficulté, il peinait à comprendre ce qui leur était arrivé. Des traces de pas à ses pieds, il prit quelques secondes pour souffler et examiner la scène de plus près.

— Pourquoi même Harry n'a pas réussi à sortir ce chariot?

La terre glaiseuse qui entachait les pattes et le ventre des bêtes lui fournit en partie la réponse, mais... S'avançant face aux chevaux, il comprit, à voir Luna au sol et l'écume à sa bouche, que la jument malade avait tout donné... en l'absence de son frère.

Peu importe, le colon savait trop bien que Marie et Henderson auraient besoin de son aide pour transporter un blessé dans un état aussi précaire sur une si longue distance. Il posa la main sur le museau de la jument pour la remercier tendrement puis dévisagea Harry.

— Gros sans-cœur!

Il se retourna aussitôt vers sa seule priorité et s'élança au pas de course dans les traces fraîches. À peine eut-il parcouru une dizaine de mètres qu'il s'enlisa jusqu'aux genoux et chuta lui aussi. À quelques centimètres devant lui, il aperçut l'empreinte de la première chute des sauveteurs et du dos de Nahima. Son sang se glaça lorsqu'il vit au fond de l'empreinte, le trou horrible que le manche de la fourche avait creusé. Francis comprit aussitôt que même trois adultes – aussi motivés fussent-ils – ne pourraient transporter, dans de telles conditions, un enfant ainsi empalé. Il examina le boisé de conifères impénétrables qui bordait le sentier pour réaliser avec effroi que la meilleure chance de survie de sa fille se trouvait derrière lui, prisonnière de la rivière et d'Harry.

Il rebroussa chemin, inspirant profondément à chaque pas pour se calmer et puiser dans les enseignements de son mentor disparu. Il examina d'abord Luna pour constater avec soulagement qu'elle respirait normalement. Il força un sourire, saisit son licou avec respect et l'incita à se relever :

— Vas-y, ma belle fille... Débout...

La jument se redressa péniblement.

— Oui... c'est ça ! T'es vraiment une brave fille.

Il se tourna vers le mâle pour l'inspecter à son tour. La vue du sang séché sur le nez ne laissait aucun doute dans son esprit. Il lui caressa le museau tout en le conseillant :

— A cogne en calvâsse, la mère ! Faut jamais provoquer une femelle qui protège son p'tit. Nos chicanes de gars, c'est d'la p'tite bière à côté d'ça ! Hein ?

Il souleva le menton du cheval pour fixer les grands yeux éteints.

— Garçon, s'te plaît, pardonne-nous. Mon vieux... t'es toujours le fils de Doc. On sait toé deux que t'as pouvoir de sortir ce foutu carrosse. On a vraiment du besoin de toé.

Il monta sur le banc, saisit les guides et ordonna la charge. Fidèle à sa loyauté et à son courage, Luna défonça son collier et fit reculer le mâle... encore une fois. Elle perdit rapidement pied, mais se releva aussitôt pour continuer. À l'autre extrémité du bacul, après une première charge respectable mais insuffisante, Harry se contenta de caresser son collier et d'éviter de glisser. Le discours et les hurlements du père n'eurent malheureusement aucun écho sur sa testostérone défectueuse. Francis stoppa la charge, soucieux de préserver Luna. Furieux à son tour, il sauta en bas du chariot et se rua sur le cou pénitent d'Harry. Suivant les enseignements du vieux Doc, Francis mordit de toute sa colère la chair du cheval trop douillet. Harry sursauta violemment pour se débarrasser de l'Alpha autoproclamé et replongea la tête dans son indifférence.

— Mon gros sans-cœur ! Lève la tête, au moins. Habite tes testicules !

Toutes canines saillantes, Francis bondit de nouveau sur son cou pour le mordre au sang. Refusant la punition et l'autorité, Harry l'expédia à l'arrière d'un violent coup de tête. Sonné, Francis s'agrippa au chariot pour se relever. Encore dans les vapes, sa vision s'éclaircit sur la plume ensanglantée de Nahima et le bouquet de luzernes. Il les fixait lorsque ses yeux s'écarquillèrent.

— Son ange...

Mais comment faire comprendre au cheval que son ange avait besoin de lui ? L'adrénaline lui transmit la leçon de son mentor : la chapelle de Baie-Saint-Paul... Le mouchoir imbibé de la vulve en chaleur... Le décollage du vieux Doc...

Sa figure s'illumina. Il saisit la luzerne et la plume et se plaça face au cheval et lui retira son mors.

— Tiens, mon vieux : v'là le vrai coût de ton abandon. C'est ni moé ni toé qui va payer pour... c'est ton ange ! Le libre choisir t'appartient à c't'heure.

Il empoigna son licou. De l'autre main, il lui enfonça la plume et la luzerne couverte de sang sur les narines. Harry inspira. Ses yeux s'allumèrent. Il redressa la tête. Les oreilles affolées pointèrent aussitôt dans la direction précise où Nahima avait gémi.

Harry recula si violemment que Luna fut projetée à l'avant sous l'effet du bacul. Les oreilles de l'animal pointèrent de nouveau vers le sentier... puis la tête oscilla de gauche à droite comme si le cœur combattait la raison ! Et enfin... le premier coup de bélier tant espéré. Puis un deuxième tout aussi désordonné. Luna, surprise, se laissait ballotter par les contrecoups de l'attelage. L'étalon s'immobilisa quelques secondes. Il se tourna vers sa sœur et la mordit violemment au cou pour reprendre son commandement abandonné depuis trop longtemps. Il recula de nouveau au bacul, enfonça solidement ses deux sabots arrière et porta tout son poids sur ses cuisses monstrueuses trop reposées. Instinctivement, la jument fébrile imita son Alpha retrouvé. Francis enfourna la plume et la luzerne dans sa poche et se jeta sur la roue avant.

Près d'une tonne de muscles écrasa les deux malheureux colliers dans une secousse colossale accompagnée d'un craquement douteux : le tourbillon, qui emprisonnait la roue arrière, dissimulait une énorme racine dénudée par l'érosion qui traversait les rayons de bois. Les quatre sabots arrière glissèrent dans la glaise, éliminant l'impact de la première charge... et de la deuxième. Les trois bêtes tombaient, se relevaient et poussaient, mais toujours en vain. Le maître sonna l'arrêt.

Nul ne sut si Harry se rappela la manœuvre de tire en diagonale qui avait donné la victoire à Doc, mais qui lui avait coûté la vie. Peut-être s'en rappelait-il justement et qu'il était prêt à offrir la sienne ! Peu importe, l'instinct du cheval de trait en mission savait qu'il avait besoin d'une prise solide.

Harry examina sur sa droite les pierres tranchantes, dénudées par les crus de la veille. Deux mètres en face, des troncs couchés de pin morts aux branches affûtées complétaient la défense de la berge. Tel était le coût de sa seule prise disponible. Harry se tassa sur la droite, tirant Luna du même coup, puis recula au bacul.

Le véritable chef guerrier n'est pas celui qui nous pousse en aboyant son autorité, mais celui qui nous précède et nous inspire par ses actions et son courage!

Francis comprit aussitôt ses intentions suicidaires.

— Non, Harry, pas ça. Wôô, Wôôôô!

L'Alpha avait effectivement fait son libre choix. Laissant la glaise à sa sœur et se réservant les lames. Il lança la charge comme son monarque l'aurait fait! Respectueux du sacrifice de l'Alpha, Francis sauta sur la roue et poussa de toutes ses forces.

Dans un autre craquement inexpliqué, leur avancée en diagonale déporta le chariot de côté permettant ainsi au chef guerrier de s'agripper aux pierres. Les quatre sabots solidement ancrés, l'ADN du « cheval de fer » retrouva enfin toute son utilité. Inclinés à quarante-cinq degrés vers l'avant, Harry et Luna expiraient leur rage entre chaque engagement musculaire. Le chariot craquait, mais avançait de quelques centimètres à chaque contraction. Puis, vint la première chute de l'étalon sur les pierres tranchantes rendues glissantes par l'eau et la boue. Sans égard à la peau pelée de ses articulations, le guerrier se releva et gagna encore quelques centimètres précieux et plusieurs craquements. Puis, une deuxième chute dans un hurlement glacial. Au prix d'une enjambée arrachée à la rivière, les lames lui avaient tailladé la fourchette du sabot avant.

Souffrant et à bout de souffle, Harry se releva avec difficulté. L'entêté ne combattait probablement plus pour Nahima, mais pour la seule rage de gagner et parader son foutu carrosse ! Heureusement, les dernières avancées permirent une bonne prise à Luna. Dans une explosion de huit sabots synchronisés, l'essieu et les deux roues arrière – restés prisonniers de la racine – s'arrachèrent du chariot dans un dernier craquement victorieux.

Aussitôt libéré de son ancre, le chariot dériva dangereusement dans le courant. Les trois bêtes savaient qu'elles devaient continuer à avancer, mais les pieux secs leur barraient maintenant la route. Sans jamais ralentir, Harry repoussa le tronc de son épaule dans une expiration sourde.

Le chef guerrier n'immobilisa ses hommes pour souffler que lorsque le chariot fut en sécurité. Plié en deux, Francis reprenait encore son souffle lorsqu'Harry lança l'attelage au grand trot.

Courant les bras en l'air pour les rattraper, Francis suppliait plus qu'il n'ordonnait.

— Wôô, Harry ! Arrête ! Arrière ! *Back ! Stop !* Icitte ! Au pied ! Garçon, 'stifie ! C'tait supposé être moé, le maître. On s'tait mis en accord. Haaarryyy ! Luna, parle-z-y !

Sur le point d'être distancé, il eut tout juste le temps de plonger pour s'agripper à l'arrière du chariot qui traînait dans la boue.

— Harry, faudrait vraiment qu'on jase... Ayoye ! Aïe ! Harryyy, le boucher, c'tait juste pour te réveiller ! Harryyy !

Exténués, Henderson et Marie-Catherine étaient affalés, dans une pente descendante, sur le rebord du sentier. À l'image des feuillus ternes qui les emmuraient, les porteurs avaient besoin d'une saison de repos. Couché à une cinquantaine de mètres passé le sommet, le couple découragé n'avait parcouru que le dixième de leur chemin de croix, alors que l'état de Nahima empirait.

Surgissant derrière eux, le chariot et les deux chevaux affolés bondirent du sommet pour dévaler vers le couple. Le bourdonnement de la pluie, la crête du sentier et la boue avaient étouffé la montée de leur assaut meurtrier. Surpris par la vision impossible qui fonçait sur eux, Henderson se pencha sur Marie-Catherine et Nahima pour les protéger de l'impact.

Harry s'immobilisa brusquement à leur hauteur... projetant Francis directement sous le siège avant !

Lorsqu'Henderson et Marie-Catherine ouvrirent les yeux, les narines haletantes d'Harry s'approchaient de la petite. Chaque expiration du monstre soulevait les cheveux et embuait les perles de son ange. S'attardant délicatement sur les fourchons diaboliques, il renifla l'odeur de la mort reconnue. Comme il l'avait fait si souvent, il enfonça sa truffe moelleuse sur le petit nez en trompette. Devant le baiser manquant, la truffe se retira de quelques centimètres. Au grand bonheur de tous, Nahima étira faiblement les lèvres pour embrasser son troisième père. La bête s'avança pour recevoir la seule médaille qu'il convoitait. Sans avoir ouvert les yeux, Nahima perdit de nouveau connaissance.

Tout juste réveillé de son atterrissage forcé dans le fond du chariot, Francis se leva en criant :

— Wôôô, Garçon ! Wôôô !

— Francis ! Mais qu'est-ce que tu fais là ?

La voix de sa femme le ramena à toute vitesse à la sale réalité.

— Chérie, comment va la petite ?

— Pas morte, mais pas forte !

Il sauta et s'approcha pour caresser la joue pâle de sa fille portée par son ennemi ! Il se tourna et regarda la machine à faucher sacrifiée, l'habit seigneurial couvert de boue et le sang sur les lèvres d'Henderson. Il pénétra son regard troublé dans les yeux de l'Anglais. Ses lèvres entamèrent une syllabe, mais s'interrompirent. Quels mots pourraient suffire ? Aucun que le Français asservi ne pouvait encore prononcer. Il baissa les yeux et exprima la gratitude éternelle d'un père d'un léger mouvement de la tête. Henderson l'imita.

Aussitôt la petite installée, Harry fit un premier pas pour partir. Henderson s'imposa aussitôt à l'avant de l'attelage, les bras bien en croix. Devant lui s'étalait la beauté et l'horreur du sacrifice. Dans l'effervescence de leur arrivée, personne n'avait remarqué l'état pitoyable de l'étalon.

— *Oh shit!* Vous venir ici !

Marie-Catherine et Francis n'en crurent pas leurs yeux. Un pieu de trois centimètres de diamètre transperçait l'épaule droite d'Harry et la peau pelée de l'articulation avant-gauche pendouillait alors que l'autre était éraflé au sang. Sa patte arrière-droite était lacérée et deux branches cassées, d'un demi-centimètre de diamètre, émergeaient du flanc. Pire, Harry ne portait plus son poids sur la patte avant gauche. Francis posa la main sur le jarret écarlate. Lorsqu'Harry le souleva, il exposa sa fourchette complètement arrachée. Tous comprirent que le cheval souffrait atrocement. Sur la ferme une telle blessure l'immobiliserait d'urgence pour deux mois.

Marie-Catherine grimaça.

— Mon Dieu, Francis ! Qu'est-ce que t'as fait ?

Francis pointa le mors pendouillant. Il lui répondit en caressant le museau du grand guerrier :

— Aussitôt qu'y a compris que son ange était en souffrance, j'ai rien pu faire, chérie, pour l'empêcher de retontir icitte.

Les yeux humides, la mère en dette s'approcha du troisième père adoptif de Nahima, saisit son jupon et tamponna affectueusement le sang qui s'écoulait de ses narines.

— Merci, Harry... Excuse-moi pour les petites taloches.

Francis examina rapidement Luna pour ne trouver aucune blessure sérieuse, hormis le sifflement inquiétant de sa respiration. Pendant ce temps, Henderson retira avec de grandes précautions les deux branches insérées au flanc d'Harry. Fidèle à son géniteur, nul gémissement ne trahit la douleur exprimée par les spasmes de sa robe. Henderson tira sur le pieu qui transperçait l'épaule. Un jet de sang clair s'échappa aussitôt. Il fit un signe de négation de la tête. Il n'était pas question de le retirer ici. Le Sergent se tourna vers Marie-Catherine.

— Madame Gaulthier, avoir besoin du tissu du robe pour Harry.

Marie-Catherine, qui caressait les deux gros museaux, déchira sur le champ sa belle robe bleue.

— Prenez tout ce que vous voulez.

Ils nettoyèrent les plaies. Les morceaux de chair pelée furent rabattus au mieux et maintenus en place grâce aux tissus providentiels. Heureusement pour Marie-Catherine, les premiers soins prirent fin juste avant que son corsage ne soit emporté.

Les deux hommes examinèrent le sabot blessé. Henderson retira son veston seigneurial et y déposa un lit de feuilles pour en faire une énorme catin, qu'il fixa solidement de plusieurs tours de sa ceinture de cuir londonien.

Puis, ils examinèrent l'épave du chariot dépourvu de train arrière. Soucieux de le soulever pour niveler le hamac et d'adoucir les chocs, les hommes ramassèrent un érable d'une douzaine de centimètres, récemment bûché, pour élargir le chemin. Ils l'enfilèrent sous le chariot et attachèrent solidement le tronc au train avant. La tête et les branches qui excédaient à l'arrière firent brillamment office de suspension. Francis, qui connaissait trop bien le sentier qui les attendait, se tourna vers Henderson.

— Avec les roches qui s'en viendrent, on est mort si on déboîte l'autr'essieu. Va falloir la chouchouter.

Galvanisés d'un espoir renaissant, ils étaient prêts à affronter de nouveau Mademoiselle France. Francis savait que le long combat qui les attendait exigerait une complicité parfaite entre les trois mâles. Il se plaça devant le chef guerrier, saisit le licou de ses mains pour plonger son regard et sa voix dans l'instinct du cheval de trait :

— Garçon, faut que tu m'fasses confiance ! C'est moé qui mène jusqu'à Baie-Saint-Paul. Après, tu décideras !

L'Alpha tourna la tête et avança d'un pas non autorisé ! Craignant pour la vie d'Henderson et la sienne alors qu'ils pousseraient chaque roue, le nouveau chef ne pouvait accepter une telle insubordination. Il tira violemment le licou pour abaisser les deux gros yeux face aux siens.

— NON, HARRY, NON !

La bête piétinait la boue alors que son museau résistait aux mains sur son licou. Francis leva le pied et frappa le sol dans un jet de terre liquide, tout en recentrant le licou face à ces yeux. En imitant ainsi un Alpha en colère frappant le sol de son sabot pour menacer d'estropier un subordonné récalcitrant, le colon d'expérience lui parlait en langage de cheval Canadien [... *J'vas te péter une patte !*]. Puis, un deuxième coup au sol suivi d'un léger contact avec la patte du cheval [... *J'te dis que m'en vas t'la péter, ta patte !*]. Comme son père lui avait appris, Francis projeta une expiration bestiale que l'on pourrait traduire en cheval Canadien par [... *mon sacrament !*].

Harry s'immobilisa enfin, restituant pour le moment l'autorité à l'Alpha réapparu. Le maître intérimaire recula de plusieurs mètres et commanda son attelage.

— Hue! Hô...

Les deux chevaux obéirent au millimètre. Francis, ému, s'approcha de l'étalon retrouvé :

— Merci, Harry. Fais-toé pas de tourmente. On veut tous la sauver.

Puis, il se retourna vers Henderson, déjà positionné auprès de la roue gauche. Les deux soldats muets se dévisagèrent longuement sous la pluie recommencée. La servitude du Français refusait l'aide de son ennemi alors que tout son corps de père l'implorait. Mais le Britannique avait déjà fait son choix... Son sacrifice, il ne l'offrait pas seulement à ses deux poupons, mais il le quémandait pour lui-même !

Bouleversés de leur conversation muette, les deux pères adoptifs clignèrent des yeux et hochèrent la tête. Une trêve signée, Francis se retourna vers Marie-Catherine et lui confirma son engagement. La mère pivota vers le Britannique au cœur aussi large que ses épaules et mima « *Thank you* » des lèvres. Le sergent sourit timidement, se tourna et lança de sa voix militaire :

— *Let's go, Mister Gaulthier*. Nous attendre vos ordres !

— Harry... On te suit... Hue... doucement...

Le chariot se mit en branle sans difficulté bien que la boue et l'eau rendaient les roches particulièrement glissantes. Quatre cent mètres et trois douzaines de chutes plus loin, les genoux des trois mâles étaient à vif, mais le chariot avançait. Lorsque Francis remarqua qu'Harry boitait de plus en plus, il l'immobilisa pour constater que la catin était défoncée, exposant sa fourchette à vif. Henderson et lui retirèrent deux cailloux enfoncés dans la plaie ouverte puis cherchèrent désespérément une nouvelle catin.

Les hommes ne portaient qu'une mince chemise, et avant même qu'ils n'aient réagi, ils reçurent un corsage par la tête. Ils levèrent la tête vers la mère immobile aux seins ruisselants, magnifiquement dénudés. Désarmées par deux beautés d'une telle blancheur parmi toute cette horreur et cette boue, les deux mâchoires étaient restées bloquées en position « *Oh my God!* » et « Baptême ! » La belle Française qui se contrefoutait de sa nudité réitéra sa seule priorité avec sa colère du terroir.

— Allez-vous vous tirer une bûche ou ben lui traficoter sa catin pour qu'on r'parte au plus sacrant ?

Le gentilhomme britannique baissa aussitôt les yeux pendant que la femme replaçait sur sa poitrine les lambeaux de sa robe. Mal à l'aise, les deux hommes manipulèrent le corsage du bout des doigts. Ils parvinrent à tirer profit des renforts de la gaine et de la ceinture de Francis pour fabriquer une protection solide et adéquate.

Plus le terrain descendait et plus le chemin forestier semblait faire office de canal d'évacuation des eaux transformant la terre en pâte boueuse. Les chevaux et les hommes durent arracher chaque mètre d'avancement. Tout comme le vieux Doc avant lui, le fils courageux sut souffrir en silence. Seules ses expirations caverneuses témoignaient de ses efforts absolus et douloureux.

Au fil des gains, Luna nécessitait des arrêts de plus en plus fréquents tant ses inspirations devenaient bruyantes. Il était de plus en plus évident que le pardon de Mademoiselle France serait extrêmement méritoire, et particulièrement sur les quatre derniers kilomètres. Les roues du chariot s'enfoncèrent de plus en plus et les quatre engins étaient à bout de souffle. Dans un troisième effort pour déloger la roue gauche, Luna échappa un râlement affreux avant de s'affaler sur le côté du sentier dans une longue expiration macabre. Entraîné par sa sœur, Harry peina à garder son équilibre.

Francis se précipita au chevet de la jument. Un filet de sang s'échappait de la gueule du soldat tombé pour que d'autres avancent. Son état était pitoyable. Plus question qu'elle bouge. Les hommes la détachèrent avec précaution puis Francis souleva le museau pour le poser sur sa cuisse. Il caressa la jument, discrète et loyale, qui leur avait offert son sacrifice simplement parce que le maître des guides lui avait demandé.

— Ma belle fille, c'est correct. T'as toute donné. T'as été toute un joual. Reste canté icitte, on va r'viendre te chercher à soir. Promis.

Henderson s'accroupit et la caressa aussi.

— Luna très grand soldat. *Thank you, girl.*

Les hommes savaient reconnaître les symptômes d'une bête de somme finie, mais il n'était pas question d'abandonner aux loups un soldat capable d'un tel dévouement. Marie-Catherine caressa et rassura la jument pendant que les hommes rafistolaient l'attelage et attachaient les baculs pour compenser l'énorme perte. Puis, ils retirèrent à mains nues la boue qui emprisonnait les roues et reprirent position sans attendre.

— Hue, garçon, HUE!

La bête, qui avait le cou, les oreilles et les yeux tournés vers sa sœur, refusa d'avancer.

— HUE, GARÇON, HUE! Faut y aller. On va r'venir la chercher.

Francis saisit une longue branche, baissa les yeux, prit une grande respiration et se résigna à fouetter le grand soldat espérant ainsi le ressaisir.

— Chus désolé, Harry, mais faut avancer... HUE!

Plus Harry résista, plus la honte et les coups de fouet s'intensifièrent. Heureusement, l'instinct du cheval de trait prit finalement le dessus et l'animal finit par tirer. Peut-être était-ce la colère ou le repos, mais la charge latérale de l'étalon fit bondir le chariot qui avança de six bons mètres pour s'immobiliser de nouveau. Les roues s'enfoncèrent et s'immobilisèrent si sèchement que l'on aurait cru qu'elles étaient agrippées par Satan lui-même.

Pourtant la pluie avait cessé et le paysage pittoresque aurait pu être si loin de l'enfer. À l'avant du chariot, le sentier forestier émergeait presque poétiquement depuis le lointain détour. À leurs pieds, la première feuille brunâtre de septembre s'était posée paisiblement. Mais, avant même que les minuscules ondulations de l'atterrissage ne s'éteignent, l'énorme sabot d'Harry l'enfonça sans poésie.

Le cheval de trait aux chairs en lambeaux refusait obstinément de ménager le collier de son attelage immobile. Sa gueule sans mors crachait son sang à chaque expiration alors que sa douzaine de pansements suintait son sacrifice.

Dans le chariot, Marie-Catherine, qui tentait d'immobiliser le hamac, ignorait la pudeur de son sein effeuillé.

Les deux hommes aboyaient leurs efforts avec toute la rage de leurs frustrations.

— Poussez, sacrament!

— *Shut up*, tabernak!

Secouée, Nahima reprit partiellement connaissance. Sa vue floue reconnut aussitôt la jument affalée au sol à trois mètres à l'arrière du chariot. Le Canadien déchaîné recula au bacul et s'élança dans son collier, sourd aux ordres d'arrêt du maître affolé. La lucidité de Nahima fut embrasée par le choc et les hennissements de souffrance de son âme sœur.

Nahima porta son seul bras valide en direction de l'étalon tout en balançant la tête en grand signe de négation. Ses lèvres sans force chuchotaient son hurlement.

— NON, HARRY, ARRÊTE... Arrête! Nahima non!

Pleurant la souffrance de la bête plus que la sienne, elle s'évanouit, plus près du ciel que de la terre.

Sourd aux ordres, mais pas aux pleurs, le gros monstre amoureux recula à peine, avant de charger une dernière fois et de s'affaler, relâchant une expiration morbide.

Tout comme sa sœur dans son sillage, le guerrier exceptionnel avait tout donné.

Francis et Henderson se tenaient debout, face à face, de chaque côté du brave cheval. Épuisés et aveuglés par le désespoir, ils s'aboyaient leurs accusations:

— *God damned*, Gaulthier. Tu devoir retenir Harry.

— Hey l'angliche, c'est ton joual, pus le mien. Pis c'est de ta maudite faute. Si t'avais pas tué son père, la p'tite serait pas icitte!

— *For sure*, lui jamais laissé sa fille sauter sur le fourche!

Le dernier tir de l'Anglais transforma la boue sur le visage de Francis en véritable peinture de guerre. Ses muscles dopés par trois ans et quatre heures de frustration, il posa le pied sur le timon central du harnais et bondit sur son conquérant.

Les deux mâles exténués s'agrippèrent mutuellement par les épaules pour hurler leurs frustrations et leurs accusations dans leur langue respective. Aux cris de la mère qui les suppliait d'arrêter, les deux pères adoptifs s'effondrèrent sur le dos, aussi épuisés de tête que de corps, laissant Marie-Catherine seule pour tenter de retenir son petit ange sur terre. Sa fille dans ses bras, les sanglots de la mère donnaient un sens à ce silence sans toutefois le combler. La bataille perdue, la mère n'arrivait plus à contenir les ailes de l'ange qui se déployaient inexorablement.

L'esprit de Nahima quittait la peau perlée du petit chevreuil transpercé qui se préparait à mourir pour la seconde fois. À chaque battement d'ailes qui la rapprochait de ses ancêtres, l'image de son corps et de sa mère rétrécissait à mesure que son champ de vision s'élargissait.

Assis côte à côte, loin dans le sillage du chariot, trois loups adultes gris et noirs hurlaient vers l'ange. Elle salua ses amis puis laissa le vent caresser ses plumes. Le bel oiseau planait entre le ciel et le paradis lorsque les paroles d'Anadabi pénétrèrent son âme dans la langue de ses ancêtres.

— Bonjour, bel oiseau.

— Papa ! Nahima arrive.

— C'est trop tôt, ma belle.

— Nahima pas vouloir les amis mourir pour Nahima.

— Ma grande, tu ne leur imposes ni la souffrance ni la mort. Au contraire ! En te méritant, tes amis se mériteront eux-mêmes...

— Comprends pas, Papa ?

— Fais-moi confiance, mon amour. C'est trop tôt. Il te reste encore trois mâles à sauver. Ton nid est dans leur cœur, pas ici. Tu reviendras me voir dans soixante-dix ans, je vais t'attendre !

— Papa... mes ailes ?

La mère affolée aperçut les yeux grands ouverts et vitreux de sa fille. Elle lui saisit les épaules pour refermer ses ailes.

— Non, Nahima, reviens ! NAHIMA, mon bébé, REVIENS !

Sa colère fit rapidement place à sa prière.

— Je t'en supplie, Anadabi, laisse-nous-la encore un peu...

Le cri de Marie-Catherine sidéra les deux hommes qui bondirent au chevet de Nahima juste à temps pour assister au douloureux premier souffle de sa résurrection. La mère en pleurs serra la petite sur sa poitrine et fusilla les trois mâles.

— J'me fous qui est responsable et qui va commander. Quel dieu vous allez prier ou quelle putain de langue vous allez parler, mais vous allez nous dégosser d'icitte... MAINTE-NANT !

Les deux hommes honteux baissèrent les yeux puis échangèrent un regard en total accord.

— Monsieur Gaulthier, je savoir comment faire, mais je besoin de vous. Nous faire comme avec canons jammés dans le boue.

Le militaire de beaucoup trop d'expérience lui expliqua qu'en détachant le timon central du harnais de l'animal et en le soulevant, ils pourraient insérer un piquet – qui servirait de pivot – sous la base de ce dernier. Ils n'auraient qu'à attacher Harry au bout du timon surélevé pour l'utiliser comme levier et ainsi soulever le chariot et le tirer en même temps.

— Oué, ça va marcher... si la pôle pète pas ! Trouvez votre levier, pis moé, j'dételle Harry.

— *Yes, sir !*

Emporté par l'espoir... et ses gènes latins, Francis tapota instinctivement l'épaule du sergent. Surpris, les deux hommes s'immobilisèrent pour s'offrir le début... d'un commencement... du prélude d'un pardon. Mademoiselle France devait certainement sourire elle aussi...

Harry avait profité du court repos pour se relever. Il était maintenant attaché au bout du timon et semblait prêt à retourner au combat. Francis lui caressa la joue puis sortit quelques fleurs de luzerne de sa poche. Il les mit dans sa propre bouche et les mâchouilla. Il saisit délicatement le museau, recouvrit une narine de sa bouche ouverte et y expira lentement les effluves associés à Nahima. Ainsi, le colon d'expérience calma son ami et associa son ange à son maître et son maître à son ange. La transfusion terminée, l'animal resta immobile quelques secondes puis tourna la tête de côté pour pénétrer l'homme de son gros œil noir. La forêt qui les emprisonnait disparut pendant que l'instinct de la bête questionnait l'âme du maître immobile. Le nez moelleux revint sur la figure de Francis pour y expirer lentement le souffle chaud de son amitié reconquise. Témoin bouleversé d'une servitude vaincue, Marie-Catherine et Henderson regardèrent les deux chefs guerriers qui approchaient leur front pour sceller le pardon libérateur. Leur sourire louangea ce moment inespéré.

Les deux hommes agrippèrent leur roue. Marie-Catherine emprisonna ses jambes et empoigna le hamac. Tous savaient qu'une traction trop violente d'Harry sectionnerait à coup sûr le timon. Avec l'assurance et le calme qu'il devait transmettre à la bête, Francis l'interpella :

— Harry.

Chaque enseignement de son père, chaque minute d'expérience de l'habitant pouvait aujourd'hui sauver la vie de sa fille.

— Harry, hue... doucement !

Le timon craqua de toute sa cellulose. Francis limita aussitôt la traction de l'animal, qui réagit précisément à ses commandements. Il devint évident que la roue de Francis était coincée entre deux roches immergées.

— Huo... Dia... Hô... Dia... Dia... Hô... Arrière.

Au son de sa voix, Harry se déplaçait à gauche à droite, à l'arrière pour dégager la roue sans détruire le peu qui restait du chariot. Tel un arracheur de dents, lorsqu'il sentit que le bon moment était arrivé, il commanda la traction finale :

— HUE, GARÇON, HUUUE !

La bête s'inclina vers l'avant et appuya ses épaules dans le collier. Chaque enjambée, chaque grognement libérait davantage les roues. Le son de la boue qui abandonnait enfin sa succion retendit lors du grand saut du chariot vers l'avant.

Sa fierté retrouvée, l'héritier de Doc n'abandonna pas avant d'avoir paradé son trophée. Francis lui concéda cinq bons mètres supplémentaires pour impressionner la galerie, puis commanda l'arrêt. Henderson, exténué et affalé sur le dos, sourit :

— *Mister* Gaulthier, vous être tout un *driver* ! *A God damned good driver !*

— Monsieur Henderson, *your* trucs' *not* piqués des vers pantoute ! *Good* dammé !

Le souffle court, tous partagèrent le rare sourire britannique. Après s'être assuré que la petite tenait le coup, ils se rendirent au chevet d'Harry pour le féliciter et le cajoler. Ses pansements avaient rougi, ses narines dégoulinaient toujours, mais sa tête avait enfin quitté son abandon pour retrouver les hauteurs de sa race. N'eût été ses centaines de petits kilos, les deux bipèdes auraient sûrement porté leur héros sur leurs épaules victorieuses.

Les trois derniers kilomètres et le soleil qui s'approchait de la cime des arbres leur rappelèrent que la petite était encore loin des mains du médecin.

Tous s'activèrent à harnacher Harry à sa position initiale et à relancer l'ambulance. Profitant de la complicité retrouvée avec le cheval, le chariot pouvait maintenant emprunter le meilleur tracé. Les kilomètres s'enfilèrent enfin !

Marie-Catherine, debout dans le chariot, pointait l'index au loin.

— On arrive ! Regardez : Baie-Saint-Paul, en bas !

Les trois bêtes de somme s'immobilisèrent aussitôt et les hommes montèrent péniblement dans le chariot pour contempler la bonne nouvelle.

Ils eurent à peine le temps de la consommer que le chariot fut secoué violemment. Harry venait de s'effondrer dans une mare d'urine foncée, presque noire ! Francis sauta aussitôt. Ses pieds atterrirent dans la preuve irréfutable que son héros muet agonissait de l'intérieur depuis plusieurs kilomètres.

— Oh non ! Pas l'eau noire !

Les tissus musculaires surchauffés – en chômage depuis deux ans et surexploités depuis sept heures – se détérioraient et empoisonnaient le système sanguin de l'étalon. Le cheval avait dépassé ses limites et il souffrait le martyre. Sa vie était même sérieusement menacée s'il n'était pas hydraté et n'urinait pas abondamment avant d'être mis au repos complet. Francis retira sa chemise, la chiffonna et la tendit à Henderson.

— S'il vous plaît, M'sieur Henderson, charriez-lui de l'eau.

L'Anglais la saisit et courut jusqu'au premier trou d'eau. Francis s'agenouilla et souleva le museau de l'extraordinaire cheval Canadien.

— Espèce de gros con. Tu fais rien à moitié !

Henderson accourut avec la chemise dégoulinante. Francis la tordit dans la gueule inanimée. Tous fixèrent l'animal dans l'espoir d'un signe de vie. L'eau s'écoulait, mais... rien ! À chaque aller-retour au trou d'eau, la course d'Henderson ralentissait au fur de l'espoir qui s'évaporait.

Alors qu'une forte odeur d'urine noire flottait dans l'air, la langue du cheval bougea enfin vers la rencontre du filet d'eau.

— Oué, c'est ça, Garçon, bois, bois !

Les sourires jaillirent. Henderson retira sa propre chemise et courut l'imbiber alors que Marie-Catherine remerciait le ciel.

— Merci, Doc... Merci, Duchesse.

Francis creusa à mains nues un abreuvoir directement sous son nez. Marie-Catherine s'était jointe à Henderson pour transporter l'eau dans leurs paumes.

— Let's go, Harry... C'est notre tournée !

La bête leva péniblement la tête pour sentir l'eau. Ils sourirent lorsque la bête siphonna littéralement l'abreuvoir, signe que leur héros combattait toujours. Se rappelant les enseignements de son père, Francis versa un filet d'eau sur le fourreau du cheval pour l'inciter à uriner et purger ses reins. Après plusieurs bonnes lampées, tous fixèrent le fourreau dans l'attente d'un jet d'urine... et moins foncé si possible.

— Vas-y, mon gros, pisse-nous une autre de tes flaques !

Henderson approcha son pied.

— *Come on, boy !* Pissez sur un Anglais !

Les visages s'illuminèrent et les tapes dans le dos fusèrent lorsque l'étalon fit enfin honneur à sa vessie canadienne. Malgré leur grande fatigue, ils se bousculèrent tout sourire pour offrir à boire à leur homme et lui masser les muscles. Ils espéraient ainsi soulager l'animal, mais surtout accélérer l'expulsion des toxines. Nerveux, Henderson lança sans réfléchir :

— Dans l'armée, on faire une petit saignée aux chevals pour aider...

Marie-Catherine et Francis regardèrent le sang d'Harry qui pissait de partout, puis fixèrent Henderson avec stupéfaction. Le Britannique embarrassé esquiva un large sourire niais et se remis au massage avec ferveur, sûrement pour dissimuler les deux oreilles d'âne qui lui poussaient sur la tête.

Après une dernière pause, Francis lui adressa plus une prière qu'une demande.

— Harry, tu vas quand même pas manquer la parade finale, hein ?

Puis, il se leva et s'adressa à lui en chef guerrier.

— Harry, debout ! DEBOUT !

Le soldat en mission pour son ange souleva aussitôt la tête, puis le cou. Au prix d'efforts et de grandes souffrances, il allongea les pattes avant et souleva sa poitrine d'un grand coup d'épaule. Le postérieur toujours soudé au sol tarda tellement à suivre que la poitrine s'affala de nouveau. Marie-Catherine posa la main sur sa bouche pour cacher ses lèvres horrifiées. Francis et Henderson soulevaient l'attelage et encouragèrent leur frère.

— Debout, Harry! Debout!

— *Come on, boy... you can do it!*

La bête courageuse tenta un deuxième essai à grands coups d'épaule. Encore une fois, les cuisses abusées tardèrent à monter. Au prix d'une violente poussée vers l'avant du corps tout entier, l'arrière-train s'éleva péniblement sur les cuisses chancelantes. En le voyant en si piteux état, Francis bénit le ciel que le dernier kilomètre soit en pente descendante, mais surtout, il remercia ses ancêtres canadiens de lui avoir transmis une telle endurance et une combativité exceptionnelle.

À l'ordre du maître, Harry avança d'un pas désynchronisé. Ce signe indéniable que le poison affectait maintenant son système nerveux n'échappa pas à Francis:

— Si y r'tombe à terre avant qu'y ait tout pissé son eau, y se r'lèvera p'us jamas!

— On pouvoir porter Nahima, Monsieur Gaulthier, on est arrivé presque.

— Si y a p'us la p'tite à tirer, Harry va se laisser mourir icitte.

— Vous avoir raison. Venez! On a deux anges à sauver!

Les deux hommes agrippèrent le châssis pour pousser de toute leur loyauté envers leur frère d'armes. Chaque fibre musculaire économisée par la bête retardait son empoisonnement.

Baie-Saint-Paul se rapprochait lentement. À cinq cents mètres de leur libération, Marie-Catherine s'écria :

— FRANCIS, ARRÊTE !

Henderson était tombé et restait immobile, face première. Francis se jeta sur l'ennemi... l'Anglais... le seigneur... le père... l'ami... il ne savait plus... Le sang du sacrifice volontaire qui s'échappait de la bouche de cet homme exceptionnel bouleversa sa servitude et ses certitudes.

— *Mister Henderson*... Monsieur Henderson...

Puis, il fit une pause et prononça le premier mot de sa guérison :

— Michael...

Le Britannique ouvrit lentement les yeux pour consommer le merveilleux prénom. Pendant que Marie-Catherine essuyait le sang sur sa joue, le sourire soulagé mais incertain du Français confirma au Britannique qu'il ne rêvait pas. Incapable de comprendre et encore moins de verbaliser ses sentiments, Francis appliqua la méthode enseignée par son père : l'humour !

— Michael, j'pense qu'vous êtes rendu trop vieux pour ces p'tites balades du dimanche !

Conscient que le Français lui témoignait son amitié par son humour et sa familiarité, Henderson lui transmit la sienne dans le même langage de gars après avoir purgé le sang de sa bouche.

— Nous allons voir, le jeune. Dimanche prochain... on enlever les deux essieux!

Les trois sourires scellèrent à la canadienne leur affection et leur respect mutuels. Après quelques secondes de paix, Francis pointa le sang sur sa main et demanda:

— Qu'est-ce qui vous arrive, Michael?

Henderson leur présenta ses deux coudes afin d'être soulevé, puis leur dit:

— Souvenir des Plaines et de George... *Let's go!*

Mystifié, Francis n'en admira pas moins ce géant et ce grand homme couvert de boue et de sang qui empoignait sa machine à faucher sacrifiée pour retourner encore au combat. Sa haine nourricière menacée par tant de bonté, Francis accepta que CE Britannique n'était peut-être pas un « maudit Angliche ».

Par ce clivage désespéré, sa fille et sa haine des Anglais pourront toutes deux survivre à cette épreuve.

Il devait être environ 18 h 15. Le fleuve et le village baignaient dans la lumière tamisée du soleil retraité pour un repos fort peu mérité. Au moins, la pluie avait enfin cessé.

Le chariot tourna sur la rue principale à moins de cent cinquante mètres de la maison du chirurgien. La rue tranquille se congestionna rapidement aux murmures des villageois consternés qui affluaient. Dans une haie d'honneur trop distante et respectueuse, les villageois statufiés regardèrent le cortège passer sous leur nez.

L'étalon sans mors marchait la tête haute, malgré son épaule empalée, sa dizaine de pansements et ses chairs pendantes. À voir la fierté de la bête, il était évident que ni son atroce boiterie ni ses expirations tonitruantes et encore moins ses narines ensanglantées ne l'arrêteraient avant l'ordre final. Aux côtés de chaque roue, deux ennemis pourtant jurés tiraient le même chariot de leurs mains lacérées. Dans la machine agricole sacrifiée, mutilée, une femme aux yeux liquides et à la féminité presque dévoilée enlaçait l'explication de leur supplice. Les figures grimacèrent à la vue des trois fourchons et du manche ensanglanté.

Heureusement, son bon ami et maréchal ferrant du village se jeta sur le chariot pour l'empoigner et réveiller la foule.

— Allez, v'nez !

Les femmes s'occupèrent aussitôt du plus important... Elles se précipitèrent sur Marie-Catherine pour couvrir le galbe de ce sein inexpiable ! Les hommes se ruèrent sur le chariot et l'érable usé pour soulever l'arrière et le porter jusqu'en face de la maison du Docteur. Aussitôt arrivé, Francis lança le dernier commandement tant attendu depuis huit longues heures.

— Harry, ho ! Beau travail, Garçon.

La bête s'immobilisa et tourna aussitôt le cou, observant Francis qui tentait de déficeler leur fille avec ses doigts aussi écorchés que tremblants. Jorys posa sa main sur les siennes, le regarda et lui dit doucement :

— Francis, s'il te plaît, laisse-moé gosser après ça.

Le père à l'adrénaline en baisse acquiesça avec reconnaissance, puis recula d'un pas pour le laisser passer et s'appuyer sur le chariot. Marie-Catherine s'avança face à son homme. Ces yeux bouleversés examinèrent les mains, les genoux et les vêtements en lambeaux de son mari, convulsé par l'épuisement. La mère et l'épouse reconnaissante posa ses mains, couvertes du sang de leur fille, sur les joues boueuses du père extraordinaire et lui chuchota :

— Je t'aime, mon amour.

Puis, à l'image du sang qui fusionnait à la boue, elle l'embrassa avec grande délicatesse.

Alors que Francis souriait à sa femme, leur attention fut accaparée par leur fille libérée et tendue par Jorys. Francis la saisit délicatement avec la seule force qui lui restait : son amour ! Jorys et Marie-Catherine l'aidèrent discrètement à marcher vers la foule qui s'ouvrait devant lui. Le père en dette d'honneur bifurqua vers l'étalon aux oreilles affolées. L'un des deux anges pourrait ne jamais se réveiller demain et Francis lui devait son dernier adieu, s'il en était. Il positionna l'Amérindienne sous le nez de son protecteur.

— Harry. Est vivante. T'as réussi, mon gars.

Encore une fois, le gros nez moelleux inspecta son âme sœur. Il plongea sa truffe noire sur le nez blanc. Mais les lèvres en cœur restèrent immobiles. Il s'approcha de nouveau et enfonça sa truffe si fermement cette fois que Francis dut abaisser la petite pour la protéger. Le temps pressait, et il se résigna à se diriger vers la clinique.

L'étalon hennit sa détresse si violemment que la foule – troublée par l'appel – en devint silencieuse. Le cri de l'âme arracha Nahima à son inconscience. Le père ne le réalisa qu'une fois monté sur le perron, lorsqu'elle prononça faiblement un mot montagnais qu'il connaissait bien. Le père, fou de joie, se retourna vers la bête et lui cria :

— HARRY, écoute...

Il souleva la tête de la petite qui répétait faiblement :

— Harry... j'aime Harry...

À cet instant magique, seul l'hommage des nez larmoyants trahissait l'importante foule.

Jorys et deux autres villageois détachèrent les sangles d'Harry. Le maréchal ferrant retira avec précaution le collier encastré dans la peau à vif, qui tressaillit. Aussitôt qu'il fut officiellement libéré de l'attelage et de sa mission, le grand soldat baissa la tête et se mit à trembler.

Voyant le tressaillement s'accentuer, telle une chorale funeste, la foule le supplia.

— Nooоon !

Les pattes avant cédèrent. Le héros vidé, empoisonné, était agenouillé devant Mademoiselle France. Les cuisses vibraient, mais résistaient obstinément. La vision du héros agonisant devenait insupportable. Sa seule motivation maintenant en sécurité, les deux cuisses privées d'adrénaline l'abandonnèrent et Harry, le digne fils de Doc, s'écrasa au sol et rebondit dans une expiration macabre. Sous la créature exceptionnelle grandissait lentement une flaque d'urine mortellement noire. Tous fixèrent en silence la preuve de son martyre évident et de sa mort annoncée.

À titre de maréchal ferrant, Jorys connaissait sa lourde responsabilité face à la bête estropiée et à son ami. L'homme se traîna jusqu'à son atelier pour réapparaître avec son mousquet, qu'il chargea à regret. Il le leva, pointa l'ange d'une tonne à la tête puis tira... le percuteur vers l'arrière. Il regardait Henderson dans l'attente de l'approbation du propriétaire. La foule horrifiée par l'acte de compassion retenait son souffle pendant que les mères cachaient les yeux des enfants.

Le maréchal tenta de lui faciliter une décision trop pénible.

— *Mister* Henderson, on n'a pas de choix. On peut pas le laisser en souffrance de même. Zyeutez ses blessures, pis la pisse encore noire. Y'est au bout du rouleau votre héros.

Expulsé par le médecin, Francis était sorti entretemps. Pendant que tous le regardaient s'approcher dans un silence morbide, il ignora le mousquet pour s'agenouiller devant la bête. Il souleva la tête, qu'il déposa sur ses cuisses. Pendant qu'il caressait et fixait la bête, il répondit au maréchal et à toute la Nouvelle-France, qui en avait fait un jour sa risée :

— J'ai juste ôté son mors pis faite r'nifler la plume d'la p'tite. J'y ai jamais demandé de virer su'es roches coupantes pis encore moins dans les pieux secs. Y'es a ben r'gardées. Y a sauté d'dans parc'que c'était le seul chemin vers son ange.

Il fit une pause dans un silence envié par le curé du village, puis continua.

— Presque un lieu avec une fourchette arrachée pis un pieu dans le corps... Deux heures, les chairs rongées par l'eau noire, pis la seule fois que j'ai dû le bardasser pour avancer, c'est quand je l'ai forcé d'abandonner sa sœur Luna à moiquié morte!

Les yeux de l'homme exténué se liquéfièrent enfin. Il colla son front sur celui de la noble bête et ajouta simplement :

— J'te demande pardon, Harry !

Henderson savait que Francis respectait trop son droit de propriété sur la bête pour s'imposer. Après une longue réflexion, le sergent qui avait rarement combattu aux côtés de soldat plus courageux, leva la tête.

— Monsieur Bolduc, vous avoir peut-être pas le choix, mais Harry oui. Lui a accepté de souffrir pour Nahima. Je ne savoir pas comment, mais les deux sont... *connected.* Si perdre Harry, perdre Nahima...

De la main, Henderson abaissa doucement le mousquet. Francis leva les yeux vers l'Anglais. Il lui sourit de ses yeux bouffis, puis regarda son ami qui avait désarmé le percuteur.

— Si t'as vouloir de m'aider, Jorys, trouve que'qu'un pour remonter le sentier forestier jusqu'à mi-chemin. Y va ouère Luna sur le cant. Qu'y veille sur elle c'te nuit, j'voudrais surtout pas que les loups l'achèvent.

— T'inquiète, Francis : j'm'en occupe t'e'suite !

Sortant de la foule, un villageois inconnu lança :

— J'prends des courtepointes pis des allumettes, pis j'pars. J'vas vous la dorloter, votre jument !

— Merci, Monsieur. Prenez mon mousquet.

À l'intérieur, le docteur et la mère retenaient Nahima. Le son de la chute et du râlement funeste d'Harry galvanisa ses dernières énergies. Ses lèvres murmuraient des protestations.

— Harry… mourir… Soignez-lui.

— Ma chérie, le docteur Benitez ne soigne pas les animaux. T'inquiète pas, le maréchal va en prendre soin !

De sa main valide, la petite futée fit signe au médecin d'approcher son oreille et dit :

— Nahima oui… si docteur d'amour… soigne… Harry !

Rien ne pouvait protéger l'homme de science contre un ange !

Tous furent surpris lorsque le docteur Benitez – visiblement contrarié – apparut sur le pas de la porte.

— Lavez l'animal et apportez-le chez le maréchal. Je vais le rafistoler après la p'tite.

Galvanisée par la bonne nouvelle, la foule ressuscita.

— Rosaire, va rapailler ta grosse toile ! On va rouler Harry d'sus pis l'traîner ! Ursula, va avec les enfants dans l'atelier à Jorys, pis nettoyez au boute ! Amène d'la paille neuve de notre réserve ! Grouille !

Jorys pointa deux voisins.

— Gilbert et Monsieur Alarie, allez tirer de l'eau en masse ! Avec Bertha pis votre Dame, faut le forcer à boire pis à pisser toute la nuite. Faites-vous relayer. Faut pas qui dorme plusse que dix minutes en ligne tant qu'sa pisse pâlit pas. Compris ?

Hey, Josephat, viens me r'joindre avec ton grand gars ! Va falloir qu'on le r'tourne de bord à tou'es heures !

Tous s'exécutèrent séance tenante. Puis, il s'adressa au boucher qui calculait sur ses doigts la valeur du steak malmené.

— Monsieur Gagnon, vous êtes pas à veille de l'trancher ceul' là. Trouvez une chaudière pis lavez-le, à place!

Tous offrirent leur contribution, dont une villageoise.

— Irène, ma grande, amène tous tes draps blancs qu'on a su'a corde! Y vont en avouère de besoin... Matilda, va chercher de la tisane et du lard dans réserve d'hiver pour nourrir c'pauvre homme!

Deux vieux aristocrates français passèrent leurs mains sous les aisselles de Francis et le soulevèrent avec toutes les difficultés de leur usure. Francis remercia le vieux couple inconnu. Il voulut suivre son cheval, mais la dame le retint respectueusement.

— Ne vous en faites point, Monsieur: toutes ces bonnes gens et le docteur vont prendre grand soin de votre héros.

Le père courageux, conscient de sa responsabilité première, abaissa les yeux.

— Madame... J'ai pas les moyens que l'docteur s'occupe de Nahima pis d'Harry. Avec cette maudite pluie, j'pourrai à peine nourrir mes enfants, c't'hiver... Pis j'ai la machine de monsieur Henderson à remplacer...

— Je vous l'ai dit, mon brave homme, ne vous en faites point. Vous avez veillé sur la petite, mon époux va veiller sur le docteur et moi sur vous! Venez vous asseoir et vous désaltérer à l'intérieur de l'auberge. Vous aurez une excellente vue sur le cabinet du docteur, vous savez!

Incrédule, Francis dévisagea les deux sourires admirablement ridés. Le père, qui n'avait fait que son devoir, peinait à comprendre tant de bonté de la part de tous ces inconnus...

Assis à l'écart, isolé comme son Angleterre au milieu de l'océan, Henderson s'abreuvait dans un gobelet militaire. Il remercia de la tête le soldat britannique qui lui tendait un morceau de pain. Le seigneur admirait cette foule, mais les rares regards qu'il croisait fuyaient, encore et toujours, vers le sol conquis par son armée.

Rusée comme ses Amérindiens, Mademoiselle France savait qu'en confrontant ses colons à ses épreuves abominables... elle les renforçait, mieux... elle les unissait ! Alors que seuls les soldats britanniques s'occupaient du seigneur, il fallut admettre que même elle avait sous-estimé le brasier haineux attisé par Francis.

Minuit. Gertrude et Émilie dormaient enfin à l'étage à la très grande joie de madame Henderson, qui avait survécu à sa première journée. À la lumière de deux chandelles vacillantes, la mère de secours préparait le lait de vache – fraîchement trait ! – pour bébé Albert, qui chialait sa faim. La Britannique futée versa le liquide crémeux dans une vieille corne de bœuf évidée et bouillie dont elle avait percé l'extrémité et recouvert d'un bout de tissus ficelé.

Elle souleva le petit Canadien, s'installa dans la chaise berçante de la cuisine et le blottit dans son bras charnu. Malgré le changement de régime abrupt, le poussin trop affamé se tut aussitôt la tétine enfournée dans son bec. Dans la pénombre chancelante, la mère en manque admirait ce petit être de tout son instinct maternel. Son esprit torturé la culpabilisait de toutes ses incertitudes : peut-être que son cœur ne serait pas aride si ses seins ne l'avaient pas été... Peut-être que son Michael ne l'aurait pas quittée si... Peut-être qu'elle aurait été une bonne mère après tout... Tant de questions que ses yeux desséchés ne pouvaient soulager.

La corne vidée, l'estomac gavé, le rot délesté, le petit Canadien demeurait pourtant agité. Le petit doigt de la nounou, qui tenta bien de faire office de suce, ne put calmer l'enfant. Elizabeth l'appuya machinalement sous sa poitrine généreuse pour le bercer. La petite bouche insécurisée n'avait communié ni avec le sein ni le cœur de la mère. Il agrippa de ses gencives le gros mamelon agaçant qui pointait sous la chemise de nuit. Surprise, presque en colère, la femme tira machinalement sur l'enfant pour l'éloigner de sa féminité. Mais plus la mère en manque fixait la petite bouche chercheuse et plus ses yeux s'humidifiaient.

Son instinct maternel en rut brouillait son esprit alors qu'elle effeuillait, d'une hésitation coupable, le sein maternel. Complice, sa main honteuse l'offrit avec maladresse à l'enfant angoissé. Le petit engloutit la suce hérissée à l'odeur d'une autre mère, mais recula aussitôt. À un bout de nez du mamelon, sa langue, sa peau, son nez, ses oreilles, ses yeux, tous ses sens, goûtaient, jugeaient l'inconnue.

Puis, les yeux se refermèrent et les lèvres s'ouvrirent pour accueillir délicatement l'aréole chaude et rassurante de la mère approuvée. À la lueur de la chandelle, les doigts minuscules caressaient le galbe mammaire alors que sa joue absorbait sa chaleur apaisante.

L'enfant rassasié sirotait la femme beaucoup plus qu'il ne la tétait... Plus il se calmait et plus les yeux de la mère écrémée laissèrent enfin ruisseler son deuil opprimant. Les minutes, les pleurs et les regrets s'estompèrent dans le silence de la nuit alors que le regard noyé fixait le Canadien. La mère reconnue par la petite bouche bilingue leva la tête et ferma les yeux pour inspirer sa première bouffée de Nouvelle-France.

Sereine, elle posa le doigt sur le blond duvet.

— *Thank...*

Elle s'interrompit et tendit ses plus belles rides.

— Merci, mon petite cœur. Ça être notre secret!

La femme consolée, l'enfant put s'endormir au rythme des battements du cœur polyglotte!

Une heure du matin. Francis et Marie-Catherine veillaient au côté de Nahima. Henderson frappa sur l'encadrement de la porte ouverte.

— Je ne peux pas dormir. Je peux entrer?

Surpris, Francis regarda l'homme au pantalon en loques portant une veste militaire empruntée. Le Français, honteux, lui sourit.

— Ben sûr, Michael! On vous a perdu de vue dans le brouhaha. J'espère que les bonnes gens vous ont au moins restauré?

Blessé d'avoir été ignoré des villageois, Henderson inclina tout simplement la tête pour fuir la réponse. Marie-Catherine n'avait nul besoin de l'approbation du village pour envelopper la tête grisonnante de toute sa reconnaissance.

— Merci, Monsieur Henderson. Vous avez tout sacrifié pour elle. On vous avait si mal jugé. Nous vous demandons le pardon !

Francis se joignit à eux dans une étreinte toute québécoise. Commençant à apprécier les débordements affectueux des Français, le Britannique les enveloppa de son cœur et ses bras. Après un long moment divin, le Britannique recula, regarda le sol un moment, puis leva ses yeux empathiques vers la Française, jadis souillée par des tuniques rouges.

— C'est l'Angleterre qui vous demande pardon, Madame Gaulthier...

Marie-Catherine acquiesça des paupières et de la tête. Honteux, Henderson se tourna vers Nahima.

— Comment la petite aller ?

— Le bon docteur a fait des miracles, d'après Marie. On va le savoir demain, au soleil couchant. Y dit que le froid l'a sauvée. Y dit aussi que les deux fourchons du ventre ont tout juste frôlé les tripes et que le pire est passé, mais que son bras pis tout le sang qu'a perdu l'inquiètent beaucoup.

— Moi aussi, mais Nahima est guerrière.

— ... pis beaucoup plus !

Henderson acquiesça en flattant le pied de la petite au travers la couverture. Francis posa la main sur la large épaule puis ajouta :

— Michael… On sache que vous n'êtes pas comme eux, même que vous êtes une saprée bonne personne. On sache que vous êtes cassé et que sans votre machine agricole, vous passerez pas l'hiver. Pourquoi tant de sacrifices pour une… p'tite Sauvage ?

Francis connaissait trop bien la haine viscérale des Britanniques pour les Amérindiens. L'Anglais le dévisagea. La réponse était pourtant évidente.

— Mais, Francis ! Nahima est la fille de MON habitant… Je suis responsable !

Puis, il fit une pause, ouvrit la bouche, mais s'interrompit avant de marquer une deuxième pause qui n'échappa pas à Marie-Catherine… Puis, il ajouta péniblement :

— … Je pas vouloir que mourir autre *baby*…

Le couple réalisait encore davantage l'homme exceptionnel qu'il était. Marie-Catherine posa la main sur l'épaule du Britannique et lui offrit de libérer sa mémoire.

— Monsieur Henderson, s'il vous plait, prenez un siège et parlez-nous de George et de ce bébé.

Les yeux de l'homme asservi fixèrent la femme puis désertèrent vers le sol à mesure que ses souvenirs honteux l'envahissaient. Marie-Catherine prit la main pansée entre les siennes et attendit l'ouverture des écluses. Dès leur première rencontre à Québec, avec l'Écossais, le Britannique savait que Francis et Marie-Catherine étaient deux Canadiens exceptionnels. Depuis qu'on lui avait offert sa feuille d'érable, il savait aussi que le pardon de Dieu et des Français n'était possible que par sa confession qu'il taisait depuis trop longtemps.

À la lueur de la chandelle devenue un cierge, le Britannique pénitent avoua tous ses souvenirs asservissants : leur damnée infertilité qui le conduisit à l'armée... Le poupon de porcelaine de Saint-Joachim et son abominable fracas qui le hantait... Sa balle qui exécuta son « fils » George sur les Plaines. La merveilleuse sœur Eugénie et la feuille d'érable... Sa belle Elizabeth et leur rêve canadien en péril...

À mesure que la nuit s'égrainait, la confession de l'homme s'échappa dans le corridor, espérant trouver enfin l'écoute d'un dieu.

Au petit matin, Francis retourna au chevet d'Harry, étendu sur son flanc. À ses côtés, il trouva Jorys et un inconnu qui sommeillaient, un seau d'eau entre les mains. Francis réveilla les deux hommes, leur fit l'accolade et leur offrit d'aller dormir pendant qu'il prendrait la relève. Debout, seul avec le seau et le cheval, ses yeux rougis balayaient la centaine de points de suture et la robe usée jusqu'aux chairs. Le père en dette serra les lèvres. Il s'assit à ses côtés et le caressa tout en versant un léger filet d'eau dans la gueule ouverte. Il s'assoupit malgré lui. Il profitait de ses premières minutes de sommeil lorsque le médecin le réveilla en ouvrant la porte. L'esprit encore embrouillé, Francis demanda :

— Haaa, Docteur ! Comment va la petite ?

— Elle dort. On en saura plus long demain au p'tit jour.

— Merci, Docteur, d'avoir pris soin des deux...

Francis flattait la joue d'Harry. Le médecin eut un sourire forcé.

— Vous connaissez votre fille… Je n'avais pas vraiment le choix !

Le médecin ausculta la bête de son mieux et ajouta, d'un air déconfit :

— Vous savez… J'ai tout désinfecté et cousu ce que j'ai pu, mais il a perdu beaucoup trop de sang, Monsieur Gaulthier… Pis l'eau noire !

Francis caressa le front du cheval inanimé et répondit :

— J'sais, Docteur.

— Je ne comprends même pas comment cette bête a pu se rendre jusqu'ici. Si les chevaux ont un ange, il veillait sûrement sur lui !

— Y en a un, Docteur, pis ce gros monstre amoureux s'est estropié pour vous l'amener.

Francis leva les yeux vers le simple mortel et lui quémanda un miracle.

— Docteur, on vous en supplie tous les deux… sauvez au moins son p'tit ange…

L'homme de grande « savance », mais de peu de science, posa ses yeux impuissants sur la bête au souffle presque imperceptible et acquiesça d'un faible signe de la tête avant de partir.

Le deuxième coucher du soleil n'avait pas emporté Nahima dans sa noirceur. Tous les espoirs étaient donc permis. Henderson rendit visite à la petite et au couple.

— Comment elle va ?

Marie-Catherine lui répondit :

— Elle ne s'est pas réveillée depuis l'opération. Le docteur peut rien promettre encore...

Le deuxième père adoptif de Nahima s'assit sur le bord du lit et témoignant de son affection pour la petite et la Nouvelle-France, il s'adressa à elle dans un montagnais malmené :

— Nahima, douce comme air, forte comme vent et bagarreuse comme tempête.

Sa main hésitante plongea dans sa poche pour en sortie une belle pomme rouge. Il la regarda dans sa main. Il la polit soigneusement puis la déposa près de la petite. Il caressa ses cheveux puis se leva. Après un moment de silence à l'admirer, il se tourna vers Francis et Marie-Catherine.

— Le rivière baissée. Je pars maintenant avec *Mister* O'Riley pour sauver de la blé pour l'hiver.

Francis posa la main sur l'épaule de son ami :

— J'vas monter vous donner un coup de main le plus tôt possible. Allez vous réguiner tant que besoin dans ma grange entretemps.

— Francis, vous avoir aussi votre blé à ramasser.

— Mahigan y besogne déjà avec Olga. Pouvez-vous charrier Marie-Catherine avec vous en haut ?

— Pas obligé. Elizabeth prendre soin de vos petits Canadiens et vous prendre soin de Nahima pis Harry.

Le couple ému le remercia puis échangea un regard. Francis baissa les yeux.

— On est vraiment peiné pour vot'e joual, Michael!

Le grand seigneur posa sa large main sur l'épaule pénitente.

— Francis, Harry n'a jamais été mon cheval. Il est seulement emprunté. Cet cheval extraordinaire a toujours été à vous... et Nahima.

Francis resta sans voix. Il regarda la main de l'amitié tendue et empoigna fermement des deux siennes pour lui tatouer son engagement:

— Merci beaucoup, Michael. Je vous rembourserai un jour. Juré craché!

Francis racle sa gorge et cherche un crachoir. Henderson l'arrêta de la main tout en esquivant un léger sourire.

— Correct, Francis. Je vous croire.

Henderson regarda la petite combattante alitée.

— *Just save her, all righ?* Sauvez-elle.

Francis et Marie-Catherine comprirent dans ces propos que seule Nahima pourrait réduire son poupon de porcelaine au silence.

Seul sur la rue principale, Francis regardait Henderson et O'Riley s'éloigner. Les évènements s'entrechoquaient dans son esprit: sa fille entre la vie et la mort... La machine à faucher sacrifié... La seigneurie en danger... Le Britannique ensanglanté... Le sacrifice du cheval. Pourquoi Henderson et Harry avaient-ils trouvé la force de se libérer, mais pas lui?

L'homme asservi étouffait dans sa haine oppressante. Il leva la tête au ciel pour crier sa colère :

— Maudit Angliche !

Ses doigts pénétrèrent la longue chevelure. Une fois l'écho épuisé, les mains abaissèrent la tête sur la poitrine. Dans une telle proximité, peut-être son cœur s'était-il enfin adressé à sa raison...

Les bras redescendirent le long du corps. La tête se releva. Il contempla le magnifique coucher de soleil mauve et orangé. Sur sa gauche, les montagnes pavanaient leurs belles couleurs d'automne. Il se retourna et admira le fleuve grandiose, fierté de sa Nouvelle-France. Il poursuivit sa rotation cherchant inconsciemment d'autres beautés pour apaiser son âme. Il découvrit la plus belle d'entre tous.

Au deuxième étage, par une fenêtre de la clinique, Marie-Catherine admirait son homme. La femme – qui n'avait rien manqué de l'affrontement – posa la main sur la vitre. Immobiles, les deux amants se pénétraient pendant ces quelques secondes charnières de deux vies.

VII. LE PARDON

Henderson et O'Riley semblaient minuscules dans le vaste champ de blé mûr du seigneur. Depuis cinq jours éreintants, ils fauchaient la céréale à la main. Elizabeth et Gertrude les aidaient à assembler des bottines de blé pour ensuite les appuyer en quintaux pour le séchage. Découragé, O'Riley regarda le champ :

— C'est tellement regrettable de perdre tant de beau foin. Vous n'auriez jamais dû gaspiller votre belle machine pour...

L'Anglais ne compléta pas le fond de sa pensée et se remit au travail. Henderson ignora l'allusion et saisit plutôt la tête d'une tige de blé dans sa main pour la frotter délicatement sur sa paume. Le grain presque trop mûr se détacha sans la moindre pression. Découragé, Henderson acquiesça.

— Vous avez au moins raison pour une chose, Monsieur O'Riley : c'est dommage de perdre tant de beau blé. Il nous reste que deux ou trois jours pour en récolter assez pour passer hiver.

Il baissa la tête et ajouta :

— Le reste du blé... va mourir avec la seigneurie.

— Ben nous, on n'est pas encore morts, Monsieur Henderson, on continue.

Leur inlassable va-et-vient reprit sous le soleil qui abusait maintenant de son zénith pour plomber les deux forcenés.

Chaque mouvement de rotation du tronc attisait le poumon douloureux du seigneur, qui devait se résoudre régulièrement à mettre un genou au sol pour reprendre son souffle. Alors qu'Henderson tardait à se relever, un roulement, ou peut-être un grondement, éveilla l'attention des deux hommes. Un nuage de poussière s'élevait au-dessus de la route cachée par les arbres.

Alertées, Gertrude et Elizabeth arrivèrent d'un pas rapide les bras chargés de petits Gaulthier. La femme confia Charlotte à son mari et conserva bébé Albert. Effrayée, Gertrude était debout aux côtés de son nouveau grand-père anglais et lui entourait la jambe de son bras.

À leur grand étonnement, deux chevaux de trait et un chariot apparurent au loin. Suivis d'un autre attelage, puis d'un autre et de... sept autres ! Dix au total !

Dans une explosion de joie, Gertrude reconnut son papa qui conduisait le chariot de tête. La petite sautillait, mais Henderson la garda à ses côtés.

— Attendre pour les chariots arrêter, *sweetheart*.

Comme il parcourait les derniers mètres avant de s'immobiliser, Francis fut profondément ému devant cette extraordinaire famille bilingue.

Aussitôt qu'il mit le pied au sol, Gertrude s'élança dans ses bras. Le père l'écrasa longuement contre son cœur. Il la déposa et lui tint la main pour marcher vers ses deux autres petits, qu'il caressa affectueusement de la main. Il serra la main d'Henderson et remercia chaleureusement Elizabeth.

Le Britannique lui adressa aussitôt sa priorité.

— Comment Nahima aller ?

— Toujours sans connaissance. Le docteur sait p'us quoi faire. J't'allé chercher son vieil oncle Outetouco, hier. Y'a soigne avec ses herbes. Peut-être que lui...

Les deux hommes baissèrent les yeux. Elizabeth tapotait les côtes de son mari alors qu'elle verbalisait sa compassion retrouvée.

— Nous prier pour elle, Francis.

Francis acquiesça de la tête et la remercia. Il inspira profondément, pointa la forêt et ajouta avec une certaine fierté :

— Vous avez un beau pont tout neuf !

Il fit une autre pause, retira son chapeau et prit une profonde inspiration.

— Les guerres ont ce pouvoir d'exhumer le pire du soldat, mais aussi d'élever le meilleur de l'homme... Michael, vous êtes aussi le meilleur de l'homme.

Il lui sourit timidement et enchaîna :

— J'ai jasé à toutes ces bonnes gens derrière moi. Pour être icitte, ils ont tous besogné nuit et jour pour ach'fer leur récolte...

Il fit une pause... Une grande nation allait naître de ses paroles !

— Y sont venus aider deux nouveaux concitoyens dans le besoin !

Les deux Britanniques, sonnés, dévisagèrent le messager de Mademoiselle France qui leur présentait sa main tendue.

Incrédule, Henderson avança sa paume tremblante vers le conquérant tant espéré. Les dix doigts trapus s'enveloppèrent, alors que leurs yeux lubrifiés échangeaient leur reconnaissance.

Une cinquantaine de personnes, faux en main, attendaient l'inspection du seigneur. Ils étaient des villageois, des militaires sans tunique, des Montagnais... une dizaine de Montagnais, des Hurons, des Français, des Anglais, des aristocrates, des peu connus, des inconnus, des fourches et des faux... beaucoup de faux, des casseroles, des mains... une centaine de mains et beaucoup de figures incertaines!

Comme sur les plaines d'Abraham, les lignes française et britannique s'examinèrent dans un silence fabuleux de cent vingt secondes... Les sourires, qui naissaient ici et là, laissaient enfin croire qu'après trois années infernales, la convoitise et le mépris cédaient enfin du terrain à la coopération et au respect.

Henderson fut interrompu dans sa communion par Francis, qui lui tendait son hamac restauré.

— Marie l'a réparé pis m'a ordonné de vous ancrer là-d'dans pendant qu'on s'occuperait de votre blé... Pis elle vous conseille de ben vous r'poser pour notre balade sans essieux de dimanche prochain!...

Tous étaient au courant du défi burlesque d'Henderson. Sourire en coin, ils épièrent sa réaction imminente. Le géant britannique puis la foule éclatèrent d'un rire merveilleusement rassembleur.

Francis localisa un jeune homme sur sa gauche et prit une profonde inspiration.

— Michael... J'ai pas bivouaqué à Baie-Saint-Paul tout ce temps-là. Chus allé voguer un aller-retour sur Québec...

Les Henderson furent évidemment surpris. D'autant plus que Francis retira Charlotte des bras du Britannique avant de continuer.

— J'voulais r'trouver un jeune compagnon d'armes. J'lui ai jasé d'une ben belle histoire d'amour. Y'a voulu vous rencontrer.

Francis se déplaça de côté et invita le jeune homme de dix-neuf ans à s'approcher. La foule retenait son souffle. Timide, les yeux rivés au sol, le grand adolescent s'avança et retira son chapeau pour laisser voir au Britannique son regard fébrile.

Stupéfait, paralysé, Henderson dévisagea ce gamin à la large cicatrice horizontale sur la tempe droite. Ce même visage qu'il avait désespérément prénommé George, comme son roi. De nouveau face à face, immobiles comme le temps, les deux pions devenus des hommes échangèrent le même regard qui les avait unis sur les Plaines, trois années auparavant.

Le cœur en tambour, submergé de prières oubliées, Henderson peinait à réaliser qu'il n'avait pas abattu ce fils. Pourtant, cet enfant avait bien les yeux de sa belle Anglaise. La même tignasse brune en broussaille, le même pli au menton, la même mâchoire carrée, le même gabarit costaud et absolument la même timidité envahissante... que lui !

Elizabeth ausculta le jeune homme, la cicatrice, son mari bouleversé et le jeune homme de nouveau. La mère réalisa soudainement que « George » se tenait devant eux.

Il pouvait bien parler le français, l'anglais ou le chinois, ils s'en foutaient tous les deux !

Les deux hommes revécurent spontanément ces huit minutes du 13 septembre 1759 où ils furent à la fois blessés et sauvés par leur ennemi d'en face. Henderson porta la main sur sa côte et ressentit de nouveau la douleur de son plomb qui l'avait raclé. L'homme fragilisé porta sa main tremblotante sur la tempe cicatrisée de George. Au contact des doigts, George revit la figure désespérée de ce franc-tireur visant sa poitrine haletante. Le Britannique sentit ses genoux ramollir pour la seconde fois devant le même homme. Heureusement que sa belle Anglaise et Francis le retinrent discrètement. La foule, émue, s'entrelaçait en silence.

George tripatouillait nerveusement son chapeau en regardant le sol. Pour la deuxième fois, le jeune Français rompit les rangs et tira en premier !

— *Thank you for saving me, Mister Henderson !*

Après quelques secondes, pour consommer ce grand bonheur, Henderson lui répondit dans son meilleur français :

— J'ai pas le choix, jeune homme : vous visez trop mal !

Des éclats de rire spontanés firent honneur à l'humour tout britannique. Henderson avait tant de questions à lui poser.

— Quel sont ton nom jeune homme ? D'où vous venez ?

— Je m'appelle Louis...

Et il ajouta, sourire en coin, conscient de l'incroyable coïncidence :

— Louis comme le roi... de France !

Laissant à peine le temps à Henderson de bénir – à son tour

– cette concomitance divine, le jeune homme répondit sans attendre à la question du seigneur.

— À mes sept ans, j'ai été enlevé en Nouvelle-Angleterre par les Iroquois qui ont massacré mes parents. Les Pères m'ont racheté pis envoyé à Lévis, avec la trop grande ambition de me mettre la soutane.

Il fixa solennellement les deux Britanniques. Le regard empreint d'espoir et de doute, il ajouta :

— Mais j'ai maintenant espérance que chus p'us orphelin, depuis les Plaines...

La dernière salve du Français atteint le Britannique en plein cœur pour la seconde fois.

Le sourire naissant, puis rayonnant des deux hommes dissipa leurs derniers doutes. Henderson regarda son épouse émue qui acquiesça. La voix tremblante, il se retourna vers l'enfant et lui présenta sa large poignée de main.

— *Welcome home, kid...*

Alors que la banquise qui emprisonnait les Henderson fondaient enfin au travers leurs regards scintillants, les parents enfin adoptés enveloppèrent leur fils.

Par un fabuleux retour du destin, ce fut précisément la balle qui balafra et faillit tuer son fils « George » qui avait marqué le chemin de Louis jusqu'à lui.

Francis et Michael échangèrent, à travers leur regard brouillé, un signe de tête inestimable. À cet instant, Francis sut que la dette qu'un père ne pourrait vraisemblablement jamais rembourser... était maintenant acquittée.

Tous comprirent enfin que la valeur profonde d'un homme doit être jugée à ses choix et ses servitudes et non à sa langue, son dieu ou son drapeau!

Les villageois se rendirent immédiatement aux champs, conscients que la semaine ensoleillée avait asséché les graines mûres qui risquaient de se détacher à tout moment. Une quinzaine de lames tourbillonnantes fauchaient sur trente mètres de front.

Deux Montagnais, un Anglais, trois habitants, quatre villageois, deux Hurons et trois soldats britanniques... La ligne de front était tout simplement... fabuleuse!

Quelques pas à l'arrière, une armée de petites mains de femmes et d'enfants attachaient les tiges avec de la paille et les plaçaient en quintaux pour quelques jours de séchage. Chacun trouva naturellement son utilité. Près des tentes, les anciennes cuisinaient, les anciens affûtaient, les plus jeunes s'occupaient des trop jeunes, pendant que les pas assez vieux soignaient les chevaux. Pas de chef, pas d'Indien, pas de Blanc, pas de Français ni d'Anglais... que des survivants. Lasse des années de haine qui n'en finissaient plus, lasse des combats, de la résistance passive et de l'indigence, la communauté s'était inspirée du sacrifice de leur ennemi pour entamer leur longue marche vers la lumière.

À la fin de la première demi-journée, le champ nord était presque complètement en quintaux. Dans l'avant-midi du deuxième jour, Francis et un petit groupe se rendirent à sa ferme pour aider Mahigan à terminer le dernier champ. À la fin de cette journée, les faux cessèrent de tournoyer pour de bon et Francis put retourner au chevet de Nahima.

Sous le ciel orangé, les bernaches défilaient vers les Plaines. Isolés en surplomb du dernier chantier, le sergent de toutes les guerres et sa douce admiraient le merveilleux champ sans bataille couvert de quintaux de blé. Certes, les faux portaient le sang. Pas celui d'un ennemi de langue, mais celui des mains crevassées offertes par un ami.

En pleine communion avec la paix, la voix d'un grand soldat résonna alors dans sa tête :

— C'est tellement plus beau que des croix !

Henderson se retourna prestement en criant :

— McLOUD !

Tout juste débarqué d'un chariot venu du village, son ami marchait droit vers lui. Les deux hommes s'étreignirent, libérés des galons. Lorsqu'il recula pour regarder son caporal, Henderson reconnut la femme arrivant sur sa gauche.

— Miss Middleton ?

L'impayable McLoud informa aussitôt son sergent :

— Je l'ai fait raser, démorpionner, déverrer pis mettre en quarantaine... Vous pouvez l'embrasser en toute sécurité maintenant !

Le coup de coude complice de la demoiselle fit sourire le bouffon. Prenant son caporal au mot, le sergent l'étreignit de toute sa nouvelle sensibilité latine. Surpris, McLoud intervint poliment pour les séparer :

— Sergent, y faut quand même vous garder une petite gêne, maintenant...

Il prit la main de la femme de joie, trop heureux de révéler le projet « personnel » fomenté bien avant sa première coupe Middleton. Il se mit au garde-à-vous et annonça solennellement à son officier :

— Sergent... euh... Votre Seigneurie, je vous présente... *MADAM* McLoud.

— *God damned!*

Joyeusement surpris, Henderson félicita très... très chaudement ses vieux amis.

Il recula et rechercha Elizabeth de ses yeux amoureux.

— Mes chers amis, je vous présente enfin *Madam* Elizabeth Henderson.

En vrai gentleman, McLoud s'inclina et lui baisa délicatement la main. Il ne put cependant résister à la tentation de faire rougir la lady.

— Je comprends pourquoi le Sergent vous appelait sa « belle Anglaise » et pourquoi il vous a si jalousement cachée au fond de son cœur.

La lady fut immédiatement charmée par le gentilhomme.

— Je vous remercie, *Mister* McLoud, et vous félicite ainsi que *Madam* McLoud pour vos noces.

Pas privée du sens de l'humour britannique, la lady ajouta à l'ami indéfectible qui lui avait ramené son homme en vie :

— Je vous remercie tout particulièrement, *Mister* McLoud... vous et votre derrière... d'avoir si bien pris soin de mon Michael...

Après une glace si habilement brisée et un rire fort bien partagé, Henderson leur demanda d'un ton intrigué :

— Mais dites-nous, quel merveilleux hasard vous amène ici, aujourd'hui ?

— C'est fort simple : *MADAM* McLoud et moi, on était en voyage de noces à Québec depuis à peine dix-huit ou vingt pintes de bière. Alors qu'on soulageait les tonneaux d'une autre charmante petite auberge sur Grande-Allée, un soldat anglais qui arrivait de Baie-Saint-Paul est entré en disant qu'il avait une histoire à boire debout. Alors on l'a écouté... On s'est levé debout... pis on a bu !

Le couple de jeunes mariés se regarda et, d'un commun accord, souleva les épaules, paumes en l'air en signe de « Ben quoi ? On l'a écouté ! »

— Je reconnais là, Caporal, votre fabuleux sens de la déduction et votre très grand respect à la fois pour le galon et le gallon ! Vous n'êtes pas le père et le mari de la convoitée coupe Middleton pour rien !

Le caporal se pencha sur son Sergent, pointa son pantalon et chuchota :

— Justement, la p'tite coupe... Vous devriez essayer ça, Votre Seigneurie !

Le lendemain, les fourches prendront la relève des faux pour transporter les premiers quintaux séchés par deux journées radieuses, mais ce soir, le seigneur des lieux leur offrait sa plus grosse chèvre en festin. Bien entendu, monsieur le curé arriva juste à temps pour bénir le repas et le blé, et donner le mérite à son dieu pour une si belle récolte communautaire.

Les ventres étaient pleins et les langues bien lubrifiées par le vin et le whisky. Autour du feu, tous échangèrent leurs rêves, leurs exploits et leur humour dans le dialecte universel de la confrérie des travailleurs et des survivants. Sourire aux lèvres, Elizabeth, Michael et Madame McLoud admiraient le précieux mari en train de se mimer essayant de descendre son pantalon embroché par la flèche. Les éclats de rire de l'humour polyglotte leur rappelèrent le don extraordinaire de l'ami d'une vie.

Neuf jours avaient passé depuis l'accident et tous commencèrent à murmurer leur inquiétude au sujet de la petite Amérindienne. Alors qu'ils dînaient, un chariot semi-couvert émergea de la forêt pour s'engager dans l'entrée.

Francis et Marie-Catherine étaient assis côte à côte à l'avant... seuls !

Dès que le chariot fut immobilisé, Marie-Catherine descendit puis s'accroupit pour enlacer Gertrude, mais l'enfant surexcité y coupa court pour défiler ses deux semaines amusantes :

— Moé pis Mammy Derson on a fait plein de « pomme-puddings », pis des tartes à la pomme, pis des « trous d'elle » avec des pommes, pis des confitures à la pomme, pis un gâteau aux pom...

La petite s'interrompit, recula d'un pas et fixa les mains vides de sa mère. Le visage de la grande sœur s'obscurcit brutalement. Mais juste avant que la pluie de larmes ne se déchaîne de nouveau sur la Nouvelle-France, Outetouco apparut suivi de Francis. D'un bras, le vieux guérisseur portait fièrement Nahima.

Dans une explosion de joie et d'applaudissements d'une centaine de mains à vif, Gertrude cria à s'époumoner :

— NAHIMA ! NAHIMA !

Gertrude fit trois pas dans sa direction, mais, à la surprise générale, elle se retourna pour courir en sens inverse. En pleurs, elle se dirigea directement vers Henderson pour lui enlacer les jambes.

— Merci, Misteur Derson.

Son héros s'accroupit pour recevoir un collier de petits bras libérés d'une vie de remords. La petite pinça les deux joues flasques de l'homme pour déposer son plus beau baiser en leur centre puis elle réitéra sa promesse aliénante :

— Je ne p'us jamais piquer tes pommes... promis.

L'homme sourit et la déposa par terre pour la laisser filer vers sa sœur. La petite repartit aussitôt vers le chariot, mais s'arrêta subitement à cinq mètres de Nahima. Ses yeux ahuris fixaient l'avant-bras ou plutôt... celui qui n'y était plus !

Le petit ange avait perdu une aile. L'artère déchirée avait asséché les tissus qui furent assaillis par la gangrène puis l'infection. Les deux autres fourchons avaient tout juste évité ses organes internes.

L'Amérindienne ignora le regard épouvanté de sa sœur pour lever la tête et un bras et demi au ciel. Elle ferma les yeux, sourit et agita doucement ses ailes, tel un oiseau qui plane. Elle annonça fièrement :

— Nahima volé, comme Gertrude... Volé haut, haut avec son Papa de plumes.

Puis, habitée de la fierté de ses ancêtres, elle avança son bras valide devant elle et fit signe d'empoigner solidement la crinière de son père et lança à sa sœur, sans la regarder :

— C'est pas g'ave, Gertrude... Nahima besoin juste une pour tigalopopâ !

Gertrude sourit de tout son bonheur et courut la cajoler en murmurant :

— Nahima va m'apprendre à moi.

Libérée de l'étreinte de Gertrude, l'Amérindienne partit lentement à la recherche des chaussures de cuir verni. Francis voulut la prendre, mais la petite refusa. Alternant entre le sol et les visages intimidants, Nahima cherchait les souliers d'aristocrate qu'elle avait si souvent épiés près du hamac. Mue par le souvenir du visage et de la voix de l'homme qui l'avait porté, elle s'approcha d'Henderson et s'immobilisa, les yeux soudés au sol. Sa tête pénitente pour un péché qu'elle n'avait jamais commis, ses cheveux libres pendouillaient le long de ses joues inclinées.

Sa feuille d'érable ballotée par son cœur emballé, l'Anglais s'agenouilla dans le silence d'une foule bouleversée. La gorge nouée, les mains d'Henderson peinaient à respecter la réserve amérindienne. Les yeux de Nahima quittèrent le cuir verni pour monter le long du corps et atteindre le menton.

Tout comme son héros, la petite combattait son propre asservissement pour une cause plus grande que la sienne. Courageusement, les yeux relancèrent leur fragile ascension. Au prix d'une concentration précieuse, ils escaladèrent la dernière ride pour se lover dans le regard capturé de l'homme libre. À chaque clignement, les pupilles résistaient à l'envie de s'enfuir vers le sol sécurisant. Devant le colosse sans voix, la fillette bataillait de toutes ses forces pour combattre un mal encore sans nom à cette époque : l'autisme.

Soudainement, miraculeusement, le regard se libéra de ses chaînes, les paupières se détendirent et la fillette apparu ! Les deux perles brillaient de toute leur intelligence alors que les lèvres souriantes livrèrent le message de son âme :

— Merci, Misteur Derson... J'aime.

À cet instant magique, Marie-Catherine se blottit contre son homme, bouleversé par la naissance d'un espoir.

Alors que le colosse ouvrit la bouche pour lui répondre, la fillette épuisée fut de nouveau traînée et emprisonnée dans sa tête. Malgré son regard écroué, la petite joue se faufila pour trouver l'épaule du Britannique et s'y coller quelques secondes.

La regardant s'éloigner, Henderson murmura :

— C'est moi qui te remercie, *sweetheart*... J'aime aussi.

La foule, à la fois émue et triste, savait exactement où la petite se dirigeait. Elle s'ouvrit respectueusement pour la laisser passer vers l'enclos extérieur des chevaux. La petite s'arrêta à quelques pieds de la clôture pour se pencher avec difficulté et cueillir un bouquet de luzerne. Mahigan lui ouvrit la barrière alors que tous retenaient leur souffle et leurs larmes. Elle pénétra dans l'enclos vide à la recherche de son autre héros.

Son regard croisa aussitôt une plaque accrochée au mur extérieur de l'écurie « LUNA 1752-1762 ». En son centre reposait un vieux licou. Au sommet du cuir usé naissaient deux généreuses mèches d'une crinière noire qui retombaient de part et d'autre. La brise de septembre donnait vie aux longs crins de la jument alors que Nahima s'approcha du licou sans cheval. L'Amérindienne n'eut point besoin de savoir lire son propre nom sur la plaque pour s'imputer la responsabilité du décès de Luna.

Ses épaules restèrent de glace, même lorsque ses larmes furent aisément déverrouillées par l'animal.

Mais avant que ses larmes ne sèchent, le souvenir de la dernière secousse et de l'expiration macabre d'Harry lui revint clairement à l'esprit. Elle se tourna subitement et s'écria :

— Non... HAAARRYYYY !

Elle s'avança de quelques mètres jusqu'au centre de l'enclos vide en le cherchant du regard. Elle s'immobilisa et baissa la tête, laissant ses gouttes de peine basculer dans le vide de son âme.

Le petit visage se redressa lentement au bruit des pas boiteux qui sortaient de l'écurie.

— HARRYYY !

Elle courut et s'immobilisa à la rencontre du gros nez qui s'abaissa vers sa trompette pour l'engloutir tendrement. La petite main et la luzerne caressaient l'énorme museau qui épongeait ses larmes. La caresse longuement consommée, Nahima recula. Le gros nez renifla aussitôt l'aile manquante. Perplexe, Harry tourna la tête de côté pour que son œil puisse comprendre. À cet instant, la main s'ouvrit et laissa tomber la luzerne alors que ses yeux retrouvèrent leur tristesse. Elle fixa les blessures et le prix du sacrifice de son âme sœur.

— Oh nonnnn, Harry!

Les pattes et la poitrine du cheval portaient la dizaine de cataplasmes de Mahigan comme autant de preuves de l'instinct exceptionnel du cheval de fer canadien.

Nahima resta immobile et silencieuse. Seules les petites épaules qui se mirent à sautiller trahirent ses pleurs emprisonnés. Elle fit un premier pas, puis un deuxième et s'agenouilla devant la patte avant. Ses épaules toujours sautillantes, elle effleura longuement les cataplasmes au genou. Puis, dans un geste d'une grande tendresse, ses lèvres frémissantes embrassèrent délicatement chacune des blessures.

Refusant l'aide de Mahigan, prête à souffrir comme son ange, elle se releva avec difficulté et se dirigea vers un petit banc de bois. Dans un silence de cathédrale, l'Amérindienne le traîna avec son bras valide et vint le positionner face à l'épaule transpercée de la bête. Elle y monta, aidée délicatement par un gros nez. La petite main effleura les points d'entrée et de sortie du pieu avant d'y déposer ses baisers de larmes.

À la vue de Nahima debout sur le banc, la bête entama instinctivement leur ballet amoureux. L'artiste s'avança de lui-même pour exposer une nouvelle surface aux caresses et aux baisers. Aussitôt la plaie traitée, Harry progressa d'un autre pas. La surface suivante n'affichant aucune blessure, Nahima flatta simplement l'animal et recula dans l'attente du déplacement qui tardait à venir. Après quelques secondes d'immobilité, Nahima sourit au travers ses larmes et se rapprocha pour déposer son plus beau baiser sur le brun pelage. La vedette se mit aussitôt en branle vers la pose suivante. La foule qui souriait avait déjà pardonné le caprice de la prima donna !

Arrivé à l'arrière-train, le cheval de trait exécuta sa fameuse pirouette de cent quatre-vingts degrés... puis recula pour « traiter » l'autre flanc. Arrivée à l'épaule, la petite main se rua sur sa bouche pour cacher son effroi. Nahima gesticulait « non non », alors que ses doigts se posaient sur les chairs du cou et de l'épaule rongées par le collier ! La main tremblante longea délicatement toute la blessure au son de ses remerciements chuchotés en montagnais.

Lorsqu'elle déposa le dernier baiser – fidèle à leur grande finale ! – Harry se positionna face à son âme sœur et quémanda son regard. Les yeux des deux anges s'ancrèrent sans effort.

Ses larmes s'asséchèrent au rythme des battements de leur cœur en symbiose. Sans n'avoir jamais abandonné les deux fenêtres ouvertes sur l'âme du cheval, Nahima acquiesça de la tête et lui dit, en montagnais :

— Je sais... Moi aussi je t'aime, Harry !

Ils soudèrent lentement leur front. Les cheveux et le crin des deux anges immobiles s'entrelacèrent au gré du souffle de Mademoiselle France qui dansait dans leurs crinières.

Trop fière d'elle, la demoiselle devenue une mère patrie s'éleva en admirant sa famille reconstituée, enlacée près de la clôture. Les nez reniflaient. Les Canadiens souriaient. Elizabeth et Marie-Catherine – qui portaient chacune un petit Gaulthier sur la hanche – appuyaient leur tête de mères l'une sur l'autre. Francis et Henderson, emprisonnaient Louis sous leur aisselle. Un Amérindien tapotait le dos d'un militaire britannique alors que le curé souriait à un protestant. Émotif, Jorys brassait un peu trop généreusement O'Riley pendant que les McLoud braillaient comme des bébés...

Juste avant qu'elle ne disparaisse dans les feuilles multicolores, Outetouco leva la tête et la salua discrètement de la main !

En regardant ses peuples fondateurs s'enlacer, Madame Nouvelle-France comprit que c'était précisément les forces et les faiblesses de ces grandes solitudes qui composeraient un jour sa plus grande richesse.

« La liberté n'est pour l'homme
que la faculté de choisir sa servitude. »

Gustave Le Bon

ÉPILOGUE

Un bruit fracassant provenant de l'enclos attira tous les regards. Harry avait défoncé la clôture et traînait dix mètres de broche, trois poteaux, une corde à linge bien remplie et les deux arbrisseaux qui la soutenaient.

Comme le vieux Doc lui avait enseigné six ans plus tôt, il se rua sans présentation ni autres préliminaires superflus vers la vieille croupe en chaleur de la jument du curé. Trop sûr de sa servante, monsieur le curé riait déjà sachant qu'un autre pauvre étalon serait émasculé d'une seconde à l'autre.

Mystérieusement, la castration tardait à venir. Même que... ! Même que les cuisses de la vieille fille rajeunie commencèrent plutôt à... s'ouvrir. Avant même que le curé ait eu le temps d'excommunier Francis, Marie-Catherine, leurs enfants et leurs sept générations de descendants, la queue de la vieille fille détala de côté pour accueillir le péché à pleine vulve.

Peut-être l'utérus desséché voulait-il gagner son ciel avant de flétrir ?

À moins que la vulve détrempée voulût tout simplement monter au ciel avant de mourir ?

Peu importe, Harry lui en donnait à cœur joie, ignorant ses blessures de guerre, les poteaux de clôture et le linge qui volaient autour d'eux à chaque coup de reins. Les mères affolées couraient après les enfants pour leur bander les yeux pendant que les hommes étaient pliés en deux et encourageaient leur héros.

Le curé enragé se dirigea vers Francis, qui tenait Nahima dans ses bras. À ses côtés, Marie-Catherine portait Charlotte, tandis que Gertrude enlaçait la cuisse de sa mère retrouvée. Francis tira Marie-Catherine contre lui. Sourd aux vociférations du curé qui le fusillait du doigt, la tête de la femme gesticulait « non non non » pendant que celle de son homme disait « oui oui oui ».

Sans quitter l'énorme machine à coudre des yeux, Francis se pencha pour chuchoter à sa douce, qui peinait aussi à garder son sérieux :

— Pus de doutance, chérie : l'héritier de Doc est de retour !

REMERCIEMENTS

Ce récit de courage m'a été inspiré par mes propres héros. Tout comme vous, je suis entouré de petits et de grands héros. Des gens ordinaires qui font simplement des choix extraordinaires. Des gens courtisés par le doux confort de leurs propres servitudes et qui choisissent le sacrifice pour simplement... nous mériter! L'amour et la fierté dont ils nous gratifient nous rendent meilleurs... me rend meilleur!

Tout comme vous, je suis aussi entouré de ces bêtes et compagnons à quatre pattes qui nous inspirent par leur force, leur fragilité et leur affection inconditionnelle. Ces compagnons loyaux, qui – à l'image de mes deux magnifiques chevaux – nous honorent de leur obéissance juste pour mériter notre... royale présence.

Je me dois de remercier Michel Cyr d'avoir catalysé la naissance de cet ouvrage et inspiré la force et l'affection de Michael Henderson. Un énorme MERCI à mon ami et complice Jorys Bolduc, pour son affection et son soutien qui, comme Jessica et tous les autres, a accepté de vivre le coït interrompu en me lisant et en me critiquant... un chapitre par saison!

J'aimerais aussi exprimer ma très grande gratitude à Monsieur Peter MacLeod (auteur de La Vérité sur la Bataille des plaines d'Abraham *et responsable Pré-Confédération au Musée de la Guerre d'Ottawa) pour sa vérification militaire diligente de cette œuvre, ainsi qu'à Monsieur Rosaire Tremblay (historien de Baie-Saint-Paul et professeur d'histoire) pour ses références historiques savoureuses et sa passion pour cette petite oasis de la Nouvelle-France.*

Bien sûr, cette œuvre ne serait pas entre vos mains sans la confiance et l'expertise des Éditions Carte blanche et de leurs collaborateurs extraordinaires. Merci Hélène, Julien, Nicolas et Stéphanie.

Mais surtout, merci à vous qui avez donné vie à ces mots et avez osé lire autrement !

LE FILM

Je ne pourrais passer sous silence le grand honneur que Yves Fortin et Geneviève Dionne m'ont témoigné en m'offrant de porter à l'écran ce récit d'espoir. En me confiant la scénarisation du film alors que le manuscrit était encore inachevé, leurs suggestions – ainsi que celles d'une centaine de lecteurs-témoins – ont élevé les deux œuvres. Merci !

Vous aimeriez contribuer au film et au combat de Henderson, Francis et Harry pour la paix ? Vous croyez aussi que le respect de ses peuples fondateurs est la plus grande richesse d'une nation, et le racisme, son pire échec ?

Conquiers la terre de ton ennemi et tu auras un
TERRITOIRE.

Conquiers son cœur et tu auras une
NATION!

Soyons le meilleur de l'homme ! J'ai consacré quatre années à cette œuvre, véritable mission apolitique, vous n'aurez besoin que de quatre minutes pour la perpétuer ! Parlez-en à vos amis. Ajoutez-nous à vos amis Facebook. Visitez et laissez un commentaire sur notre site Web.

« Pour que le mal triomphe seule suffit l'inaction des hommes de bien » écrivait Edmund Burke

En plus de promouvoir les valeurs humanistes de ce projet et le cheval Canadien, vous pourrez suivre le développement du film, participer aux concours de figuration, nous proposer des choix d'acteurs et de paysages pittoresques de tournage.

En terminant, n'oublier pas de visiter le site web du Projet Équestre Goldie (projetgoldie.com). Tout comme ce livre, la fondation Martin-Matte, la CIBC, Air Canada et plusieurs autres, devenez un supporteur de ce centre équestre hors du commun qui permet à des HARRY d'aider des NAHIMA !

Pierre

P. S. N'hésitez pas à me communiquer vos commentaires.

Facebook : troisperespourunevie
Courriel : pierre@troisperespourunevie.ca
Site Web : troisperespourunevie.ca

TABLE DES MATIÈRES